le masque de turquoise

PHYLLIS A. WHITNEY | *ŒUVRES*

PHYLLIS A. WHITNEY

le masque
de turquoise

traduit de l'américain par Thérèse Lauriol

Éditions J'ai Lu

Ce roman a paru sous le titre original :

THE TURQUOISE MASK

1

Mes « arguments » reposaient sur ma table à dessin. Il me fallait trouver la bonne solution, aussi chaque objet avait-il son importance et devait-il être examiné avec soin. Agir signifiait aborder un monde inconnu contre lequel on m'avait mise en garde. Ne pas agir me condamnait à la solitude et à l'impossibilité de connaître un jour la vérité.

Par la fenêtre de mon appartement, au troisième étage, j'apercevais les façades brunes des immeubles new-yorkais dorées par le soleil printanier. En bas, sur l'East Side, la circulation était dense. New York ne me manquerait pas. Trop de souvenirs pénibles l'habitaient.

D'un autre côté, je ne connaissais pas le Nouveau-Mexique où me guettait peut-être un danger.

Le téléphone attendait, sur une petite table, et je me dis qu'il pourrait devenir un perpétuel objet de reproche ou me précipiter dans une aventure incertaine. Mon instinct, comme toujours, me poussait de l'avant mais j'essayais d'user de la prudence que mon père me conseillait souvent : « Un excès d'enthousiasme est aussi néfaste que son contraire, souviens-t'en. » Je n'étais déjà que trop portée aux coups de tête et, cette fois, j'étais bien décidée à réfléchir avant de me lancer.

Il fallait pourtant prendre une décision.

Alignés devant moi se trouvaient les objets qui allaient m'aider à résoudre mon problème. Il y avait la petite sculpture sur bois représentant un oiseau. Une miniature dans un cadre d'argent, le visage d'une femme. La brochure publicitaire que j'avais illustrée, moi, Amanda Austin. Une photo, vieille de vingt ans, représentant mon père, ma mère et moi âgée de cinq ans. Une page arrachée à un magazine de mode. La pipe de mon père contenant un reste de tabac. Le bracelet que Johnny m'avait offert, en or incrusté de saphirs, ma pierre porte-bonheur. Un bracelet d'esclave, avait-il dit une fois pour me taquiner en l'admirant à mon poignet. C'est la raison qui m'avait poussée à le placer avec les autres : il me rappellerait ce que je ne devais plus jamais oublier.

Et puis, les deux lettres de Santa Fe où j'étais née et que j'avais quittée peu après l'époque de la photo, quand ma mère était morte. Mon père m'avait emmenée dans l'Est, chez sa sœur, Beatrix, qui habitait une petite ville du New Hampshire. Je savais que je pouvais retourner chez elle quand je voulais. Tante Beatrix m'accueillerait avec sa bonté austère, dépouillée de sentimentalité superflue. Elle n'avait jamais aimé ma mère ni sa famille, ni accepté ce quart de sang espagnol dont j'avais hérité. Elle pouvait fort bien décider de ne plus me revoir si je me rendais au Nouveau-Mexique. Cela n'avait pas grande importance. Elle n'avait jamais incarné l'idée que je me faisais de la « famille ». J'en avais, je suppose, une conception romantique, glanée au cours de mes lectures d'enfant. Familles turbulentes, du genre un-pour-tous et tous-pour-un : une expérience que je n'avais jamais connue.

Je pris la pipe au fourneau noirci et la serrai comme j'aurais serré la main de mon père. De son côté, l'affection ne m'avait pas manqué. Mais il était mort brusquement quelque temps auparavant. Nous avions été heureux ensemble dans cet appartement. Son travail d'ingénieur l'obligeait souvent à s'absenter des semaines entières, mais nous étions toujours heureux de nous retrouver. Nous appréciions chacun la compagnie de l'autre et nous essayions de nous en contenter, dans la mesure du possible et autant que nos différences de caractères nous le permettaient. Il était seul depuis très longtemps et, pour ma part, Johnny m'avait quittée tout juste un an auparavant. A présent, mon père parti, l'appartement me semblait vide. Ma vie, elle aussi, était affreusement vide. Il y avait les amis, bien sûr, mais les amis ne suffisaient pas toujours.

J'avais envie de combler ce vide avec quelque chose de neuf, qui m'appartiendrait en propre, en dépit de toutes les mises en garde.

Mon père, William Austin, malgré l'entêtement proverbial des natifs de la Nouvelle-Angleterre, était un homme tendre et bon. Je ne l'avais vu qu'une seule fois en colère, lors de l'été de mes dix ans. En fouillant dans une vieille malle, j'avais découvert une miniature, la même qui se trouvait à présent sur ma table. Le visage animé et souriant de la jeune fille m'avait fascinée. Frappée par notre ressemblance, j'avais aussitôt apporté le portrait à mon père pour lui demander qui il représentait.

Jamais je ne l'avais vu aussi furieux que lorsqu'il m'arracha la miniature des mains.

– C'est une femme que j'ai connue autrefois, me dit-il. Elle était indigne, méchante! Elle n'est rien pour toi et je t'interdis de fouiller dans mes affaires!

Cette fureur inhabituelle m'effraya mais elle m'indigna également. Et je lui fis face :

– C'est ma mère, n'est-ce pas? Pourquoi refuses-tu de m'en parler? Je veux savoir.

Il abandonna la miniature et ses mains serrèrent mes épaules si violemment qu'il me fit mal.

– Physiquement, tu es tout son portrait, Amanda, et contre cela je ne peux rien. Mais je ferai tout pour que tu ne lui ressembles pas plus tard. Tu m'entends?

La douleur me rendit furieuse et je me mis à sangloter :

– Si, je lui ressemblerai! Je lui ressemblerai si je veux!

Il me secoua jusqu'à ce que mes sanglots s'étouffent dans ma gorge et je le regardai, terrorisée. Il s'en aperçut et me lâcha. Je n'oublierai jamais les mots étranges qu'il prononça alors :

– Cette naine! Cette maudite naine!

Je ne compris pas ce qu'il voulait dire mais je sentis qu'il valait mieux ne pas l'interroger.

Une fois calmés, nous partîmes chacun de notre côté et, pendant quelques jours, nous nous observâmes avec gêne. Puis, la stupeur et le chagrin s'estompant, nous pûmes de nouveau nous regarder avec tendresse.

La miniature avait disparu et je ne l'avais plus revue jusqu'au jour, récent, où je l'avais découverte dans les affaires de mon père. Il m'avait dit que ma mère était méchante, mais il avait sûrement dû l'aimer jadis puisqu'il n'avait pu se résigner à détruire ce portrait.

Après notre éclat, il m'avait observée avec méfiance comme s'il s'attendait à une manifestation quelconque. Mais nous ne nous étions plus jamais querellés et il avait bientôt retrouvé toute sa gentillesse. Je pris la miniature et la regardai. Le modèle devait être très jeune, à peine sorti de l'enfance. Son nom était Doroteo. Il me suffisait de me placer devant un miroir, la miniature près de mon visage, pour constater la ressemblance. Non que je fusse le sosie de la jeune fille du portrait. Celle-ci était très belle avec ses yeux sombres, son épaisse chevelure noire et sa bouche fine et souriante. J'avais, certes, les mêmes cheveux épais que je portais longs, noués en chignon sur la nuque – la même coiffure que mon modèle! J'avais les mêmes yeux, la même peau dorée par le soleil, mais ma bouche était trop grande et mon menton moins arrondi. Je n'étais pas une beauté.

Le visage n'était pas celui d'une méchante femme. L'expression était volontaire, certes – avec une pointe de malice dans le regard – mais je n'y lisais pas la méchanceté. J'étais vive et décidée moi aussi, parfois même violente, mais pas méchante pour autant.

Je n'avais jamais pu obtenir de mon père qu'il me parle d'elle ou de sa famille de Santa Fe. Quand j'avais voulu savoir comment elle était morte, il m'avait simplement parlé d'une chute, sans rien ajouter d'autre. Son silence même me disait qu'il y avait autre chose. Très jeune, j'avais pressenti qu'une atmosphère d'horreur avait enveloppé la mort de ma mère, une terrible tragédie qu'il voulait que j'ignore. Peut-être à présent découvrirais-je la vérité? Mais était-il vraiment sage de savoir?

Je me demandai si c'était mon grand-père qui avait peint la miniature. Je savais qu'il était un peu artiste et avait pratiqué dans sa jeunesse la gravure sur bois. Je reposai le portrait, et pris le petit bloc en forme de losange où était gravé le dessin humoristique d'un oiseau.

Celui-ci, mesurant environ huit centimètres depuis le bec jusqu'aux plumes de la queue, avait été exécuté avec une grande économie de moyens : le corps était esquissé, la queue suggérée par deux

traits avec, çà et là, de petits triangles pour représenter les plumes. De légères incisions marquaient
les yeux ronds et les narines, une entaille figurait
l'ouverture du bec. Mais ces touches étaient si
habiles que l'aspect comique de l'ensemble était
magiquement rendu. Le bois qui avait servi à le
tailler était clair, mais j'avais tellement joué avec lui
quand j'étais enfant qu'il était recouvert d'une
patine grisâtre. Petite, je l'avais adoré. C'était le
jouet avec lequel je couchais, le soir, un jouet
réconfortant malgré la dureté du matériau.

Je le retournai. Je connaissais par cœur les mots
gravés sur le socle : *Juan Cordova*. Une fois, quand
j'avais huit ans, j'avais demandé à mon père qui
était ce Juan Cordova qui avait sculpté l'oiseau. Je
pense qu'il n'avait guère envie de me le dire mais
nous étions francs l'un envers l'autre sur beaucoup
de sujets et il avait fini par me l'avouer. Juan
Cordova était mon grand-père de Santa Fe. Il
m'avait donné ce jouet quand j'étais toute petite.

Après cela, mon père m'avait parfois parlé de
Juan Cordova. Il ne l'aimait pas. C'était, disait-il, un
homme tyrannique qui détruisait tous ceux qui
l'approchaient et dont il fallait se garder comme de
la peste. Description qui, bien sûr, n'avait fait
qu'ajouter à ma curiosité.

Je passai à un autre « argument » de ma collection : une page cornée, arrachée à un magazine de
luxe. Je l'avais remarquée petite fille alors que
j'étais occupée à découper des poupées en papier.
Le nom, en tête de la publicité qui occupait toute la
page, avait retenu mon attention. CORDOVA, annon-
çait-elle, en lettres majuscules. J'avais aussitôt
dévoré l'article jusqu'à la dernière ligne.

CORDOVA se trouvait à Santa Fe. C'était l'un des
plus beaux magasins du monde. Quant à son propriétaire et directeur, Juan Cordova, la publicité le

décrivait comme « artiste et artisan lui-même, collectionneur d'objets indiens mais également d'œuvres d'art provenant d'Espagne, du Mexique et d'Amérique du Sud ». Une photo illustrait l'article montrant l'une des vitrines où s'étalaient sculptures, céramiques et argenterie.

Une telle publicité donnait envie de partir pour Santa Fe et, ajoutée au fait que Juan Cordova était mon grand-père, elle m'avait fait rêver pendant toute mon enfance. Contrairement au portrait de ma mère, elle n'avait rien de terrifiant.

Que restait-il d'autre ?

La photographie un peu floue représentant trois personnes : un homme, une femme et un enfant devant une maison basse en adobe. L'homme était mon père jeune, la femme, ma mère. Ses cheveux noirs répandus sur les épaules, elle souriait gaiement, la main posée sur l'épaule de l'enfant que j'étais. Chaque fois que je regardais la petite photo, j'avais l'impression de revenir en arrière, de remonter le temps et de me retrouver, telle que j'étais, à cinq ans, pourvue d'un père, d'une mère et, qui sait, d'une nombreuse famille car j'étais incapable de me rappeler aucun détail de cette époque.

Restaient les lettres, le bracelet, la brochure et un autre « argument », impalpable celui-là. Je choisis d'abord la lettre de mon grand-père et la relus attentivement bien que je la connusse par cœur.

« *Chère Amanda,*

« *J'ai appris récemment que William Austin était mort. Viens me voir. Je veux connaître la fille de Doroteo. On me dit qu'il ne me reste plus longtemps à vivre, il faut donc que tu fasses vite. Tu peux prendre un avion jusqu'à Albuquerque où ta cousine Eleanor Brand viendra te chercher pour te conduire à Santa*

Fe. Télégraphie-moi pour me préciser le numéro de vol et l'heure d'arrivée. J'attends ta réponse.

« Juan Cordova. »

Le ton de la lettre était autoritaire. Elle faisait plutôt penser à un ordre qu'à une requête. Mais un homme guetté par la mort se dit peut-être qu'il n'a pas de temps à perdre et j'étais touchée qu'il veuille voir sa petite-fille. Je devais agir vite, sinon il serait trop tard. Mon père, qui ne lui portait aucune affection ni estime, jugeait qu'il avait fait le malheur de ma mère. Il n'avait jamais voulu que je voie aucun des membres de la famille Cordova. Devais-je lui obéir?

La seconde lettre venait d'une grand-mère dont j'avais toujours ignoré le nom jusqu'au jour où j'avais découvert sa lettre, cachée au fond d'un tiroir, dans le bureau de mon père. Elle datait de trois ans, mais il ne m'en avait jamais parlé. Je parcourus l'écriture décidée :

« Cher William,

« Je suis très malade et je veux voir ma petite-fille avant de mourir. De plus, il y a beaucoup de choses dont nous avons à discuter. Tu t'es cruellement trompé au sujet de Doroteo et je tiens à réparer cette erreur. Viens me voir, je t'en prie.

« Katy Cordova. »

Mais William Austin, malgré sa générosité et son bon cœur, avait la nuque raide des habitants de la Nouvelle-Angleterre. Il n'était jamais allé la voir et j'avais perdu l'occasion de connaître ma grand-mère. J'ignorais complètement si elle vivait encore, mais je pensais que non, puisque Juan Cordova n'avait pas parlé d'elle dans sa lettre. Plus encore que le désir de posséder une famille bien à moi, je voulais savoir la vérité au sujet de ma mère et pourquoi mon père l'avait « mal jugée ». A présent, comme sa femme Katy, Juan Cordova m'avait écrit vers la fin de sa vie et je sentais que cette fois, il ne fallait pas ignorer sa requête. Pourtant, j'hésitais encore.

Je pris la brochure que j'avais illustrée et la feuilletai tout en réfléchissant. C'est ainsi que je gagnais ma vie. Dessinatrice publicitaire, je réussissais moyennement en travaillant dans divers journaux. Mais ma véritable ambition était d'être peintre. Mon père m'avait toujours encouragée dans cette voie, et m'avait poussée à cultiver mes dons en m'envoyant dans une école d'art. Peindre faisait partie de moi-même autant que mes propres mains. J'avais un certain talent mais je visais plus haut et, cette ambition, Johnny Hall ne l'avait jamais comprise.

Cette réflexion me conduisit au bracelet. Je le mis à mon poignet et regardai briller les saphirs dans la lumière. Quand Johnny était parti, j'avais voulu le lui rendre mais il avait refusé en me disant, avec désinvolture :

– Garde-le. Il te rappellera la façon dont tu as gâché ta vie.

Mon amour pour Johnny m'avait paru si sûr au début. Gai, entreprenant et dominateur, il était infatué de lui-même et comme de mon côté, je ne voyais que lui, tout était parfait. Mon amour n'avait pourtant pas débuté de cette façon brutale et dangereuse contre laquelle mon père m'avait mise en garde.

– Ne laisse jamais ton cœur entraîner ta tête, m'avait-il dit quand j'étais adolescente.

J'en avais conclu que ma mère et lui avaient dû connaître ce coup de foudre, cette attirance magique et dangereuse car elle se révèle parfois éphémère. Je ne risquais rien pour ma part, n'ayant jamais rien connu de tel. Avec Johnny, les choses avaient évolué lentement. Nous nous appréciions, nous aimions être ensemble, puis des liens plus tendres s'étaient noués qui présageaient une union sans nuages.

Si seulement il n'y avait pas eu mon travail et ma peinture! Ils dérangeaient constamment Johnny. Mes engagements au journal contrariaient ses plans. La situation devint telle qu'il refusa même que j'emporte mon bloc de croquis quand nous partions en promenade. Il voulait mon attention pour lui seul. Gagner ma vie en illustrant de vagues publicités, passe encore avant le mariage! Il n'en voyait plus la nécessité ensuite, sinon comme passe-temps.

– Mais je *veux* peindre! lui dis-je. Je veux me faire connaître par mon travail.

Il rit et m'embrassa.

– Tu ne penseras plus à toutes ces bêtises quand tu auras à t'occuper de moi. Je serai célèbre pour deux et tu pourras être aussi fière de moi que tu le désires. Je m'en accommoderai!

J'étais très amoureuse de lui à l'époque et je me dis que nous arriverions à un compromis. En fait, il ne me laissait guère le temps de réfléchir. Il m'entraînait à sa suite, gai et impulsif, et me pliait à ses propres désirs.

Mon père se montrait sceptique et un peu triste, mais il se disait que, de toute façon, il me perdrait quand je me marierais. J'essayais d'être telle que me voulait Johnny, je ne lui parlais pas de mon travail, je le lui cachais.

La rupture se produisit quand une petite galerie d'art organisa une exposition de mes œuvres. J'avais exécuté plusieurs scènes de différents quartiers de New York : une vue de la ville chinoise, des enfants jouant dans Harlem, un garçon et une fille à la proue du ferry de Staten Island, penchés sur le sillage avec, en arrière-plan, les immeubles de Manhattan se découpant sur le ciel. Il y en avait bien d'autres. Je m'étais beaucoup amusée à me promener dans les rues de New York, un crayon et un pinceau à la main, malgré l'avis de Johnny qui jugeait mon idée ridicule.

L'exposition organisée, je fus choquée de voir qu'il m'en voulait et se montrait jaloux de mon travail. Il ironisa sur la modeste critique que j'obtins dans le *Times* alors qu'il était déjà remarquable d'y figurer, et me fit observer qu'Amanda Austin n'était guère plus connue qu'avant.

Ce fut alors que je commençai à m'affirmer et cessai de cacher mon carnet à croquis, bien que je visse Johnny se détacher sensiblement. Il ne voulait pas d'une femme indépendante, ni même d'une épouse qui travaillât. Il était démodé et bourgeois et, quand j'en pris conscience, je commençai à mon tour à me détacher de lui. Aussi ne fis-je rien pour le retenir quand il me quitta. Après son départ, j'éprouvai pendant un temps un merveilleux sentiment de soulagement et de liberté. Jamais plus, me dis-je, je ne tomberais amoureuse d'un mâle dominateur. Mais il me manquait quand même. Je n'étais pas aussi détachée que je le croyais et, à certains moments, je faillis lui téléphoner pour lui dire que, s'il acceptait de revenir, je ferais tout ce qu'il voudrait. Un violent instinct de conservation me retint.

Un an s'était écoulé depuis et je tentais de masquer le vide cuisant qui m'habitait. J'avais mon travail et je ne voulais pas retomber amoureuse. J'avais quelques amis hommes mais nos relations s'arrêtaient là. Ma vie devenait terriblement insipide et dépourvue de sens.

Ce qu'il me fallait avant tout, c'était un changement de cadre, une vie nouvelle. J'ôtai le bracelet et
le jetai sur la table. Je n'allais pas continuer à
souffrir pour un vieil amour malheureux.

Restait encore un dernier élément, impalpable et
peut-être le plus étrange de tous : un rêve. Un rêve
effrayant, proche du cauchemar, qui me poursuivait
la nuit et me hantait parfois jusque dans la journée.

C'était toujours le même. Sur un ciel d'azur
étincelant se découpait un arbre tout noir. Un très
vieil arbre aux branches noueuses et feuillues, aux
extrémités sombres, tendues comme des mains
pour me saisir. Ma vision de cet arbre s'accompagnait toujours d'un sentiment d'horreur. J'avais
l'impression que, si je le regardais assez longtemps,
la terreur finirait par me submerger et m'anéantir.
Mais je me réveillais toujours avant. Enfant, je
m'étais parfois réveillée en hurlant, et mon père
accourait alors pour me calmer. Plus tard, le rêve se
fit moins persistant mais il continuait à me troubler
et je voulais savoir pourquoi. Existait-il un arbre de
ce genre à Santa Fe ? Si je le trouvais, peut-être
parviendrais-je à comprendre la cause de ma terreur et à m'en libérer.

Pourtant, le rêve ne fut pas le facteur détermi-
nant. La lettre de Katy, celle de Juan Cordova et la
miniature de ma mère me décidèrent. Je voulais
savoir la vérité sur Doroteo Cordova Austin, qui elle
était et comment elle était morte. Je ne connaissais
pour l'instant qu'une moitié de ma famille. L'autre
constituait un point d'interrogation qui me mettait
mal à l'aise. S'il cachait un mystère, celui-ci me
concernait et je voulais l'éclaircir. Comment pouvais-je espérer me connaître en ignorant totalement
cette part de mon ascendance ? Elle aussi m'avait
façonnée et il y avait des moments où je me sentais

16

fort étrangère à cette côte rocheuse de la Nouvelle-Angleterre, chère à ma tante Beatrix, comme aux manières policées de mon père. J'étais violente et emportée quelquefois, encline moi aussi à cette autorité hautaine qui émanait de la lettre de mon grand-père. Une certaine passion m'habitait qui cherchait un exutoire.

Qui étais-je donc? Et si je l'ignorais, comment pouvais-je espérer établir avec les autres des relations solides? Certaines de mes réactions avaient surpris Johnny autant que moi-même. A présent, je voulais savoir.

Je pris le téléphone et composai le numéro d'une compagnie aérienne qui desservait Albuquerque.

2

Devant l'aéroport, baigné par le soleil de l'après-midi, des cars et des taxis s'arrêtaient pour embarquer ou déposer les passagers. J'attendais à côté de mes valises, à l'extrémité du bâtiment où l'on déchargeait les bagages, comme me l'avait indiqué ma cousine Eleanor dans son télégramme. Personne n'était venu m'accueillir et, déjà, plusieurs de mes compagnons de voyage étaient partis avec leurs bagages.

J'attendais, impatiente et un peu inquiète comme tous les voyageurs. J'ignorais à quoi ressemblait Eleanor et ce serait à elle de me trouver. Une femme d'une quarantaine d'années franchit précipitamment l'une des portes, s'arrêta brusquement et regarda dans ma direction.

Je ne lui prêtai guère d'attention d'abord, sinon pour m'assurer d'un rapide coup d'œil qu'il ne s'agissait pas d'Eleanor. Sans raison précise, je pensais qu'Eleanor était jeune. Mais elle continuait à m'observer sans bouger, et je commençai à me sentir mal à l'aise. L'intérêt qu'elle manifestait n'était pas celui d'une étrangère et, cette fois, je lui rendis son sourire.

Elle avait des cheveux courts, bruns et teints, des yeux noisette marqués de rides naissantes. Elle n'était pas très grande mais portait avec élégance un pantalon chamois et une blouse jaune citron que rehaussait un sautoir d'argent et de turquoises. On sentait une femme qui tentait de façon un peu pathétique de paraître jeune.

Quand elle s'aperçut que je la regardais, elle s'avança vers moi avec un sourire d'excuse.

– Vous êtes Amanda, n'est-ce pas? Vous ne pouvez être que la fille de Doro. Pardonnez-moi de vous avoir dévisagée ainsi mais la ressemblance est telle que cela m'a causé un choc et il m'a fallu quelques instants pour m'en remettre.

Une telle franchise me déconcerta. Cet examen m'irritait un peu.

– Etes-vous Eleanor?... commençai-je.

– Non. Bien que nous soyons cousines, au deuxième ou troisième degré, je suppose.

Elle me précéda vers la sortie.

– Je suis Sylvia Stewart. Mon mari et moi habitons la maison voisine de celle de votre grand-père. Il y a longtemps que vous attendez? On m'a prévenue à la dernière minute, et il y a une heure de route d'ici jusqu'à Santa Fe. Les Cordova ont des ennuis. Eleanor a disparu. Volatilisée! Dieu seul sait où! Elle n'a pas dormi à la maison la nuit dernière. Gavin, son mari, était absent jusqu'à ce matin, ce qui fait qu'il n'était pas au courant. Voilà ma voiture. Attendez, je vais vous ouvrir et mettre vos bagages à l'arrière.

Je la regardai empiler mes deux valises et ranger mon carton à dessin dans le coffre. J'attendis qu'elle fût assise à côté de moi, derrière le volant, pour la questionner. Après tout, nous étions un peu parentes. Autant commencer à faire connaissance avec ma famille par son entremise.

– Est-ce qu'on a une idée de ce qui est arrivé à Eleanor? demandai-je tandis qu'elle démarrait.

De nouveau, elle me jeta ce regard pénétrant et interrogateur comme si mon aspect physique la troublait et qu'elle cherchait à me situer. Son insistance me mit mal à l'aise car elle semblait dissimuler quelque chose qui m'échappait.

Elle eut un haussement d'épaules éloquent et, me sembla-t-il, réprobateur.

– Comment savoir ce qui est arrivé à Eleanor? Peut-être a-t-elle été enlevée, assassinée – qui sait? Mais ce serait trop beau. Elle s'est probablement enfuie quelque part toute seule, simplement pour faire enrager Gavin. Pour ce qui est des coups de tête, elle ressemble assez à votre mère. C'est le côté un peu fou des Cordova dont Juan est si fier.

Ne sachant pas très bien comment réagir à ce flot d'informations incohérent, je portai mon attention sur les faubourgs de la ville que nous traversions. Tout baignait dans une lumière blanche qui me rappela, malgré moi, celle de mon rêve, un éclat cru et aveuglant que réfléchissaient le brun et l'ocre de la terre.

Ou plus exactement du sable, semblable à une boue pâle. Le sol, les maisons, tout, excepté le ciel voilé et bleu cobalt, avait la couleur du sable. Le paysage choquait mes yeux accoutumés au granit et au béton ou à la verdure des banlieues. Et pourtant, j'aimais cette lumière intense qui baignait toute chose. Elle me semblait familière et pas seulement à cause de mon rêve.

– J'étais trop jeune pour me souvenir de ma mère, dis-je. Mais vous l'avez connue, je crois?

– En effet. (Sa voix était sèche, impersonnelle.) J'ai été élevée avec elle. J'ai été élevée avec eux tous – les Cordova je veux dire.

– C'est étrange de venir ici pour rencontrer une famille dont je ne sais rien.

De nouveau, elle tourna la tête et me dévisagea longuement.

– Vous n'auriez pas dû venir.

– Mais pourquoi? C'est mon grand-père qui a demandé à me voir!

– Oh! je suppose que c'était inévitable, en effet. Si vous n'étiez pas venue, Paul aurait été vous voir à New York.

J'étais complètement perdue.

– Paul?

– Paul Stewart, mon mari. Vous connaissez peut-être ses livres. Il en écrit un actuellement dont vous ferez peut-être partie, si jamais vous arrivez à vous souvenir du temps où vous viviez ici.

Le nom de Paul Stewart me disait vaguement quelque chose mais je n'avais pas lu ses livres et je ne voyais pas ce que j'avais à faire dans celui-ci.

– Je ne me souviens de rien. Absolument de rien. D'ailleurs quelle importance? Je n'étais qu'une petite fille à l'époque.

Elle parut visiblement soulagée, ce qui m'intrigua encore davantage.

– Aucune importance, vous avez raison. De toute façon, Paul vous en parlera lui-même. Je ne pourrai pas l'en empêcher, malheureusement. Bien que, je l'avoue, je sois contre ce projet.

Nous étions dans une impasse.

– Est-ce que mon grand-père est gravement atteint?

– Il a le cœur malade. Ces jours-ci, il n'a pratiquement pas quitté la maison. En plus, sa vue faiblit et les lunettes n'y font rien. Evidemment, il y a des années qu'il annonce qu'il va mourir – pour obtenir ce qu'il veut des gens. Mais cette fois, c'est la vérité. Les médecins ne savent pas combien de temps il durera et il ne se montre pas un malade facile.

– Dans ce cas, je suis heureuse d'être arrivée à temps. Je n'ai pas d'autre famille. J'ignore même si ma grand-mère vit encore.

– Katy est morte il y a presque trois ans. (La voix de Sylvia Stewart s'adoucit.) Katy était merveilleuse. Je ne l'oublierai jamais. Vous savez, bien sûr, qu'elle était anglaise?

– Je ne sais rien du tout.

– C'est bien de votre père de vous avoir ainsi tenue à l'écart! Il a quitté votre grand-père sur des mots très durs.

Sa voix avait retrouvé sa sécheresse.

– Et pourtant c'est grâce aux Cordova – à Juan – que le scandale concernant votre mère a pu être étouffé, qu'il n'a jamais paru dans la presse dans toute son horreur. Sa mort a détruit Juan et brisé le cœur de Katy. Tout le monde adorait votre mère.

Les derniers mots contenaient une trace d'amertume, et l'idée de demander à cette femme vulgaire et cancanière des détails sur la mort de ma mère me fit frissonner. Je n'aimais pas les mots de « scandale » et d'« horreur ». Quoi qu'il fût arrivé, je préférais l'apprendre d'une bouche plus sympathique. Il était facile de s'apercevoir que Sylvia Stewart n'avait pas aimé ma mère.

– Quel était votre lien de parenté avec Katy? demandai-je.

– C'était la sœur de ma mère. Mes parents moururent alors que j'étais encore jeune et Katy nous ouvrit sa maison et son cœur, à mon demi-frère Kirk, et à moi. Peu lui importait que Kirk ne soit pas son neveu par le sang. Elle était aussi gentille avec lui qu'avec les autres. Mais elle n'était pas stupide pour autant. Katy venait des fermes de l'Iowa et elle détestait nos maisons d'adobe. Mais elle aimait Juan et s'est accommodée de sa famille sans se plaindre. Après que votre père vous eut emmenée avec lui, Katy vous envoyait souvent des lettres et des cadeaux. Mais ils lui furent tous retournés, et elle finit par cesser de vous écrire.

Jusqu'à sa dernière lettre, au moment de mourir, songeai-je, et cette pensée m'emplit de tristesse. Comment mon père avait-il pu agir ainsi, envers elle et envers moi? Même s'il détestait Juan Cordova, il n'aurait pas dû m'éloigner de ma grand-mère.

– Katy savait aimer les enfants sans les gâter, poursuivit Sylvia. En cela, elle était différente de Juan. Il a toujours pourri les êtres auxquels il s'est attaché. Il aimait mon demi-frère Kirk plus que son propre fils, Rafaël. Ils se ressemblaient, je suppose. Quant à moi, je préférerais être aimée d'un tigre mangeur d'hommes! Il a pourri Eleanor. J'espère pour vous qu'il vous épargnera son affection, Amanda.

Je m'en apercevrai assez tôt, songeai-je. Pour l'instant, je n'avais pas l'intention de laisser cette femme, cousine éloignée ou non, me monter contre mon grand-père. Je l'amenai négligemment sur un autre sujet.

– Je suppose que j'ai d'autres parents en vie?

Elle ne se fit pas prier pour répondre.

– Eleanor et Gavin Brand qui habitent la maison. Quand Gavin a épousé Eleanor il y a quelques années, il voulait aller s'installer ailleurs. Mais le vieux Juan ne l'a pas entendu de cette oreille.

Grâce à cette pirouette habile, elle avait réussi à remettre la conversation sur mon grand-père. Je décidai de la laisser parler.

– D'ailleurs Eleanor n'avait pas envie de quitter la maison. Elle voulait rester près de Juan pour pouvoir l'influencer. Gavin a dû s'incliner puisqu'il travaille pour Juan – c'est d'ailleurs la seule personne qui ait de l'influence sur Gavin. Evidemment, il n'aurait jamais dû épouser Eleanor mais il était fou amoureux d'elle. C'est d'ailleurs le genre de femme qui tourne la tête à tous les hommes. Le genre de Doro. Etes-vous ainsi Amanda?

La voix avait retrouvé son amertume et je la regardai. Ses yeux étaient fixés sur la route et elle ne semblait pas se soucier de savoir si ses paroles m'avaient blessée.

– Je n'ai rien d'une *femme fatale*(1), fis-je froidement. Quels sont les autres habitants de la maison?

Elle pointa son doigt vers le paysage, à ma gauche.

– Ne manquez pas cela, Amanda. Voilà Sandia Park, là-bas. Les monts Sandia gardent Albuquerque comme la chaîne des Sangre de Cristo protège Santa Fe.

Je regardai la masse montagneuse qui formait le contrefort de la ville mais le paysage n'était pas ce qui m'intéressait le plus en cet instant.

– Combien mon grand père avait-il d'enfants à part ma mère?

– C'était la plus jeune. Clarita est l'aînée. Clarita... ne s'est jamais mariée.

Sylvia avait légèrement hésité et sa voix avait retrouvé son amertume. Elle poursuivit rapidement.

– Clarita vit toujours à la maison et c'est une bonne chose pour votre grand-père. C'est elle qui s'occupe de tout ces temps-ci. Il y avait aussi le père

(1) En français dans le texte.

d'Eleanor, Rafaël, qui a épousé une Anglaise. Vous remarquerez que c'est Juan qui a choisi les prénoms : ils sont tous espagnols. Katy n'a pas été consultée. Plus tard, cependant, Rafaël a renié cet héritage hispanique dont votre grand-père est si fier. Il se voulait anglo-saxon à cent pour cent et désirait élever sa fille dans cette idée. Mais après la mort de Rafaël et de sa femme, tués dans un accident d'avion, Juan a pris la situation en main comme d'habitude. Eleanor est donc venue s'installer chez Juan et lui a toujours témoigné depuis lors une très grande affection. Plus même qu'à Katy, malgré les efforts de cette dernière. Eleanor sait veiller à ses intérêts. On pourrait penser que son premier amour a été son grand-père, quand elle était petite, et ensuite Gavin Brand, qui était toujours dans les parages. Mais comment le savoir vraiment ?

Sylvia me jeta un de ses regards en coin : elle cherchait certainement à deviner l'effet produit par ses paroles. Je me tus et elle continua sans se gêner, comme pour me mettre en garde contre ma nouvelle famille.

– Adolescente, Eleanor avait jeté son dévolu sur Gavin et elle a réussi à le piéger.

Sa haine pour Eleanor tournait à une vulgarité venimeuse.

– Qu'est-ce que fait Gavin pour mon grand-père ? demandai-je.

– Tout ! Mark Brand, le père de Gavin, était l'associé de Juan quand CORDOVA s'est ouvert. Gavin a grandi dans le milieu des affaires. A présent que son père est mort, il est directeur et acheteur principal de la maison puisque Juan ne peut presque plus voyager. Gavin essaie de maintenir Juan dans les limites de la raison. C'est vraiment lui qui fait marcher la boîte.

Je parlai à Sylvia de la page du magazine de luxe que j'avais arrachée – la publicité concernant CORDOVA – et lui racontai toutes les histoires que j'avais forgées à son sujet pendant mon enfance.

Sylvia secoua la tête.

– Méfiez-vous de CORDOVA, Amanda. Le magasin est devenu un vrai monstre qui gouverne les Cordova. Même enfants, nous savions qu'il passait avant nous tous. Oh! pas pour Katy, mais pour Juan. C'est l'édifice sur lequel il a bâti sa vie. Mais Gavin n'est pas de cet avis. CORDOVA est un sujet de discorde entre eux plus encore qu'Eleanor. Je crains que Gavin ne soit pas content de vous voir ici. Vous constituez peut-être une menace.

Je ne voyais pas en quoi, mais je la laissai continuer.

– Vous ne paraissez guère aimer la famille Cordova, dis-je.

Je l'entendis retenir légèrement son souffle.

– Je me demande si vous avez raison. Peut-être après tout, n'ai-je pas tellement de motifs de les aimer – quoique je sois apparentée à eux, comme vous, et que j'aie grandi avec Clarita, Rafaël et Doro. Peut-être n'ai-je pas envie de voir la fille de Doro tomber dans leur piège. Etes-vous sûre que vous ne voulez pas m'écouter et rentrer à New York tout de suite?

Je me demandai pourquoi elle attachait tant d'importance à ma présence, mais je n'hésitai pas.

– Certainement pas. Vous m'avez donné encore plus envie de les connaître et de les juger par moi-même.

Elle soupira et leva la main d'un geste fataliste.

– J'ai fait ce que j'ai pu. C'est à vous de décider. En ce qui me concerne, j'aimerais quitter Santa Fe et ne jamais revoir les Cordova. Mais Paul se plaît ici. Il y a trouvé des éléments à son livre et, au fond, c'est la seule personne qui compte pour moi. Il habitait déjà la maison voisine avant la mort de votre mère. Quand nous nous sommes mariés, il a décidé d'y rester.

Elle se tut et je reportai mon attention sur la large autoroute où nous filions à plus de cent à l'heure, après avoir laissé la ville derrière nous. De chaque côté s'étendait la *mesa* désertique, couleur de sable, agrémentée de touffes de genévriers. Les arbres étaient rares sauf à proximité des petites oasis, près des cours d'eau. Des ondulations inégales bosselaient le sol poudreux et, à l'horizon, les montagnes formaient une chaîne ininterrompue. Les collines les plus proches étaient striées de bandes allant du rouge sombre à l'orange brûlé, parsemées sur leur flanc de touffes de genévriers.

De nouveau, j'eus l'impression de retrouver un paysage connu. L'éclat de la lumière, la couleur du sable, le ciel immense, la sensation d'espace, tout cela m'était familier. Impatiente et joyeuse, je me disais que je rentrais chez moi. Quel merveilleux paysage pour un peintre! Je m'y sentais à l'aise comme si j'y étais née.

– Ce paysage me rappelle des souvenirs, fis-je doucement.

Sylvia Stewart me lança un regard inquiet et ralentit imperceptiblement.

– N'essayez pas de vous souvenir, Amanda. N'essayez pas!

– Mais pourquoi?

Elle ne répondit pas et se concentra à nouveau sur la route.

L'air devenait plus pur et plus léger au fur et à mesure que nous montions vers Santa Fe. Il y avait peu de circulation à cette heure-là. A l'horizon, la route piquait vers le nord, déserte, bordée de temps à autre par une maisonnette en ruine.

Les orages avaient succédé à une période de sécheresse et quand nous arrivâmes en vue des Sangre de Cristo – contrefort des Rocheuses – j'aperçus de la neige sur les sommets. A leur pied, on distinguait les toits de Santa Fe. Mon impatience s'accrut.

A l'entrée de la ville, nous retrouvâmes ce décor de fête foraine qui gâte les abords de la plupart des cités américaines : vendeurs de hamburgers, stations d'essence, motels.

– Ne faites pas attention, dit Sylvia. Cette partie est rajoutée, ce n'est pas le vrai Santa Fe. Nous habitons plus haut, près de Canyon Road, le quartier des artistes. Il est très ancien. Mais nous allons traverser le centre, pour que vous ayez un aperçu de la vieille ville. Comme vous le savez peut-être, Santa Fe fut fondée dix ans avant l'arrivée du *May Flower*. C'est la plus ancienne capitale du pays.

Je connaissais l'histoire de Santa Fe, car j'avais toujours lu avec passion tout ce qui s'y rapportait. Pourtant, en cet instant précis, j'éprouvais la sensation curieuse de me retrouver dans une ville coupée du monde. Là où je vivais il était difficile de dire où finissait une ville et où commençait l'autre. Santa Fe, au contraire, était cernée de tous côtés par l'immense étendue désertique de la *mesa* et coupée à l'arrière par l'écran des montagnes. En y pénétrant, j'avais l'impression de quitter définitivement un monde familier et cela m'inquiétait un peu. C'était une impression stupide, bien sûr : Santa Fe était une ville ancienne et civilisée, point d'arrivée des conquistadores, après leur longue marche dans le désert, aboutissement de la fameuse piste du même nom.

A ma joie et à mon impatience se mêlait donc une curieuse appréhension. Sylvia en était sans doute responsable, et je me promis de me dominer.

Quittant la grand-route, nous nous engageâmes dans une succession de rues étroites et tortueuses. Les maisons avaient la couleur de l'adobe et des parcelles de terre jaune poudroyaient dans le soleil. La place constituait le centre de la ville. Son jardin et les arbres qui l'entouraient reposaient agréablement le regard. Nous en fîmes le tour et Sylvia m'indiqua du doigt la rue où se trouvait CORDOVA. Quittant la place, nous dépassâmes la cathédrale Saint-François construite par l'archevêque Lamy et dont les tours jumelées rappelaient les cathédrales françaises.

– Ma librairie se trouve plus bas, me dit Sylvia. C'est mon assistant qui me remplace aujourd'hui. Il faudra que vous veniez la voir un jour. A présent, je vous conduis à la maison.

A la maison! Brusquement et en dépit de ma légère angoisse, ces paroles prenaient un sens nouveau. Elles signifiaient la fin de ma quête. Moi aussi, j'étais une Cordova et peu m'importait ce que Sylvia pensait d'eux. J'étais impatiente de connaître ma famille.

Contournant l'Alameda, où aboutissait, jadis, la piste de Santa Fe, nous longeâmes un vaste parc qui dominait le lit de la rivière à présent à sec. Nous suivîmes Canyon Road qui montait à flanc de colline entre des rangées d'ateliers et de galeries d'art. Nous nous trouvions dans le quartier des vieilles résidences espagnoles, séparées entre elles par des murs d'adobe arrondis qui cernaient les maisons et les patios. Arrivées au Camino del Monte del Sol, nous bifurquâmes pour descendre vers une étroite ruelle bordée de maisons anciennes.

– Regardez! la maison avec les persiennes et le portique turquoise, dit Sylvia, c'est celle de votre grand-père. La nôtre est plus loin, là où commence l'autre mur. La maison de Juan est plus ancienne que la nôtre. Elle a plus de cent ans.

J'aurais aimé m'arrêter pour l'examiner plus à loisir mais déjà nous l'avions dépassée et je fus déçue quand Sylvia me dit :

– Nous n'y allons pas tout de suite. Je vous emmène d'abord chez moi où je vous présenterai mon mari. Je téléphonerai ensuite à Clarita pour savoir si elle est prête à vous recevoir. Quand je suis partie, tout était sens dessus dessous à cause d'Eleanor.

Juste après la maison des Cordova, un garage occupait la rue étroite et Sylvia s'y engouffra. Au fond, une porte ouvrait sur un patio. Les murs d'adobe arrivant à hauteur d'épaule cachaient la rue. Traversant le patio, nous franchîmes une porte de bois massive et pénétrâmes dans une vaste et confortable salle de séjour. Des tapis indiens ornaient le sol et deux étagères supportaient une collection de poupées Katchina.

– Vous trouverez sans doute Paul sous le *portal*, dit Sylvia. Allez-y et présentez-vous. Je vous rejoins dans un instant. Dites à Paul que j'appelle Clarita pour la prévenir de votre arrivée et m'informer si Gavin s'est enfin décidé à supprimer son épouse, comme elle le mérite!

Je pris la porte qu'elle m'indiquait et débouchai dans une grande cour, jouxtant le patio. Au fond, assis dans un fauteuil de rotin, se trouvait un homme d'une trentaine d'années environ, certainement plus jeune que Sylvia. Ses cheveux épais, blondis par le soleil, lui dégageaient le front et descendaient bas sur la nuque. Il portait un pantalon marron et un chandail beige pour se protéger de la fraîcheur de cet après-midi de mai. En m'entendant, il se retourna et quitta son fauteuil.

Il était grand et mince, avec un visage étroit et

légèrement osseux, des yeux gris perçants, un menton allongé et une grande bouche qui esquissa un
sourire quand j'approchai. C'était un visage plein de
personnalité et qui me plut aussitôt. Mais ce n'était
pas tout. Une chose imprévue se produisit tandis
que je m'avançais vers lui : l'impression très nette
que nous nous connaissions déjà et que nous
savions tout l'un de l'autre.

Un fluide mystérieux, électrique, nous unissait et
sa voix semblait me dire : « Je vous connais déjà et
vais vous connaître mieux encore. »

Je me rappelai qu'il était le mari de Sylvia et
m'efforçai de lutter contre la magie de l'instant et la
subite attirance que j'éprouvais. Je me sentis soudain très lasse et essayai de le cacher par une
remarque désinvolte.

– Bonjour, dis-je légèrement. Je suis Amanda Austin, la mystérieuse petite-fille de Juan Cordova.
Sylvia m'a demandé de l'attendre ici pendant
qu'elle téléphonait pour savoir si Gavin Brand
s'était enfin décidé à se débarrasser de son épouse.

J'avais pensé qu'il accueillerait ma boutade en
riant mais il cessa de sourire et inclina gravement la
tête.

– Comment allez-vous, Miss Austin ? Je crains que
vous n'ayez commis une erreur. Je ne suis pas Paul
Stewart mais Gavin Brand.

Je sentis mon sang affluer brutalement à mes
joues. Ma langue, comme mon corps, était paralysée
et je ne pouvais songer à aucune excuse valable.
Après un silence horriblement gênant pour moi, il
reprit avec froideur :

– En fait, je suis plutôt inquiet au sujet d'Eleanor.
Je suis venu voir Paul et Sylvia en pensant qu'elle
aurait peut-être laissé un indice qui me permettrait
de la retrouver.

– Je... je suis désolée, dis-je faiblement.

De nouveau, il hocha gravement la tête et sembla se réfugier dans des régions inaccessibles. S'il ne tenait qu'à Gavin Brand, je ne serais pas bien accueillie chez les Cordova et ce serait tant pis pour moi.

L'apparition de Sylvia, accompagnée d'un homme qui devait être son mari, m'évita de chercher d'autres excuses. La présence de Gavin eut l'air d'étonner Sylvia qui jeta à Paul un regard hésitant.

– Bonjour, Gavin, dit-elle. J'ignorais que tu étais là. Je vois que toi et Amanda avez déjà fait connaissance. Amanda, voici Paul.

Son mari s'approcha, la main tendue. Bien qu'il se déplaçât avec la souplesse d'un chat, c'était un homme grand et corpulent. Ses cheveux clairsemés aux tempes étaient d'un gris blond et ses yeux avait une couleur indéfinissable. Il y avait comme une expression de défi dans son regard et la tension que je devinais en lui me procura le même malaise que j'avais éprouvé avec Sylvia.

– J'étais impatient de vous connaître, dit-il, et ses mots semblaient contenir une intention spéciale. (Son regard interrogateur scrutait mon visage, et je fus incapable de le soutenir. Heureusement, il poursuivit aussitôt sans attendre ma réponse :) Vous serez la bienvenue chez les Cordova. Le vieux Juan vous attendait avec impatience. Comme nous tous, en fait. Puis-je vous dire que vous ressemblez beaucoup à votre mère ? Je me souviens fort bien d'elle.

Sylvia se hâta de l'interrompre, et j'eus l'impression qu'elle voulait l'empêcher de parler de ma mère.

– Gavin, je viens d'avoir Clarita. On a retrouvé la voiture d'Eleanor au Rocher-Blanc, sur la route de Los Alamos.

– Le Rocher-Blanc? (Gavin parut stupéfait.) Pourquoi l'avoir abandonnée là-bas. Vous voyez une raison?

Sylvia haussa les épaules.

– Là ou ailleurs... quand Eleanor a une idée en tête...

Paul semblait réfléchir. Je surpris le regard qu'il échangea avec Gavin Brand, un regard chargé d'hostilité. Il était clair que les deux hommes ne s'aimaient pas.

Paul dit enfin, presque à contrecœur :

– Ce carrefour du Rocher-Blanc se trouve sur la route de Bandelier et des grottes. Eleanor m'en a souvent parlé avec enthousiasme comme d'un refuge. Elle m'avait suggéré une fois de m'en servir comme décor pour l'un de mes romans en ajoutant combien ce serait amusant de passer la nuit dans l'une de ces grottes. Peut-être y est-elle allée?

– Cela lui ressemblerait assez, dit Sylvia. Elle a toujours adoré ce genre d'expéditions avec sacs de couchage et le reste.

– Son sac de couchage a disparu. (Gavin semblait réfléchir.) Au moins, c'est un indice. Je vais aller à Bandelier jeter un coup d'œil.

– Puis-je aller voir mon grand-père, à présent? demandai-je à Sylvia.

Elle secoua la tête.

– Pas tout de suite. Mais Paul va apporter vos bagages là-bas. Il y a autre chose, Gavin; tu connais cette petite bête de pierre précolombienne qui fait partie de la collection personnelle de Juan? Elle avait disparu depuis une semaine. On vient de la retrouver... sur le bureau de ta chambre.

Gavin la regarda. Ses yeux gris étaient glacials.

– Elle ne s'y trouvait pas ce matin.

– C'est Clarita qui l'a trouvée, dit Sylvia d'un ton acerbe, comme si elle se réjouissait de l'événement.

Elle est aussitôt allée trouver Juan pour le lui dire, et le vieux monsieur est furieux. A présent la maison est de nouveau sens dessus dessous. Je crois qu'il vaut mieux ne pas y aller tout de suite, Amanda.

Paul dit d'un ton uni :

– Ils finiront bien par découvrir qui l'a mise là.

– Cela peut attendre, fit Gavin sans le regarder. Avant tout, je veux retrouver Eleanor. Je pars tout de suite pour Bandelier. C'est peut-être une fausse piste, mais c'est la seule pour l'instant. Sylvia, si jamais tu as d'autres nouvelles, peux-tu téléphoner aux gardes-chasse pour leur demander de me prévenir ?

Elle hocha la tête d'un air mécontent et Gavin traversa le *portal*, tandis que je restais sur place, les bras ballants. En passant devant moi, il s'arrêta et parut réfléchir.

– Vous pouvez m'accompagner si vous voulez, dit-il avec décision. Il est préférable que vous ne voyiez pas Juan tout de suite. Eleanor est votre cousine et j'aurai peut-être besoin de votre aide si nous la retrouvons.

Je ne croyais pas en ses raisons. Il voulait m'éloigner de Paul et de Sylvia. Son invitation ressemblait plutôt à un ordre et cela m'irrita. Je n'avais pas la moindre envie de me retrouver en la compagnie de cet homme froid et lointain. Mais je n'avais pas le choix. Que cela me plût ou non, sa volonté s'imposait à la mienne. D'ailleurs, je préférais l'accompagner plutôt que de rester seule à attendre interminablement.

– Je vous suis, dis-je, comme s'il lui fallait mon accord.

Nous quittâmes ensemble la maison des Stewart. Côte à côte, il me dépassait d'une bonne tête. Ses cheveux blonds brillaient dans le soleil, et j'essayai de lutter contre cette attirance qu'il exerçait sur moi. Il paraissait aussi lointain que s'il avait habité une autre planète.

3

Quittant Santa Fe par le nord, Gavin prit la route de Taos. Il conduisait très vite, avec la même assurance dont il avait usé vis-à-vis de moi, et je me dis que c'était exactement le genre d'homme que je détestais.

Je ne m'attendais pas à reprendre la route aussitôt et déplorai ce contretemps qui retardait encore ma rencontre avec les Cordova. Mais voilà que, grâce à mes paroles inconsidérées qui m'avaient mise en position d'infériorité vis-à-vis de Gavin et à la façon autoritaire et désinvolte dont il s'était assuré ma compagnie, je me retrouvais en route vers un parc national appelé Bandelier, dont j'ignorais jusqu'alors l'existence.

Nous échangions à peine quelques mots et, une fois ou deux, je jetai à la dérobée un coup d'œil à mon compagnon. J'avais beau le détester, sa tête et son visage aux arêtes aiguës étaient intéressants pour un artiste. J'avais très envie de le peindre et me demandai si j'y parviendrais. Le portrait n'était pas mon fort, bien que les visages m'aient toujours attirée.

Sa voix me tira de mes réflexions.

— Vous vous demandez, je suppose, pourquoi je vous ai brusquement enlevée aux Stewart?

— Oui... en effet.

— Je ne voulais pas vous laisser en pâture à Paul.

– En pâture? Que voulez-vous dire?

– Autant que vous le sachiez... il écrit un livre et veut utiliser vos souvenirs, s'il y arrive.

– Sylvia m'en a touché un mot. Mais comment peut-on utiliser les souvenirs d'une enfant de cinq ans? Quel genre de livre écrit-il?

Il fixa la route d'un air sombre.

– Un chapitre sera consacré aux Cordova, et spécialement à la mort de votre mère. Est-ce que vous savez quelque chose à ce sujet?

Je sentis l'impatience me gagner.

– En fait, je ne sais rien du tout. Voyez-vous, mon père n'a jamais voulu me parler d'elle. Il m'a seulement dit qu'elle était morte au cours d'une chute. C'est une des raisons qui m'ont poussée à venir ici. Je voulais en apprendre davantage sur elle et la famille Cordova.

Il tourna la tête vers moi, et la sympathie que je lus dans son regard me surprit. Mais il ne fit aucun commentaire et poursuivit :

– Votre grand-père est très opposé au projet de Paul. Et je l'approuve. Cela n'apportera rien à personne de déterrer ce vieux scandale. A vous encore moins qu'à d'autres.

Ses paroles ne me plurent pas.

– Sylvia a prononcé, elle aussi, le mot « scandale ». Qu'est-ce que cela signifie? S'il concerne ma mère, j'ai le droit d'être mise au courant.

– Mieux vaut ne pas en parler. Cela ne servirait qu'à vous faire du mal.

– Je m'en moque... Je veux savoir! C'est à rendre fou, à la fin!

Il me jeta un bref regard où je pus lire un certain amusement mêlé de tristesse.

– L'entêtement des Cordova! Vous êtes bien de la famille.

– J'ai aussi des ancêtres en Nouvelle-Angleterre, fis-je observer.

Nous quittâmes la route de Taos pour nous diriger vers les monts Jemez qui dominent Los Alamos. Les sommets couverts de neige des Sangre de Cristo se dressaient derrière nous, et j'examinai le paysage avec le même intérêt que lors de mon premier voyage. Il était si différent de celui auquel j'étais habituée!

Je me félicitai d'avoir étudié la carte avant de quitter New York, ce qui me permettait de reconnaître les lieux. A notre droite, presque perpendiculairement à la plaine, se dressait une montagne massive et toute noire que j'examinai attentivement pendant que nous la dépassions. Un nom se forma spontanément sur mes lèvres :

– La Plaine-Noire, fis-je, toute surprise moi-même, car le nom ne figurait pas sur la carte.

– Ainsi, vous n'avez pas tout oublié?

– Certains paysages me paraissent familiers. Ce qui est normal, bien sûr. J'ai dû faire le trajet avec mes parents quand j'étais enfant.

Nous traversions une région plate et aride, et les collines, devant nous, ressemblaient à de grands vaisseaux blancs voguant vers une mer de genévriers. Leurs sommets étaient parfois hérissés de pointes rocheuses et des grottes apparaissaient souvent dans le grès. Si je connaissais la région, elle m'était moins familière que la Plaine-Noire. J'avais d'ailleurs du mal à me détendre et à apprécier le paysage car une foule de questions m'obsédait.

– Est-ce que vous connaissiez ma mère?

Mes paroles résonnèrent dans le silence, troublé seulement par le ronronnement du moteur.

– Oui, je la connaissais, fit simplement Gavin, me laissant sur ma faim.

– Mon père a toujours refusé de me parler d'elle,

continuai-je obstinément. C'est étrange d'avoir grandi sans même un souvenir de Doroteo, sans l'avoir connue.

— A quinze ans, je n'ai pas compris ce qu'elle avait pu trouver à votre père. Il était son opposé à tous points de vue.

Je me demandai s'il cherchait à me provoquer, mais il semblait trop détaché pour cela, trop indifférent.

— Est-ce que vous vous souvenez de moi, à l'époque?

— Parfaitement. (Sa bouche se détendit légèrement.) Vous étiez une charmante petite fille et vous ressembliez beaucoup à votre mère.

Un bref instant, je me sentis plus proche de lui. Malgré moi, j'étais attirée vers cet homme. Mais ce qu'il ajouta me refroidit et je compris qu'il n'était pas décidé à s'attendrir sur le passé :

— Quel dommage que les petites filles grandissent!

Il ne me taquinait pas et se moquait de mes réactions. Il émettait simplement une opinion. Je regrettai mon bref élan de sympathie et, furieuse contre moi-même, me reculai sur mon siège pour marquer ma désapprobation. Il ne parut pas le remarquer et nous ne parlâmes plus jusqu'à ce que nous ayons atteint le Rocher-Blanc.

— C'est là qu'Eleanor a laissé sa voiture. Il est inutile de perdre du temps avec la police. Elle est peut-être allée à Bandelier en auto-stop.

Nous dépassâmes rapidement Bandelier, petite ville blanche du Nouveau-Mexique, et prîmes la route sinueuse qui conduisait au parc.

— Savez-vous pourquoi elle est partie? demandai-je, encore furieuse de sa remarque.

— Les raisons n'ont pas dû lui manquer, mais je préfère ne pas les connaître.

– Sylvia a fait allusion à la « folie des Cordova » en parlant d'Eleanor et de ma mère. Je trouve cela absurde – je veux dire toutes ces histoires d'hérédité.

– Juan vous affirmerait le contraire. Mais vous? Vous êtes bien une Cordova?

– Je me trouve plutôt équilibrée.

– Félicitations, fit-il d'un ton sec.

Je me tus, furieuse. Quel homme impossible, ce Gavin Brand! Ma sympathie pour ma cousine s'en trouva accrue d'autant. Malgré ce qu'en disait Sylvia Stewart, j'attendrais de la voir pour juger.

Après quelques kilomètres qui m'aidèrent à me calmer, nous arrivâmes devant la grille du parc et Gavin s'arrêta pour acheter nos billets. Il demanda au gardien s'il avait remarqué, la veille, une grande jeune femme blonde dans une voiture, peut-être accompagnée de quelqu'un.

Celui-ci secoua la tête.

– Il y a tellement de passage par ici! J'ai peut-être vu une vingtaine de jeunes femmes blondes. Comment savoir laquelle?

– Mais le parc ferme le soir, dis-je. Les gens doivent bien être obligés de partir à ce moment-là.

– Le parc est immense avec des sentiers de plusieurs kilomètres, dit Gavin. Et c'est plein de campeurs qui passent la nuit ici.

La route descendait en tournant vers le fond du cañon, bordée de chaque côté par la falaise, l'une plantée d'arbres, l'autre escarpée et volcanique.

– Pourquoi est-ce un parc national?

– Le pays appartenait aux Indiens jusqu'aux alentours de 1500. Vous verrez des restes de leurs habitations et de leurs *kivas*. Tout a été parfaitement conservé.

– Mais s'il y a des kilomètres de pistes, comi
allez-vous la trouver?

– Paul pense qu'elle a dû se réfugier dans les
grottes. Nous pouvons toujours y jeter un coup
d'œil. Si elle est venue là, je ne crois pas qu'elle se
soit beaucoup éloignée de l'allée principale.

– Mais si elle veut vraiment se cacher?

– Je suppose qu'à l'heure actuelle elle a plutôt
envie qu'on la retrouve, dit calmement Gavin. Paul
s'est montré un peu trop empressé de me fournir
cette indication. Elle pourrait lui avoir été suggérée.

Je comprenais mal la raison qui avait pu pousser
Eleanor Brand à s'enfuir soudain de chez elle pour
aller passer la nuit dans un endroit aussi incongru,
ni pourquoi on aurait « suggéré » une indication à
son sujet.

Je savais que Gavin ne me fournirait aucune
explication. Il avait paru légèrement agacé en pro-
nonçant le nom de Paul et, m'enhardissant, je lui
demandai :

– Pourquoi n'aimez-vous pas Paul Stewart?

Son regard signifiait clairement que je me mêlais
de ce qui ne me regardait pas, mais il répondit
quand même.

– C'est assez compliqué. D'abord, c'est un faiseur
d'histoires. Vous feriez bien de le tenir à l'écart.

Quant à cela, me dis-je, c'est moi seule qui en
déciderai.

Le soleil avait disparu à présent. L'air était frais et
je fus heureuse d'avoir gardé mon chandail.

– Il doit faire plutôt froid la nuit, par ici? demandai-je.

– Certainement. Mais Eleanor avait le choix,
n'est-ce pas?

Je fus tentée de demander pourquoi, mais son ton
m'en empêcha.

Près du petit bâtiment réservé aux visiteurs, Gavin gara sa voiture et nous sortîmes. Il jeta un coup d'œil aux chaussures plates que j'avais emportées pour le voyage et hocha la tête d'un air approbateur.

– Ça ira. La piste n'est pas difficile et nous n'en avons pas pour longtemps.

La route étroite, pavée pour faciliter la marche, débouchait après quelques tournants dans le lit du cañon. Celui-ci s'étirait en ligne droite, flanqué de falaises abruptes, boisées d'un côté, dénudées de l'autre, de sorte qu'on avait l'impression de pénétrer dans une profonde entaille creusée dans la terre, fermée de chaque côté, coupée du reste du monde. Sur notre droite, la falaise volcanique se dressait vers le ciel, trouée à sa base par des grottes utilisées autrefois par les Indiens. Il y en avait des douzaines et on ne pouvait y accéder qu'en escaladant la roche.

Gavin suivit la direction de mon regard et secoua la tête.

– Si elle est ici, elle aura certainement choisi l'accès le plus facile. Nous allons suivre la piste.

Il semblait bien la connaître et ne pas s'inquiéter outre mesure.

Des *kivas* en ruine bordaient la piste – ces constructions où se pratiquaient autrefois les cérémonies et les rites religieux. Des pierres marquaient l'emplacement de l'ancien village de Tyuonyi bâti autour d'une place centrale. Il s'élevait jadis sur trois étages et abritait plus d'une centaine d'habitants, m'informa Gavin.

La piste montait en pente douce, obliquant vers le pied des falaises, juste au-dessous du niveau des grottes dont certaines avaient servi jadis d'habitation. Pour la première fois, je me sentis un peu ssoufflée après cette montée à une altitude à laquelle je n'étais pas habituée. Gavin le remarqua et ralentit l'allure, et cette attention me toucha.

Il s'arrêta ensuite pour examiner chaque grotte, une par une. Parfois, il empruntait une échelle de bois appuyée contre la falaise, et jetait un coup d'œil vers l'ouverture. Nous étions déjà assez haut au-dessus du cañon et des marches entaillaient parfois la sente étroite et escarpée. La paroi de la falaise était inégale, agrémentée de failles et d'avancées rocheuses entre lesquelles serpentait la piste. Une fois seulement nous croisâmes d'autres visiteurs qui venaient en sens inverse. A nos pieds, le lit du cañon serpentait, désert, entre des bouquets d'arbres. Nous nous étions partagé la tâche pour aller plus vite et ce fut moi qui découvris Eleanor la première.

L'intérieur de la grotte était sombre et je ne vis rien tout d'abord. Puis, quelque chose bougea et je distinguai un visage, émergeant d'un sac de couchage, posé à même le rocher.

— Eleanor? appelai-je.

Je l'entendis qui se dégageait de son sac, mais elle ne s'approcha pas. Elle resta simplement assise, les jambes croisées, à observer la tache sombre que je devais former, découpée sur le ciel. A cause de l'obscurité qui régnait dans la grotte, il m'était difficile de distinguer ses traits.

— Qui êtes-vous? demanda-t-elle et j'entendis pour la première fois la voix de ma cousine, Eleanor Brand, une voix au timbre léger, musical, qui devait merveilleusement se prêter à l'ironie.

Je lui répondis que j'étais sa cousine, Amanda Austin, mais elle m'arrêta aussitôt d'un geste autoritaire.

— Est-ce que Gavin est ici?

— Bien sûr. Je l'ai accompagné pour l'aider à vous retrouver. Il était inquiet.

– Vraiment?

A présent, sa voix était ironique et elle ne montrait toujours pas la moindre intention de quitter la grotte.

Désemparée, j'attendis sur mon échelle, les bras ballants. Gavin sortait d'une grotte voisine et se dirigeait vers moi. Je lui fis signe et descendis. Il prit ma place et se pencha à l'intérieur.

– Sors d'ici, Eleanor. Le jeu est terminé pour l'instant. Prends tes affaires, et descends.

Un rire léger, un peu nerveux lui répondit. Je l'entendis qui pliait son sac. Gavin descendit de l'échelle et Eleanor apparut par l'ouverture avec son sac sur l'épaule qu'elle lança sur le sentier. Elle commença à descendre. J'aperçus d'abord des pieds chaussés de lourds bottillons de marche, des blue-jeans, un gros pull-over bleu et une masse de cheveux blonds. Puis elle mit pied à terre et je me retrouvai pour la première fois face à face avec ma cousine Eleanor.

Elle devait avoir cinq ans de plus que moi, peut-être davantage et, en dépit des circonstances, elle paraissait parfaitement à l'aise et sûre d'elle-même. Elle était aussi d'une grande beauté avec ses yeux violets, bordés d'épais cils noirs, sa bouche charnue et légèrement boudeuse et ses magnifiques cheveux blonds, bouclés sur le front et retombant sur ses épaules en une masse soyeuse, aussi lisses que si elle venait de les coiffer. Sans prêter attention à Gavin, elle m'examina ouvertement d'un regard dépourvu d'aménité.

– Ainsi, vous êtes la fille de Doro? Est-ce que vous lui ressemblez?

C'était une question à laquelle il m'était difficile de répondre et je me tus. D'ailleurs, malgré ses efforts pour l'ignorer, c'était Gavin qui l'intéressait et non pas moi.

Celui-ci lui parla d'une voix sèche.

– Tu étais supposée aller chercher Amanda à l'aéroport, cet après-midi. On a dû envoyer Sylvia à ta place.

– C'est bien ce que j'ai pensé. Comment Juan pouvait-il croire que je serais heureuse de l'arrivée d'Amanda alors que je sais fort bien ce qu'il risque de comploter? Aussi ai-je décidé de m'éloigner quelque temps. D'abord pour affirmer mon indépendance et ensuite pour vous inquiéter. J'ai passé une nuit fort agréable, semée d'étoiles et peuplée de fantômes d'Indiens. J'ai même entendu leur tam-tam.

Gavin ignora cette digression poétique.

– Tu aurais pu penser aux autres, ne crois-tu pas?

De nouveau, elle éclata de ce rire léger, malicieux.

– Est-ce que je m'en suis jamais souciée?

Gavin ne réagit pas. Eleanor paraissait décidée à le pousser à bout.

– Est-ce que tu as faim?

– Pas du tout. J'ai fait un excellent repas avec les sandwiches et les boîtes de jus d'orange que j'avais emportés.

– Tu as bien préparé ton coup, dit-il sèchement. Au fond mon arrivée tombe à pic.

– Tu ne peux pas me laisser tranquille, n'est-ce pas? Pourquoi faut-il toujours que tu me coures après?

Le visage levé vers Gavin qui la dominait d'une bonne tête, elle le regardait avec défi.

– Ton grand-père était inquiet. Il m'a demandé d'aller te chercher.

– J'en étais sûre. Quelle belle bagarre nous avons eue hier tous les trois, n'est-ce pas? Peut-être que Juan et toi me consulterez à l'avenir?

Gavin détourna la tête. Cette femme, je le sentais, avait le pouvoir de le blesser, et j'éprouvai un brusque élan de sympathie envers lui. Je connaissais moi aussi ce genre de blessure.

– Rentrons au Rocher-Blanc, dit-il. Nous prendrons la voiture là-bas et nous téléphonerons à Santa Fe.

Il nous précéda, portant le sac de couchage, et Eleanor lui emboîta le pas après m'avoir lancé un sourire ironique et triomphant. Je les suivis avec un sentiment de malaise. Il allait falloir lutter contre toute la famille, me dis-je, tandis qu'une résistance têtue s'éveillait en moi. Après tout, Juan Cordova m'avait demandé de venir et lui seul importait.

Personne ne parla dans la voiture. J'étais assise entre eux, à l'avant, et les kilomètres défilaient dans un silence pesant.

Au Rocher-Blanc, nous trouvâmes la voiture d'Eleanor. Il fut décidé que je monterais avec elle et que Gavin nous suivrait dans sa voiture. Cet arrangement ne me plaisait pas. D'instinct, j'éprouvais une répugnance à me retrouver seule avec ma cousine. Plus que les autres, elle semblait opposée à ma venue et me l'avait montré avec une franchise qui m'avait profondément irritée. Mais Gavin avait parlé d'un ton sans réplique et le moment était mal choisi pour discuter. Je m'installai donc à côté d'Eleanor, et Gavin contourna la voiture pour aller lui parler.

– Tu ferais bien de rentrer immédiatement à Santa Fe. Amanda a voyagé toute la journée et je suis sûr qu'elle aimerait se reposer.

Sa voix était lointaine, détachée, mais je sentis qu'elle dissimulait une émotion profonde – rage ou amour blessé, j'étais incapable de le dire. Sous sa carapace d'indifférence, on sentait une violence prête à éclater et je me demandais si la colère le rendait plus humain et plus sympathique.

Eleanor lui répondit par un sourire éclatant et il s'éloigna en direction de sa voiture. Elle démarra sans l'attendre et, une fois sur l'autoroute où nous roulions à grande vitesse, Gavin avait disparu. Eleanor, les mains bien assurées sur le volant, semblait plus détendue. Je remarquai qu'elle portait une alliance en platine incrustée de diamants et, à la main droite, une bague en argent ornée d'une grosse turquoise. Elle avait de très belles mains, avec des doigts longs et effilés mais sans maigreur. Je dissimulai les miennes entre mes genoux. C'étaient des mains de travailleur, carrées, avec des doigts en spatule, et la pensée qu'elles étaient des mains d'artiste ne me consolait pas.

Ma cousine se tourna brusquement vers moi avec un regard interrogateur et brillant de malice.

— Nous ne sommes pas obligées de rentrer à Santa Fe directement, vous savez. Gavin sera fou furieux en ne nous voyant pas. Si nous les taquinions un peu, Juan et lui?

L'idée d'une randonnée dans la campagne avec cette femme qui me détestait ne me tentait pas et je trouvais inutile de continuer à irriter Gavin et notre grand-père.

— Je crois que nous ferions mieux de rentrer. Un bon lit me ferait plaisir.

Ses lèvres esquissèrent une moue méprisante.

— J'étais certaine que vous ne relèveriez pas un défi. Je suppose d'ailleurs qu'il vaut mieux rentrer. J'aime bien provoquer Juan, mais pas trop. Pourquoi avez-vous accompagné Gavin?

— Il me l'a demandé.

— J'aurais dû m'en douter. Les femmes lui obéissent toujours. Mais pourquoi êtes-vous venue à

Santa Fe? Qu'est-ce qui a bien pu vous pousser à accepter l'invitation de Juan?

– Le désir de connaître ma famille maternelle, je suppose.

La chose parut l'amuser.

– Vous le regretterez bien assez tôt. Juan voudra savoir ce que je pense de vous. Que lui dirai-je?

– Que pouvez-vous lui dire?

Son attitude de plus en plus insultante commençait à me fatiguer. A présent, toute ma sympathie allait à Gavin. Je ne m'étonnai plus qu'il gardât ses distances.

– Vous ne me connaissez pas encore, fis-je remarquer un peu sèchement. Il n'y a rien à raconter.

Elle eut un sourire mystérieux et entendu, et je laissai tomber la conversation tout en me demandant ce qu'elle allait bien pouvoir raconter à Juan Cordova.

Quand nous abordâmes l'autoroute de Santa Fe, d'épais nuages noirs s'amoncelaient au-dessus des monts Jemez. Eleanor se contenta de secouer la tête quand je remarquai qu'il allait sans doute pleuvoir.

– Malgré les nuages, il ne pleut presque jamais. Nous en aurions bien besoin, pourtant.

A l'horizon, une colonne de poussière s'élevait en spirale, tel un cyclone miniature, au-dessus des genévriers. « La danse du sable », songeai-je, et je m'aperçus que les mots m'étaient venus tout seuls. Je jetai un regard à la jeune femme assise à mes côtés.

– Je n'ai aucun souvenir de vous, dis-je. Et vous?

– Moi, oui. Je vous revois encore, assise sur les genoux de grand-père Juan. Je me souviens que j'étais jalouse. Mais évidemment, j'étais toute petite à l'époque. Je n'ai plus aucune raison d'être jalouse à présent.

Et pourtant, elle l'était, me dis-je. Le fait que Juan m'ait appelée l'avait profondément blessée.

– Je me demande ce qui s'est passé après mon départ, reprit-elle. Qu'est-ce qu'on vous a dit?

– Je ne suis pas allée à la maison. Sylvia Stewart m'a conduite chez elle où j'ai rencontré Gavin et son mari Paul.

– Gavin chez Paul? C'est ridicule! Ils se détestent.

– Gavin était inquiet à votre sujet et c'est Paul qui lui a suggéré que vous étiez peut-être allée à Bandelier.

– Bravo pour Paul! Je n'avais aucune envie de passer une seconde nuit là-bas.

– Mais enfin, pourquoi êtes-vous partie?

La brutalité de ma question ne parut pas l'offenser.

– C'est assez compliqué, dit-elle. (De nouveau, elle m'observa à la dérobée.) Je voulais surtout donner à Gavin et à Juan le temps de se calmer après notre discussion et de s'inquiéter à mon sujet. Ils ont tous les deux un peu peur de moi, vous savez. Ils n'osent pas me pousser à bout.

Je me demandai si la querelle à laquelle elle faisait allusion me concernait, mais je me tus. Eleanor voulait savoir ce qui s'était passé et, curieuse de sa réaction, je lui fournis le seul élément que je possédais :

– Il semblerait que tante Clarita ait découvert une tête précolombienne dans la chambre de Gavin. Selon Sylvia, elle aurait disparu depuis une semaine.

Elle éclata de son rire cristallin.

– C'est charmant! Heureusement que je n'étais pas à la maison. On aurait pu m'accuser de l'avoir mise là exprès. Juan va être furieux. Qu'a dit Gavin?

– Simplement qu'il partait vous chercher et que le reste pouvait attendre. Je crains de ne rien comprendre à toute cette histoire.

– Quelle importance puisque vous allez repartir bientôt?

Je ne répondis pas. J'ignorais encore combien de temps j'allais rester à Santa Fe et sa remarque me déplaisait. Elle semblait contenir une menace et je n'avais pas l'intention de me laisser impressionner.

– Juan est un être difficile, vous savez. Vous l'irriterez comme tout le monde et il aura tôt fait de vous renvoyer. Je suis la seule qu'il tolère ces temps-ci. Et la seule qu'il écoute. Excepté peut-être Gavin. Mais cela ne durera pas. Gavin devient trop désinvolte, trop sûr de lui. Cette tête de pierre, par exemple.

– Mais ce n'est pas lui qui l'a prise, n'est-ce pas?

– Bien sûr que si. Cela fait un an qu'il écoule des objets appartenant au magasin. Je suppose qu'il connaît des receleurs. Il faudra bien que Juan ouvre les yeux un jour ou l'autre.

Je ne croyais pas un mot de ces accusations et ma sympathie pour Gavin s'accrut. Elle était visiblement montée contre lui, et je me demandai à quel point il en souffrait.

Nous nous tûmes pendant un moment. Eleanor relança la conversation par une question qui me surprit :

– Je suppose que vous savez pourquoi Juan vous a demandé de venir?

– Je pense qu'il veut voir la fille de Doroteo, fis-je après une seconde d'hésitation.

– Oh! c'est certainement là-dessus qu'il va jouer :

l'enfant de sa fille préférée. Le genre de sornettes dont il nous a abreuvés! Mais il a une autre raison, bien plus valable. Vous ne tarderez pas à la connaître.

– Est-ce qu'elle est liée au livre de Paul Stewart?

– Ah! Vous en avez entendu parler? En fait, c'est moi qui ai suggéré cette idée à Paul. A présent, il est bien décidé à l'écrire, quitte à s'attirer les foudres de Juan. Grand-père est furieux.

– Alors pourquoi tenez-vous tant à ce qu'il l'écrive?

De nouveau, elle m'adressa un sourire moqueur:

– Les scandales familiaux ne me gênent pas. Et cela ennuie Juan. Après tout le mal qu'il s'est donné pendant des années pour étouffer l'affaire, il n'a pas envie de la voir déballer. Moi, je m'en moque. Au contraire, cela peut me donner barre sur lui.

– Qu'a-t-il étouffé?

– Vous voulez dire que vous n'êtes pas au courant?

– Exactement, et je commence à trouver lassants toutes ces allusions et ce mystère. Que s'est-il passé, pour l'amour du ciel?

– Je pourrais vous le dire, mais je ne le ferai pas. J'ai des ordres de Juan. Personne ne doit vous parler avant lui.

Je me sentis à la fois déçue et furieuse. Manifestement, ma mère était compromise dans une histoire scandaleuse. Le seul élément réconfortant auquel je pouvais me raccrocher était la lettre de Katy à mon père.

– De toute façon, je ne conserve aucun souvenir de cette époque.

– Si vous dites vrai, Paul va être déçu. Mais j'ai du mal à vous croire. Peut-être vos souvenirs vous reviendront-ils une fois que vous vous retrouverez dans un cadre familier.

Je songeai à mes brusques réminiscences et me demandai si elle n'avait pas raison.

On voyait déjà apparaître les faubourgs de Santa Fe, moins abîmés de ce côté nord de la ville. J'étais soulagée que notre voyage prît fin. Je n'avais aucune confiance en Eleanor et j'étais certaine que, si elle pouvait me faire du tort auprès de Juan, elle n'hésiterait pas.

Quelques instants plus tard, Eleanor ralentit; nous entrions en ville. Je songeai aux présentations qui allaient suivre. Les divers événements qui s'étaient produits m'avaient vidée de toute émotion et je tentai vainement de retrouver l'impatience de l'arrivée. Je n'éprouvais plus qu'une vague inquiétude.

Nous empruntâmes une large avenue qui rejoignait Canyon Road et retrouvâmes notre ruelle et ses maisons d'adobe. Le garage Cordova, assez large pour abriter plusieurs voitures, était dissimulé dans un coin de la propriété, derrière un muret. Je sortis de la voiture et regardai autour de moi, espérant retrouver l'excitation joyeuse que j'avais éprouvée en découvrant la maison pour la première fois.

L'après-midi touchait à sa fin. Un dernier rayon de soleil éclairait les fenêtres et la grille turquoise, reflétée par les murs d'adobe qui cernaient la maison, tel un pâle collier d'ivoire.

Je fis le vide dans mon cerveau et me forçai à regarder la maison avec un œil de peintre. Ivoire n'était pas le terme exact. Chair? Non, chair était trop rose. Abricot pâle, peut-être? Si je peignais ce genre de maison, j'essayerais des couleurs naturelles – des ocres rouges et jaunes, du rouge vénitien. Peut-être une touche de vert viridine, pour les ombres. La voix d'Eleanor me ramena à la réalité et je me préparai à l'épreuve qui allait suivre.

– Est-ce que notre maison vous a envoûtée? Venez, je vais vous conduire à tante Clarita.

Nous entrâmes par le devant, franchissant la grille turquoise. La maison était basse et me parut peu imposante – petite même pour une si nombreuse famille – mais c'était une impression trompeuse. Je devais apprendre plus tard qu'elle s'était peu à peu agrandie au fil des années, accumulant pièces et couloirs, ce qui lui conférait son individualité et son cachet en même temps qu'une atmosphère de mystère, accentuée par les multiples portes et les murs d'enceinte.

Franchissant une porte de bois sculpté, nous traversâmes une petite cour étroite et pénétrâmes dans le salon des Cordova. J'étais de retour chez moi et ignorais encore si j'y serais bien accueillie. Les murs d'adobe semblaient s'être refermés autour de moi, cachant le soleil, m'enveloppant de leur ombre froide, telle une prisonnière.

Je chassai cette impression désagréable et regardai autour de moi. La pièce n'avait rien d'une prison, et d'ailleurs j'étais libre de partir quand bon me semblerait. Pourquoi alors ce picotement ridicule le long de l'échine comme si la maison abritait une menace? Une menace enfouie au cœur même du passé.

4

La pièce était vaste et fraîche, avec des murs blancs qui contrastaient avec le mobilier en bois foncé. De simples poutres de bois de pin, appelées *vigas,* soutenaient le toit plat, formant des bandes sombres sur le plafond éclatant. Chacune s'encastrait dans le mur au moyen d'une semelle de bois. De splendides nattes navajos aux motifs noirs, pourpres et gris, étaient disposées sur le carrelage rouge et luisant. La cheminée de coin était en adobe, elle aussi, avec un manteau étroit grossièrement taillé. Creusé dans le mur se trouvait un *banco,* typique banc de cheminée, où s'empilaient des coussins vert foncé et rouille. A côté de la cheminée pendait une longue guirlande de piments rouges qui séchaient tout en décorant la pièce. Des bûches de bois de pin étaient disposées dans l'âtre, prêtes à être allumées, en face de deux fauteuils de cuir sombre ornés de nattes indiennes. L'abondance du cuir et du bois sculpté donnait à la pièce un air espagnol. Suspendu par une chaîne, au centre du plafond, un antique lustre en fer forgé répandait une lumière douce et agréable.

Partout, sur les étagères et les petites tables, on voyait d'habiles sculptures sur bois représentant des créatures du désert, sans doute de la main de Juan Cordova. Pourtant, elles ne ressemblaient pas à mon petit oiseau. Chacune était occupée à une activité cruelle, inhérente à son espèce : un crapaud cornu tenait un insecte à demi dévoré, la tarentule semblait prête à lancer son venin. Je détournai rapidement les yeux vers un tableau représentant les Sangre de Cristo, avec leurs pics neigeux étincelant au soleil et leur ceinture de genévriers escaladant les collines. Là ne planaient ni menace ni oiseaux de proie.

La pièce, de caractère typiquement régional, ne suscitait en moi aucune émotion particulière, si ce n'est cette vague inquiétude ressentie quelques instants plus tôt. J'essayai de me dire que j'étais enfin de retour chez moi; que, bientôt, j'allais revoir ma tante et mon grand-père, qu'Eleanor et Gavin ne comptaient pas... J'attendais un signe de reconnaissance qui ne venait pas. J'étais incapable de maîtriser cette pulsation inquiète, au fond de mon cerveau, qui s'accompagnait d'un sentiment proche de la crainte. Un souvenir hantait cette pièce, je le sentais confusément, mais lequel?

– Elle nous a entendues, dit Eleanor. Elle ne va pas tarder.

Des portes voûtées en bois sculpté ouvraient sur la pièce et, dans un coin, un escalier conduisait à une loggia où je remarquai une petite porte dérobée. Celle-ci s'ouvrit soudain et je vis apparaître Clarita Cordova.

C'était une femme grande et, contrairement aux Espagnoles qui s'empâtent souvent avec l'âge, extrêmement mince. Elle était entièrement vêtue de noir, jusqu'à ses bas et ses chaussures à boucle. Seule, une cravate en fine dentelle ivoire relevait l'ensemble et éclairait son visage étroit. Ses cheveux, aussi noirs que les miens, étaient partagés par une raie au milieu et sévèrement tirés en chignon sur la nuque. Ses boucles d'oreilles en argent et turquoises, qui dansaient à chacun de ses pas, ajoutaient une note de couleur inattendue à l'ensemble. Dans cette Espagnole pur sang, on cherchait en vain une trace de l'ascendance anglaise de Katy, ma grand-mère. Ce ne fut pourtant pas son aspect qui m'impressionna le plus mais la façon dont elle se tenait raide sur son petit balcon, me fixant avec attention comme si elle voulait prendre ma mesure. Je me souvins de l'insolence avec laquelle Sylvia Stewart m'avait dévisagée à l'aéroport. Tous ces visages fermés semblaient m'interroger en silence, me reprocher ma présence.

Je relevai le menton et lui rendis son regard, luttant contre l'étrange influence qu'elle exerçait sur moi. Je ne me laisserais pas impressionner par ces Cordova. C'était mon grand-père qui m'avait appelée, je n'étais pas espagnole et je venais de la Nouvelle-Angleterre. Peut-être était-ce l'un des aspects de moi-même que mon voyage m'aurait aidé à découvrir.

Eleanor laissa s'écouler un bon moment avant d'annoncer presque joyeusement :

– Tante Clarita, voici Amanda, la fille de votre sœur Doro.

Sa présentation avait quelque chose de théâtral comme si elle voulait torturer Clarita en soulignant notre parenté.

Celle-ci me fit un léger signe de tête et, se tournant vers Eleanor, lui jeta un regard étrange – à la fois tendre et désespéré. Puis elle dit quelques mots en espagnol. Eleanor haussa les épaules avec indifférence et répondit en anglais.

– Je voulais m'en aller. J'en avais assez de vous tous. C'est tout.

Clarita descendit l'escalier de la loggia.

– Nous en discuterons plus tard, dit-elle à Eleanor avant de tourner son attention vers moi. De nouveau, j'eus l'impression qu'on me guettait, qu'on exigeait de moi une réponse que j'ignorais.

– Ainsi, vous êtes la fille de Doroteo ? fit-elle, en me tendant la main sans que je pusse distinguer la moindre nuance d'accueil dans son geste.

– Et vous êtes la sœur de ma mère, répondis-je en serrant cette main maigre, ornée de bagues, qui lâcha aussitôt la mienne.

A ce moment-là, une jeune et jolie métisse entra dans la pièce. Clarita se tourna vers elle.

– Rosa, conduisez Miss Austin dans sa chambre, je vous prie. Vos bagages y sont déjà, Amanda.

La jeune fille m'adressa un sourire éblouissant et attendit.

– Etes-vous fatiguée, Amanda? demanda Clarita. Voulez-vous prendre du café, ou manger quelque chose?

– Non, merci. Simplement me rafraîchir et me reposer un peu. Mon grand-père... comment va-t-il?

Clarita baissa ses paupières sur ses yeux noirs, profondément enfoncés, et aussitôt la tension que j'éprouvais sembla se relâcher un peu.

– Il n'est pas très bien, aujourd'hui. Eleanor l'a inquiété. Il vaut mieux que vous ne le voyiez pas tout de suite.

Je n'en avais plus aucune envie et fus enchantée de ce délai qui me permettrait de me reposer et de reprendre des forces. Mon entrevue avec Clarita avait définitivement douché mon enthousiasme. Mon père avait raison. Cette famille n'avait rien de rassurant. La maison elle-même, avec ses murs et ses *vigas* noires, ses créatures d'épouvante sculptées par mon grand-père, semblait contenir une menace.

– Rosa va vous accompagner, dit Clarita en désignant la servante. Vous pourrez vous reposer avant le dîner. Nous vous avons donné la chambre du haut. C'était celle de Doroteo, autrefois. Eleanor, je veux te parler à présent.

Rosa me fit passer par une porte voûtée qui ouvrait sur une seconde pièce, prolongement de la salle de séjour. Au fond se trouvait un couloir qui devait mener aux chambres et, dans un coin, un escalier étroit aboutissait à une porte ouverte qui était celle de la mienne.

Celle-ci contrastait agréablement avec les pièces sombres du rez-de-chaussée. Des fenêtres l'éclairaient sur trois côtés, creusées dans les épais murs d'adobe. Une pièce gaie, avec ses murs blancs, ses *vigas* et l'éclatante couverture navajo accrochée au mur. Au-dessus du lit étroit, je remarquai une peinture assez bonne de la *mesa* régionale. J'aimais les ombres qui striaient la plaine ensoleillée, le clair-obscur habile du ciel. Ce tableau se trouvait-il là du temps de ma mère? Probablement pas – la facture en était trop moderne.

Pourtant ma mère avait habité cette chambre. Elle s'était penchée à ces fenêtres. Je me promenai lentement de l'une à l'autre et, de nouveau, j'éprouvais ce brusque sentiment de déjà vu. Peut-être, il y a longtemps de cela, m'avait-on soulevée jusqu'à elles et avais-je ressenti, malgré mon jeune âge, la beauté du paysage qu'elles encadraient. On apercevait d'un côté les Sangre de Cristo couronnées de neige et, de l'autre, les monts Jemez, plus éloignés, que j'avais longés avec Gavin l'après-midi même. La troisième fenêtre me réservait une surprise. Elle ouvrait sur un vaste patio, derrière la maison et, plus loin, sur une colline au pied de laquelle coulait un petit ruisseau. Une terreur oubliée m'envahit et je frissonnai. Tout le monde s'attendait à ce que je me souvienne – mais de quoi?

Rosa se dirigea vers mes bagages et mon carton à dessin posés contre le mur.

– Tout est là. Vous avez la plus belle chambre. On y est mieux qu'au rez-de-chaussée.

Son sourire disparut et elle frissonna légèrement.

– J'en suis sûre, dis-je. Merci.

Je comprenais sa réaction. De cette chambre, je dominais les murs d'enceinte. Je m'y sentais libre – excepté quand je regardais du côté du ruisseau, de *l'arroyo*. Bizarrement, il faisait naître en moi une crainte obscure, proche de l'horreur, et je me détournai rapidement de la fenêtre.

Rosa avait disparu, laissant derrière elle une atmosphère de malaise contre laquelle je m'efforçai de lutter. Je n'allais pas m'abandonner à des rêveries absurdes et malsaines!

La salle de bains se trouvait dans le couloir, au pied de l'escalier. Je sortis ma trousse de toilette et descendis me rafraîchir un peu. A travers la porte du salon, je perçus un murmure de voix. C'était de l'espagnol. Eleanor devait être en train de subir les reproches de Clarita et j'imaginais avec quelle nonchalance elle devait les accueillir. Et pourtant ma tante, malgré sa sévérité, semblait aimer ma cousine.

La salle de bains, modernisée, était décorée de carreaux mexicains étincelants. J'utilisai le large miroir suspendu au-dessus du lavabo pour brosser mes cheveux et refaire mon chignon. L'eau froide me détendit et, après un soupçon de rouge à lèvres, je me sentis mieux. A présent, j'allais m'étendre sur le lit et récupérer quelques forces avant le dîner.

Mais quand je pénétrai dans ma chambre, je trouvai Eleanor debout au milieu de la pièce et qui, visiblement, m'attendait. Elle avait échangé ses jeans froissés et son pull-over contre une robe légère d'un violet assorti à ses yeux. Sa frange était lisse et brillante, et ses cheveux, plus longs que les miens, lui descendaient presque jusqu'à la taille. Je m'aperçus qu'elle m'examinait elle aussi avec le plus grand soin.

— Vous faites vraiment très américaine malgré vos cheveux noirs, me lança-t-elle. Juan n'aimera pas beaucoup ça.

— Quelle importance? Ma mère était tout de même sa fille.

— Exactement comme mon père était son fils. Mais c'est moi qui ai hérité de toute l'ascendance espagnole, malgré mes cheveux blonds. Juan sait que l'Espagne coule dans mes veines et il en est fier.

Il était difficile d'en rester avec elle au ton de la conversation banale.

– Est-ce qu'il vous autorise à l'appeler par son prénom?

– M'autoriser? Que voulez-vous dire? Je l'appelle comme je veux. Oh! bien sûr, pas devant lui. C'est un *hidalgo* et nous devons tous jouer le jeu.

Je regrettai de ne pouvoir m'en aller. Je n'avais aucune envie de discuter de mon grand-père avec Eleanor Brand. Mais puisqu'elle désirait parler, je décidai d'en profiter.

– Quel jeu?

Elle haussa les épaules d'un air désinvolte.

– Il prétend descendre en droite ligne des conquistadores de la vieille Espagne. Il oublie que ceux-ci se sont mélangés aux filles de Montezuma. Ne vous attendez pas à trouver ici une famille typiquement hispano-américaine, Amanda. *Chicano* est un mot qu'on n'utilise pas dans cette maison.

– Est-ce que Clarita joue ce... jeu, comme vous dites?

– Elle est espagnole jusqu'au bout des ongles. Qui croirait qu'elle a eu Katy pour mère? Mais ça ne lui sert à rien auprès de Juan. Il trouve que, pour une Cordova, elle manque de caractère.

Ce n'était pas mon avis. En même temps que la morgue espagnole, il y avait en elle une force dissimulée que je ne discernais pas bien.

– Pourquoi êtes-vous venue me voir? lui demandai-je.

Elle fit le tour de la pièce, gracieuse dans sa robe violette, jetant un regard au tableau accroché au-dessus du lit, puis à la fenêtre qui dominait *l'arroyo*. Quand elle revint vers moi, je crus un instant qu'elle allait me répondre mais elle se contenta de hausser les épaules.

– Allez-vous-en, Amanda. Ne restez pas ici. Personne ne souhaite votre présence. Pas même Juan. Il veut simplement se servir de vous. Il jouera avec vous – comme ces créatures sculptées, en bas, s'amusent avec leur victime. C'est un monstre, croyez-moi.

– N'êtes-vous pas un peu mélodramatique? dis-je.

Elle plissa légèrement les yeux et pinça les lèvres, ce qui donna à sa bouche un aspect dur et cruel. Juan était-il crucl, lui aussi, comme en témoignaient ses sculptures?

– Nous sommes une famille mélodramatique, Amanda. Nous adorons jouer la comédie. Allez-vous-en avant que nous vous fassions du mal.

– Que je reste ou non, c'est une affaire entre Juan et moi. Chacun ici m'a fait savoir que j'étais indésirable. Mais c'est mon grand-père qui m'a demandé de venir. Et c'est lui que je veux voir.

– Peut-être regretterez-vous d'être restée.

– Regretter? Comment cela?

– N'oubliez pas que les Cordova ont le sang chaud. Mieux vaut ne pas provoquer leur colère. Vous risqueriez d'en pâtir.

– J'ai moi aussi du sang espagnol et il remonte parfois à la surface.

Elle me regarda comme si je venais de dire quelque chose d'important.

– Notre naine légendaire? Son sang coulerait-il dans vos veines, à vous aussi?

– De quelle naine voulez-vous parler?

Mais son but était atteint et, claquant légèrement des doigts, elle tourna les talons et quitta la pièce d'un pas gracieux de danseuse. J'allai à la porte et la fermai. Elle ne possédait malheureusement ni clé ni serrure, sinon je l'aurais verrouillée. Sur quoi, je me jetai sur le lit, épuisée et les tempes battantes.

Naine! De nouveau ce mot horrible! J'ignorais ce

qu'il signifiait et ne voulais pas y songer pour l'instant, pas plus qu'à l'accueil que j'avais reçu dans cette maison... Je fermai les yeux et essayai de dormir. Aussitôt le visage de Gavin Brand m'apparut, tel que je l'avais vu pour la première fois avec ses pommettes saillantes, sa bouche allongée, son épais casque de cheveux blonds et, un instant plus tard, ce même visage, froid et lointain, celui d'un étranger.

Mais je ne voulais pas non plus songer à Gavin Brand. Je ne voulais penser à rien, seulement attendre et voir la tournure que prendraient les événements. La rencontre avec mon grand-père, par exemple. C'était lui qui m'avait appelée et je devais m'en tenir à ce fait. Les autres ne comptaient pas. J'avais déjà renoncé à mon rêve d'une famille tendre et amie. Je ne prévoyais aucune chaleur véritable dans mes rapports avec Clarita. Ou avec Eleanor. De tous, c'était au fond Sylvia que je préférais, quoiqu'elle aussi m'ait conseillé de partir.

Son mari écrivait un livre qui, semblait-il, déplaisait aux Cordova et qui me concernait puisqu'il parlait de ma mère. Mon arrivée avait provoqué un trouble étrange, un trouble en rapport avec ma mère. Elle était morte mais une ombre continuait à planer sur la maison. Il fallait que Juan Cordova me dise la vérité.

Je cessai enfin de me tourmenter et m'endormis, épuisée. Rosa me réveilla pour me dire que le dîner allait bientôt être servi. Le jour était tombé et les lumières de Los Alamos brillaient au loin, au-dessus des montagnes. Une brise fraîche entrait par les fenêtres.

Je sautai du lit, trouvai un interrupteur et allai me regarder dans le miroir de la coiffeuse, un miroir ancien au tain abîmé, où ma mère avait dû jadis se regarder. Comme il était étrange qu'une pièce, un miroir, qui avaient connu si intimement un être humain, n'en gardent pas la moindre trace. J'éprouvai un dévorant besoin de connaître cette femme qui m'avait enfantée, de la retrouver dans la maison où elle avait grandi. Elle, au moins, se serait réjouie de mon arrivée et n'aurait pas essayé de me renvoyer. Mais je ne pouvais la retrouver qu'à travers ceux qui se souvenaient d'elle. C'était désormais ma mission : percer les ombres et les mystères pour découvrir enfin ce qu'elle était réellement. Alors seulement, je serais débarrassée de mes vieilles craintes et pourrais rentrer librement chez moi.

Je déballai rapidement quelques affaires que je suspendis à un cintre. Elles n'étaient pas trop froissées. J'enfilai une robe imprimée de coquillages avec une ceinture corail assortie et descendis.

La grande salle à manger se trouvait tout au bout de la maison, de l'autre côté du salon. Elle était au même niveau que la rue sur laquelle s'ouvraient la cuisine et l'office. Je me guidai au murmure des voix et pénétrai dans une pièce ornée des classiques *vigas*. La longue table de réfectoire recouverte d'une nappe fine supportait une lourde argenterie et de beaux verres de cristal. Les chaises étaient de style espagnol, avec des sièges de cuir sombre et de hauts dossiers sculptés. D'excellentes peintures ornaient les murs blancs. Je reconnus un des paysages éthérés de John Marin et deux autres qui appartenaient certainement au curieux monde de Georgia O'Keeffe – ossements et sable qui convenaient à ce pays où elle avait choisi de vivre, non loin de Santa Fe.

Les divers membres de la famille m'attendaient en prenant l'apéritif. Je m'arrêtai un instant sur le seuil pour les examiner à loisir : Clarita, avec ses cheveux sombres et sa robe noire; Eleanor, avec son sourire insolent et malicieux, et Gavin, un peu en retrait des deux femmes, l'air aussi détaché que s'il les connaissait à peine. Je constatai avec soulagement que rien ne restait plus de cette brusque attirance qui m'avait poussée vers lui la première fois. A mes yeux, il n'était plus que l'infortuné mari de ma cousine Eleanor.

Clarita m'aperçut la première. Elle se dirigea vers l'extrémité de la table et m'indiqua une chaise à sa droite, Gavin prit place à l'autre bout et Eleanor s'assit en face de moi. De grands espaces vides nous séparaient.

Une fois assise, j'interrogeai Clarita :

— Grand-père ne prend pas ses repas avec vous?

— Il préfère dîner seul dans sa chambre. Rosa lui apporte un plateau. Il est particulièrement déprimé ce soir, à cause d'Eleanor.

Elle jeta à sa nièce un regard plein de tristesse et commença à servir le premier plat.

Dans sa robe violette et portant le classique collier mexicain en argent et turquoise, Eleanor semblait avoir perdu de sa superbe. Une ou deux fois, je la surpris à me regarder d'un air songeur et elle jetait de temps en temps un coup d'œil à Gavin comme si elle n'était pas très sûre de ses réactions.

Clarita, jouant son rôle de maîtresse de maison, me demanda si je connaissais la grande fête de Santa Fe qui avait lieu en septembre.

— On y brûle Zozobra, m'expliqua-t-elle. C'est un mannequin géant, une figure légendaire, qui représente la tristesse. Il y a de la musique, des chars de carnaval et on s'amuse beaucoup. Les visiteurs viennent du monde entier.

— C'est un spectacle de choix pour un artiste,

Amanda, intervint Eleanor. J'ai remarqué votre carton à dessin. Malheureusement, vous serez sans doute partie d'ici là.

Personne ne souhaitant me voir rester, je ne répondis pas.

Gavin ne prêtait aucune attention à ces propos. Il suivait ses propres pensées et surprit tout le monde en déclarant soudain :

– C'est la première fois que nous nous trouvons réunis depuis le retour d'Eleanor. Je tiens à ce qu'Amanda entende aussi ce que j'ai à dire. Qui a placé cette tête de pierre dans ma chambre, aujourd'hui ?

Un silence tendu accueillit ses paroles. Puis Clarita déclara :

– C'est moi qui l'ai trouvée. Je pense que nous savons tous comment elle est venue là.

J'avais les yeux fixés sur Gavin. Les deux femmes semblaient l'accuser. Celui-ci tourna vers Clarita un regard glacé :

– Je sais fort bien qui est l'auteur de ces plaisanteries, dit-il, mais je ne m'attendais pas à ce que vous souteniez Eleanor.

Clarita se montra aussi distante que lui :

– Nous avons une invitée, fit-elle remarquer. L'instant est mal choisi pour ce genre de discussion.

– Notre invitée fait partie de la famille, fit sèchement Gavin.

On entendit le rire léger d'Eleanor qui semblait se moquer de lui. J'aurais aimé pouvoir échapper à ces dissensions domestiques. Ce n'était guère le genre de famille que je souhaitais.

Curieusement, ce fut Eleanor qui ramena la conversation sur un terrain moins dangereux en m'interrogeant sur ma peinture.

Un peu gênée, je leur parlai de mon travail et de

mon espoir de devenir un jour un vrai peintre. A ma grande surprise, Clarita se montra intéressée :

– Mon père peignait un peu jadis, savez-vous ? Et Doroteo adorait dessiner.

Je saisis l'occasion pour l'interroger :

– Ma mère ? Vous avez conservé ses dessins ?

De nouveau, le silence se fit et je m'aperçus que Gavin me regardait avec une certaine pitié. Pourquoi de la pitié ? me demandai-je. Rosa entra apportant des assiettes, et Clarita commença à servir. Pendant un moment, nous mangeâmes sans rien dire. Soudain, Eleanor se pencha vers moi :

– C'est une maison pleine de secrets, cousine Amanda. Il vaut mieux les laisser dans l'ombre. Evidemment, vous ne pouvez pas savoir qu'on ne prononce pas souvent le nom de tante Doro ici, encore moins en présence de notre grand-père.

Bien résolue à ne pas tenir compte de ce genre d'avertissement, je promenai autour de la table un regard de défi :

– Cela m'est parfaitement égal. Je veux en savoir davantage sur ma mère – c'est l'une des raisons qui m'ont poussée à venir. Mon père, lui non plus, ne voulait jamais en parler, il m'a seulement dit qu'elle était morte au cours d'une chute. Je ne sais même pas où ni comment.

Clarita s'étrangla et porta sa serviette à sa bouche.

Eleanor se tourna vers moi et déclara d'un air trop candide pour être honnête :

– Cela s'est produit au cours d'un pique-nique. Plusieurs d'entre nous étaient présents ce jour-là ; c'est du moins ce que l'on m'a dit car mes souvenirs ne sont pas très précis. Katy était présente, ainsi que Sylvia qui n'avait pas encore épousé Paul Stewart à l'époque. Gavin était là, lui aussi, quoiqu'il n'eût que quinze ans. Malheureusement, l'accident s'est produit trop loin et personne ne s'est aperçu de rien.

Elle tapota ses boucles d'un geste enfantin que démentait la dureté de ses yeux.

Clarita, incapable de parler, regardait sa nièce avec horreur.

Gavin posa alors la main sur le bras de sa femme.

– Ça suffit, Eleanor. Tu as bouleversé Clarita et tu connais les ordres de Juan?

– Mais pourquoi? fit-elle vivement. Pourquoi ne dirait-on pas à Amanda ce qui s'est passé? Je ne vois pas en quoi cela peut bouleverser tante Clarita. Elle n'assistait même pas au pique-nique ce jour-là. Elle était malade et elle n'a pas pu venir. Et Juan n'était pas là non plus.

– Il aurait mieux valu que je vienne, dit Clarita d'une voix rauque. Peut-être aurais-je pu empêcher cet accident, qui sait?

– Mais comment est-elle tombée? Comment? insistai-je.

Clarita s'était ressaisie.

– Je ne veux plus qu'on aborde ce sujet. Aucun de vous... c'est compris? Et je vous interdis de fatiguer mon père avec vos questions, Amanda. Cet accident a déjà failli lui coûter la vie autrefois et je ne veux pas qu'on le lui rappelle. Vous êtes ici parce qu'il vous a demandée. Uniquement. Mais il y a certaines règles à observer quand vous le verrez. Vous ne devez pas l'interroger sur la mort de votre mère. S'il décide d'en parler le premier, c'est son affaire.

De nouveau, je fus sensible à l'autorité qui émanait de cette femme et qui faisait plier ma propre volonté. Il était clair que Clarita se sentait responsable de Juan Cordova et le protégerait à n'importe quel prix. J'étais prête à céder quand elle me poussa trop loin.

– Promettez-le-moi, Amanda.

– Je ne peux rien promettre, dis-je, et Eleanor se mit à rire comme si elle m'approuvait.

– Vous pouvez constater qu'Amanda est bien une Cordova, fit-elle.

Clarita l'ignora.

– Vous regretterez peut-être de ne pas m'avoir écoutée, Amanda.

Je remerciai silencieusement Gavin qui, soucieux d'écarter l'orage, se mit à parler du magasin CORDOVA. Mais je m'aperçus que, là encore, nous abordions un terrain dangereux.

– Paul va apporter la collection de Pénitents que tu lui as demandée pour le magasin, Eleanor, dit Gavin. Je ne suis pas certain que ce soit une bonne idée.

Eleanor acquiesça sans grand enthousiasme.

– Ce sera une publicité pour son livre. Grand-père était content, lui. D'ailleurs, il aimerait bien transformer le magasin en musée.

– Mais il n'en a pas le droit, dit Gavin, et je saisis une nuance de menace dans sa voix.

– Ce n'est pas toi qui l'en empêchera, lança Eleanor. Il fera ce que bon lui semble. Comme c'est amusant, après toutes ces années, de te voir te révolter contre lui! Amanda, que savez-vous de notre albatros?

– On peut difficilement traiter CORDOVA d'albatros, intervint Clarita. C'est lui qui nous fait vivre.

– Et qui passe avant nous tous! (Eleanor semblait furieuse.) Vous savez très bien que le magasin a toujours régi notre vie. On ne peut pas faire ceci ou cela parce que le magasin risquerait d'en pâtir. Mes parents avaient fui mais, quand ils sont morts, Juan m'a ramenée ici. Et j'ai été assez stupide pour épouser un homme qui appartient corps et âme à CORDOVA.

– Eleanor! intervint Clarita.

– Oh! vous vous en rendrez compte, Amanda, si vous restez assez longtemps. Le magasin, c'est la raison de vivre de Juan Cordova. Il tient plus à tous ses trésors qu'à aucun d'entre nous. Il a ruiné votre vie, tante Clarita, parce qu'il n'a jamais cru que vous puissiez cesser un jour de travailler pour le magasin. Vous êtes devenue son esclave et il vous a fait rater toutes vos chances de bonheur. Mais je ne le laisserai pas gâcher ma vie!

– Tu t'y emploies très bien toute seule, fit sombrement Gavin.

Eleanor me regarda.

– N'acceptez jamais de travailler pour le magasin, Amanda. Sinon il vous détruira, exactement comme il a détruit votre mère.

– C'est ridicule, dit Clarita, mais elle avait pâli légèrement comme si les paroles d'Eleanor avaient touché juste.

– Pourquoi? insista Eleanor. Le père d'Amanda voulait éloigner Doro et le bébé de Santa Fe. C'est vous qui me l'avez dit, tante Clarita. Mais Juan l'a menacée, s'ils partaient, de la déposséder de son héritage et de ses parts dans le magasin. Alors, elle est restée. Et vous voyez ce qu'il lui est arrivé! Il essaiera de vous acheter, Amanda. Comme il nous a achetés, Gavin et moi!

– Attention, dit Gavin d'une voix calme. Tu vas trop loin, Eleanor.

Nous en étions au dessert mais je n'avais plus faim. Le dîner avait été désastreux, grâce à Eleanor qui avait réussi à nous monter les uns contre les autres.

Soudain Rosa entra, l'air tout excité. Elle dit quelques mots en espagnol à Clarita et je vis celle-ci fermer ses yeux comme pour se protéger du coup qui la frappait. Elle les rouvrit, et me regarda.

– Votre grand-père vous demande, Amanda. Je vais vous conduire dans sa chambre, mais vous ne devrez pas rester plus de dix minutes.

De nouveau, Rosa lui parla rapidement en espagnol.

Clarita soupira.

– Il désire vous voir seule. Il faut que vous montiez tout de suite.

L'instant tant attendu était arrivé et voilà qu'il me laissait craintive et hésitante! Je jetai un rapide coup d'œil sur les convives, cherchant un signe, un encouragement. Eleanor mangeait son fruit avec un détachement feint. Clarita maîtrisait à grand-peine son mécontentement. Seul Gavin me regardait avec une sympathie qui me surprit.

– N'ayez pas peur de lui, Amanda. Ne vous laissez pas intimider.

Ses paroles, guère encourageantes, m'aidaient du moins à me préparer à l'entrevue.

C'est pour Juan Cordova que je suis venue, me dis-je. Tous les autres : Clarita, Eleanor et même Sylvia seront toujours des étrangers. Restait Juan Cordova.

Je repoussai ma chaise et les autres m'imitèrent.

– Rosa va vous accompagner. Souvenez-vous qu'il est malade. Ne le fatiguez pas et ne restez pas trop longtemps.

La petite servante me jeta un bref coup d'œil et me précéda vers le fond de la pièce.

– Un instant, l'arrêtai-je. J'ai quelque chose à prendre dans ma chambre.

Je montai rapidement l'escalier et allai prendre mon petit oiseau. Puis, je la rejoignis.

– Voilà, dis-je, je suis prête.

Elle me conduisit au pied de la loggia qui surplombait la pièce de séjour.

– Il vaut mieux que vous montiez seule.

Je m'attardai encore, promenant un dernier regard sur la pièce, avec son sombre mobilier espagnol et ses nattes navajos de couleurs vives. Le seul objet qui retint mon attention fut la tarentule posée sur une petite table et éclairée par une lampe. Elle semblait vivante, prête à fondre sur sa proie. Je me dis que c'était la même main qui avait sculpté mon petit jouet et le tâtai pour me rassurer.

5

La porte de la chambre de Juan Cordova était ouverte, et je pénétrai dans l'obscurité. Les rideaux étaient tirés et aucune lampe ne brillait. Seule la lumière venant de la loggia dessinait vaguement quelques formes. Ce n'était pas une chambre comme j'avais cru d'abord, et je distinguai en face de moi la silhouette d'un homme assis derrière un bureau. Son maintien très droit n'était pas celui d'un malade. Il reflétait l'orgueil et l'assurance.

– Me voilà, dis-je d'une voix hésitante.

A présent que le moment était venu, je me sentais à la fois effrayée et pleine d'espoir.

Il avança la main et appuya sur un bouton. La lampe de bureau placée à côté de lui s'alluma. Elle était dirigée en plein sur moi et j'eus l'impression de me retrouver sous le feu d'un projecteur.

Je restai un instant éblouie à cligner des yeux dans la lumière, désorientée par son geste. Toute l'émotion qui aurait pu accompagner cette première rencontre avait disparu. Il était inutile d'espérer un accueil chaleureux de la part de mon grand-père. Encore éblouie, je contournai le bureau. L'indignation avait remplacé la surprise.

– Est-ce ainsi que vous avez coutume d'accueillir vos visiteurs?

Il se mit à rire doucement comme si ma réflexion l'amusait.

– J'aime observer les réactions des gens, dit-il. Viens t'asseoir, Amanda. Nous allons converser sous un éclairage plus clément.

Il se leva et appuya sur un bouton qui répandit un éclat rose dans la pièce. Il revint éteindre la lampe de bureau et attendit que je m'asseye dans un grand fauteuil de cuir, en face de lui. Je refermai les mains sur mon petit jouet – l'instant convenait mal aux effusions sentimentales – et examinai hardiment cet aïeul qui m'avait si cruellement reçue.

Juan Cordova était grand, remarquai-je, tandis qu'il s'asseyait en rajustant la ceinture de la longue robe de chambre de soie brune qui flottait sur son corps maigre. Ses cheveux gris encadraient un visage bien dessiné, marqué par la vieillesse et la maladie en dépit d'un nez fier qui démentait toute faiblesse et me rappelait un peu le bec d'un faucon. C'était un visage qui respirait l'orgueil et l'arrogance, impression encore accentuée par son port de tête et la façon dont il relevait son menton, soigneusement rasé. Mais ce furent surtout les yeux qui retinrent mon attention. Noirs comme ceux de Clarita, comme les miens, ils brillaient d'un éclat intense et farouche que n'altéraient ni l'âge ni la maladie, et ils semblaient vouloir m'absorber dans leur feu. Je baissai les paupières comme pour me protéger instinctivement de leur muette interrogation. J'avais déjà subi un examen semblable avec Clarita et Paul, et je savais qu'il n'était pas dicté par l'affection. Si je m'étais attendue à trouver un vieil homme pitoyable, vaincu par la maladie, je me trompais. Son corps l'avait peut-être trahi, mais son esprit restait indompté, et je compris pourquoi ses proches le craignaient un peu. J'avais espéré qu'il désirait ma présence, et son regard me disait que je ne m'étais pas trompée – non parce qu'il voulait me témoigner son affection mais parce que ma venue servait un but.

Je me dis que j'aurais peut-être un jour à lutter contre lui et cette pensée me fortifia.

– Tu lui ressembles, dit-il, et son ton impliquait davantage une accusation qu'un éloge.

– Je sais. Je possède un portrait que vous avez fait d'elle quand elle était toute jeune. Mais elle était belle alors que je ne le suis pas.

– Il est vrai que tu n'as pas hérité de Doroteo de ce côté-là. *No importa*. La ressemblance existe. Tu as les cheveux de la famille, brillants et épais, et j'aime la façon dont tu les coiffes. Je me demande si tu lui ressembles de caractère.

Je secouai la tête.

– Comment puis-je le savoir ?

– Tu as raison. *Quien sabe ?* Tu ne te souviens pas d'elle ?

– Non, malheureusement. De plus, mon père a toujours refusé de m'en parler. On m'a même recommandé de ne pas y faire allusion devant vous.

Un instant, son regard vacilla, mais il se reprit aussitôt.

– Il m'est toujours pénible de parler d'elle. Mais, à présent que tu es là, je dois faire taire ma douleur.

Ses phrases avaient une certaine raideur, celle de tournures espagnoles qu'il aurait conservées en anglais. Clarita parlait de la même façon, me dis-je. Peut-être voulait-elle imiter son père.

Je ne répondis rien. Sa peine ne me concernait

pas puisqu'il m'avait refusé l'accueil chaleureux qu'on réserve à un membre de sa famille.

– Si ton père ne voulait pas te parler d'elle, Amanda, peut-être en était-il autrement de moi?

– C'est exact, dis-je.

– Il ne m'aimait pas?

Mon silence était un acquiescement et, de nouveau, j'entendis ce rire étouffé. Un rire amer, sans aucune joie.

– Je me rappelle notre dernière entrevue. Je ne pardonnerai jamais à William de t'avoir emmenée loin de moi. Mais je peux comprendre sa réaction. Je suppose qu'à présent, je dois te prouver que je ne suis pas aussi mauvais qu'il te l'a dit.

– Je pense que vous agirez comme bon vous semblera, grand-père.

Curieusement, ma résistance parut lui plaire.

– Tu me comprends déjà. Il faudra me prendre tel quel car je ne cherche pas à dissimuler. Il est fort probable que je suis aussi mauvais que le prétendait ton père, mais tu devras apprendre à me connaître par toi-même. Pourquoi as-tu accepté mon invitation?

J'esquissai un geste d'impuissance.

– On m'a déjà posé cette question plusieurs fois. Dois-je attribuer à l'arrogance des Cordova le fait de m'inviter ici pour me demander ensuite pourquoi je suis venue?

– Je ne nierai pas qu'il nous arrive d'être arrogants. Mais tu aurais pu refuser. Surtout avec les avertissements que t'avait prodigués ton père.

– Je voulais me rendre compte par moi-même. Je connais déjà une partie de ma famille. L'autre est une page blanche. Il est normal que je veuille la remplir.

– Tu n'aimeras peut-être pas ce que tu vas découvrir.

– C'est possible, en effet. On ne m'a pas très bien accueillie, ici. Je commence à comprendre ce que signifie être un Cordova.

Ma réponse parut l'indigner.

– Tu ne sais rien des Cordova!

– Suffisamment en tout cas pour ne pas avoir envie de faire partie de la famille.

Un léger sourire éclaira un instant son visage.

– Tu me parais assez arrogante toi-même, Amanda. Peut-être es-tu plus proche des Cordova que tu ne le crois.

Je ne trouvai rien à lui répondre et, furieuse, je me levai d'un mouvement impatient. Je surpris alors mon reflet dans un petit miroir accroché au-dessus du bureau, et ce que je vis me stupéfia : l'image d'une Espagnole, aux cheveux noirs, aux yeux sombres et étincelants. Rien en elle ne respirait l'humilité. J'ignorais que je pouvais lui ressembler et, gênée, je me détournai de mon reflet.

– Si le mal est en moi, il est en toi aussi, dit Juan d'un ton insinuant.

Je savais qu'il prenait plaisir à me torturer et je lui tins tête :

– Très bien – et je l'accepte. Mais je ne crois pas que ma mère était méchante, la miniature que vous avez peinte me dit qu'elle était gaie, un peu irréfléchie peut-être, mais certainement pas mauvaise.

– Assieds-toi, ordonna le vieil homme, et dis-moi ce que tu sais sur sa mort.

Je revins prendre ma place dans le fauteuil et secouai la tête.

– Rien, fis-je. Mon père m'a simplement dit qu'elle était morte au cours d'une chute.

– Et personne ici ne te dira la vérité. J'ai donné des ordres. Je voulais que tu viennes me voir d'abord.

– Je suis venue. Et maintenant, je vais vous poser

franchement la question. Est-ce vrai qu'elle est morte au cours d'une chute?

Ses mains maigres étaient étroitement croisées sur le bureau et il les contempla un long moment. Quand il releva la tête, son visage était profondément creusé et dénué d'expression.

– Oui, elle est morte au cours d'une chute. Mais avant, elle a tué un homme. Aux yeux de la loi, elle est donc coupable d'un meurtre aggravé d'un suicide.

Je restai clouée sur ma chaise, tous les muscles tendus comme pour refuser ses paroles. Je serrai de toutes mes forces le petit oiseau de bois. Je respirais avec peine et ce ne fut qu'au prix d'un effort terrible que je parvins à articuler :

– Je ne le crois pas! Je ne le croirai jamais!

Sa voix était pleine de tristesse quand il me répondit :

– C'est ce que j'ai dit au début. Mais bien sûr, on a procédé à une enquête et le résultat ne nous a pas laissé le choix. Clarita a assisté au meurtre. Elle était près de la fenêtre de la chambre que tu occupes à présent et elle a tout vu. J'ai dû me résigner à accepter la vérité.

– Katy ne l'a pas acceptée, elle.

Son regard se fit plus pénétrant.

– Que veux-tu dire?

– Ma grand-mère a écrit une lettre à mon père avant de mourir. Elle disait qu'elle s'était trompée au sujet de ma mère et elle lui demandait de venir la voir. Il ne m'a jamais parlé de cette lettre. Je l'ai trouvée dans ses papiers après sa mort, mais je n'ai pas compris ce qu'elle voulait dire.

– Katy a fait cela? (Il semblait à la fois stupéfait et outré.) Elle n'aurait pas dû agir sans me consulter.

– Est-ce que vous lui auriez défendu d'écrire à mon père?

– Mais bien sûr. Je savais que c'était inutile. Ton père n'aurait pas changé d'avis. Katy a vécu dans l'illusion jusqu'au bout. Elle voulait croire à l'incroyable.

– Avait-elle une raison pour cela?

– J'aimerais pouvoir le croire, mais elle n'avait que son cœur de mère et elle aimait sa fille.

Pour la première fois depuis le début de notre entretien, sa voix s'adoucit :

– Moi aussi, j'aimais Doroteo. Tout comme elle m'aimait. Nous étions très proches, ta mère et moi. C'est pourquoi je t'ai demandé de venir.

Je le crus sans pourtant lui faire entièrement confiance. Cette douceur ne lui ressemblait pas. S'il m'avait fait venir parce qu'il aimait Doroteo, il m'aurait accueillie différemment. Cette méfiance me donna la force de l'affronter :

– Je n'arrive pas à croire que vous m'ayez fait venir par amour pour ma mère.

Sa colère le reprit :

– Tais-toi. Tu ne sais rien de moi!

Qu'il me garde ou qu'il me renvoie, cela n'a plus aucune importance, à présent, me dis-je. Le choc m'avait laissée encore tremblante et je haïssais ma faiblesse.

– Je sais déjà que vous êtes arrogant et peut-être cruel, dis-je en refoulant mes larmes.

– Tu ressembles davantage à Katy qu'à Doroteo, dit-il, un peu radouci. Elles avaient toutes les deux du courage mais Katy était une lutteuse. Tu as peut-être des possibilités. Je ne peux que te blesser en te parlant du passé, bien qu'il y ait peut-être eu des circonstances atténuantes. J'ai essayé de le croire.

Des possibilités? Le mot ne me plaisait pas. A

quoi voulait-il m'utiliser, je l'ignorais, mais je décidai de refuser tout ce qui irait à l'encontre de mon propre jugement. Mais, pour l'instant, il me fallait en apprendre le plus possible.

– Quel était l'homme que ma mère a prétendument assassiné?

– Kirk Landers, le demi-frère d'une petite cousine à toi – celle qui est venue te chercher aujourd'hui, Sylvia Stewart. Katy les avait recueillis à la mort de leurs parents et ils ont grandi dans cette maison.

Je me rappelai la gêne de Sylvia à mon égard. La rencontre avec la fille de la prétendue meurtrière de son demi-frère n'avait pas dû lui être agréable.

– Quelles étaient les circonstances atténuantes?

Juan Cordova poussa un profond soupir.

– C'est une longue histoire. Veux-tu que nous la gardions pour une autre fois?

Il paraissait soudain vieux et las, et je me rappelai que Clarita avait recommandé de ne pas m'attarder.

– Je ferais mieux de partir, fis-je. Je vous ai fatigué.

Une main longue et aristocratique se posa sur mon bras et je sentis ses doigts s'incruster dans ma chair. La faiblesse était une chose que cet homme n'acceptait pas.

– Tu resteras avec moi jusqu'à ce que je te dise de t'en aller.

Ma propre volonté se révolta contre cette autorité toute masculine, mais il était vieux et malade et je dis seulement:

– Tante Clarita m'a recommandé de...

– Clarita peut se montrer stupide à certains moments! Tu feras ce que je te dirai.

Bien qu'il la connût beaucoup mieux que moi, je ne pus m'empêcher de penser qu'il sous-estimait sa fille aînée. Clarita n'était pas uniquement une fille obéissante et soumise.

– Dis-moi, reprit-il plus doucement, est-ce que tu as conservé un souvenir quelconque du jour où ta mère est morte?

– J'ai tout oublié de cette époque. Depuis mon arrivée, j'ai de brusques réminiscences. Mais elles concernent plus les lieux que les gens. Je suppose que c'est parce que ceux-ci ont changé en vingt ans.

– Oui, sûrement. Paul Stewart projette d'écrire un livre sur les crimes mystérieux du Sud-Ouest.

Ainsi donc, c'était la réponse – un livre sur les crimes mystérieux. Je comprenais la raison de toutes ces allusions et pourquoi personne ne m'avait dit franchement quel était le sujet du livre.

– Vous voulez dire qu'il va parler de... de...

Je me tus, incapable de poursuivre.

– Oui. Il va parler de Doroteo et de Kirk.

– Mais c'est épouvantable. Il faut l'en empêcher. Ne pouvez-vous pas...

– J'ai essayé. Sans succès, naturellement. Je ne veux pas que ces événements soient exposés au grand jour. Ils ne peuvent que causer du tort aux vivants. A part nous, personne ne se souvient plus de cette affaire.

Il paraissait voûté sous le poids de la douleur et, pour la première fois, j'éprouvai un sentiment de compassion à son égard. En dépit de son arrogance, il avait dû beaucoup souffrir et ma venue n'avait rien arrangé.

– Sylvia m'a dit que Paul serait allé me voir à New York si vous ne m'aviez pas appelée.

– Oui. Il interroge tous ceux qui étaient présents au moment de la tragédie. Je suppose que même une enfant de cinq ans peut avoir conservé des souvenirs qui lui seront utiles. Mais tu n'as qu'à lui dire que tu ne te souviens plus de rien et il te laissera tranquille. Peut-être peux-tu même le décourager.

– J'essaierai certainement, s'il me questionne, promis-je.

– A présent, parle-moi de toi. Que fais-tu? Quels sont tes projets?

– Peindre, fis-je simplement.

Il rit tout bas, d'un rire plein de gaieté. Toute son amertume avait disparu en un instant et son brusque changement d'humeur me déconcerta.

– L'hérédité n'est donc pas un vain mot! C'est un talent que nous possédons dans la famille, parmi d'autres moins plaisants. Je suis moi-même un *artiste manqué* (1). Je me contente de collectionner les œuvres des autres. En tant que connaisseur et critique, je suis inégalable. Doroteo avait du talent elle aussi, mais elle ne voulait pas travailler. La peinture ne l'intéressait pas assez.

– Moi si. Et je travaille beaucoup. Je gagne ma vie en illustrant des publicités. Une galerie de New York a même exposé mes tableaux et j'en ai vendu quelques-uns. J'ai hâte de commencer à peindre Santa Fe.

– Bien. Le pays s'y prête et notre ville sait accueillir les artistes. Qu'est-ce que tu tripotes dans tes mains depuis ton arrivée? On dirait une gravure sur bois.

Je lui tendis l'oiseau.

– C'est vous qui me l'avez donné quand j'étais toute petite. Je l'ai toujours conservé. C'était le jouet que j'emportais dans mon lit, la nuit, quand j'avais peur.

Il prit l'oiseau et le retourna dans ses mains, caressant le bois lisse, suivant du doigt les entailles.

(1) En français dans le texte.

La délicatesse de son toucher disait son amour du bois comme matériau et aussi, peut-être, sa tristesse de ne plus pouvoir créer comme jadis. En cet instant, je me sentis proche de lui car, moi aussi, je désirais créer.

– Oui, je m'en souviens. Je me souviens des grands espoirs que je nourrissais pour la fille de Doroteo. Tu m'aimais naïvement à l'époque. Sans rien exiger de moi.

Le soupçon était apparu dans sa voix, brisant le charme qui m'avait un instant rapprochée de lui.

– Que veux-tu de moi à présent?

Ses perpétuels changements d'humeur m'irritaient, mais, cette fois, j'avais une réponse toute prête.

– Rien d'autre que ce que vous voudrez bien me donner, grand-père.

Il me lança un regard fier, arrogant.

– Je n'ai pas grand-chose à donner mais, en revanche, j'exigerai peut-être quelque chose de toi.

– Volontiers, si c'est en mon pouvoir.

– Tu es généreuse. Comme Doroteo. Je suis entouré par des gens en qui je n'ai plus confiance. Par des ennemis. Je souffre de cet état de choses. Mais n'est-ce pas la nature même du véritable Espagnol que d'accepter la souffrance? Et de l'accepter en riant. Seulement, il arrive que le rire tourne au sarcasme à la longue.

Il parut s'absorber dans un silence douloureux.

– J'aimerais en savoir davantage sur ma grand-mère, dis-je pour faire diversion. Comment était Katy?

Son expression s'adoucit aussitôt. Il ouvrit un tiroir et en sortit une petite miniature dans un cadre ovale.

– Voilà un portrait que j'ai fait avant la naissance des enfants.

Il me tendit la miniature et, de nouveau, j'admirai son talent. Le visage juvénile qui me regardait possédait de la force et du caractère. Cette femme détestait peut-être les maisons d'adobe, pour reprendre l'expression de Sylvia, mais elle avait dû aimer son mari avec une loyauté sans faille. Ses cheveux étaient blonds comme ceux d'Eleanor et sa coiffure courte, bouclée sur les oreilles, la rajeunissait encore. Pourtant l'expression des yeux était grave et le menton indiquait la force de caractère. C'était une femme qui savait faire face aux événements.

Ma grand-mère, me dis-je, et un bref instant j'eus l'impression de la retrouver. Malgré notre dissemblance physique, nous avions des traits de caractère communs.

Il me reprit la miniature et la rangea.

– Ce portrait ne ressemble pas au souvenir que j'ai gardé d'elle, dit-il. Je voulais qu'elle se laisse pousser les cheveux et elle a accepté pour me faire plaisir. Ses cheveux étaient épais, lourds comme l'or dont ils avaient la couleur. Elle les relevait en chignon au sommet de la tête, ce qui lui donnait beaucoup d'assurance et de dignité. Elle aurait pu être une grande dame espagnole, ma Katy.

Katy, venue des fermes de l'Iowa! Avait-elle jamais pensé qu'elle jouerait le rôle d'une grande dame espagnole?

– Comme j'aurais aimé la connaître! dis-je.

Juan Cordova poussa un soupir plein de tristesse et de colère.

– Elle avait le droit de te connaître aussi. Mais ton père t'a emmenée loin de nous.

– Je suppose qu'il a pensé agir pour mon bien. Il voulait m'élever dans un cadre différent.

– Et t'éloigner de moi par la même occasion.

Son ton était celui de la simple constatation et je me tus.

– Cela suffit, reprit-il. Il est inutile de revenir sur le passé. Le présent est court et il y a beaucoup à faire. J'ai des projets pour toi.

Il resta quelques instants silencieux, à réfléchir et j'attendis, gênée et un peu inquiète. J'examinai la pièce. Je retrouvai les murs blancs et les inévitables *vigas*. D'épais rideaux rouge sombre cachaient les fenêtres. Plus loin, une porte ouvrait sur une pièce obscure. Partout, dispersés sur les étagères et les petites tables, on trouvait les trésors amassés par Juan au cours de sa vie. Je m'arrêtai sur un bois peint représentant un toréador faisant tournoyer sa cape. Plus bas, sur une étagère, je vis un vase ancien et précieux en terre cuite d'un jaune pâle où couraient des buffles marron, poursuivis par des chasseurs. Parmi tous ces trésors, je ne vis aucune trace de ces effrayantes créatures du désert qui meublaient le salon. Peut-être Juan Cordova jouait-il leur rôle et étais-je sa victime désignée; j'écartai cette pensée gênante et poursuivis mon examen.

Les murs étaient ornés de peintures représentant Santa Fe : la cathédrale de Saint-François projetant l'ombre de ses tours jumelles sur le parvis de pierre; une rangée de maisons d'adobe, une vue de l'Alameda et une autre de la *plaza* inondée de soleil. C'était, sans aucun doute, l'œuvre d'artistes locaux et elles me donnèrent l'envie de découvrir mes propres paysages et d'essayer mes conceptions de coloriste.

– J'ai pris une décision, dit soudain mon grand-père d'une voix assurée. Il y a deux ou trois choses que tu va faire pour moi. Immédiatement.

Je me raidis, les sens en alerte, mais répondis calmement :

– Je suis prête, grand-père.

– D'abord, tu vas parler à Clarita. (Sa voix était dure, autoritaire.) Le docteur m'a conseillé du repos et elle me garde comme un dragon. Cela doit cesser. Tu viendras me voir aux heures qu'il te plaira et sans attendre sa permission. Dis-le-lui. Ensuite, tu diras à Eleanor qu'elle n'a plus besoin de m'accompagner pour ma promenade dans le patio. C'est toi qui désormais la remplaceras. Quant à Gavin, tu lui demanderas de te faire visiter le magasin et de t'expliquer son fonctionnement. Tu fais partie de la famille à présent, Amanda. Gavin se chargera de ton instruction. Tu m'as bien compris?

Je poussai une exclamation étouffée. L'idée d'arriver ainsi de l'extérieur pour être placée à la tête de la maison m'atterrait. Un tel geste me paraissait profondément injuste et je n'avais pas l'intention de me laisser manœuvrer comme un pantin. Je ne tenais pas à m'attirer la colère des membres de ma nouvelle famille. J'ignorais quel était son plan mais je soupçonnais qu'il allait à l'encontre du mien. Ce que je voulais des Cordova avait une autre valeur.

– Non, dis-je. Je ne vous obéirai pas.

Il parut mettre quelque temps à comprendre mes paroles.

– Qu'as-tu dit? murmura-t-il enfin.

– Je dis que je refuse de donner des ordres aux gens qui habitent cette maison. Si je dois y rester, je préfère être leur amie.

Il y avait sans doute longtemps qu'on n'avait pas parlé ainsi à Juan Cordova. Je vis son visage s'empourprer lentement tandis que ses mains se crispaient sur le bureau. Il éclata enfin.

– Tu m'obéiras, ou tu n'as plus qu'à faire tes valises et t'en aller immédiatement! Je ne supporterai pas ce genre de sottises. Ta mère nous a tous trahis. Ton père était un imbécile qui s'est conduit de façon irréfléchie et stupide. Je n'ai pas oublié ni pardonné les paroles qu'il a prononcées avant son départ et je n'accepterai aucune désobéissance de sa fille. Tu ne te conduiras pas comme Doroteo. Ou alors tu peux partir à l'instant même.

Je repoussai ma chaise et me levai. Je tremblais de rage, tous les muscles tendus.

– Très bien, je vais faire mes valises. La seule raison qui m'a poussée à venir ici est que j'aime ma mère. Je l'aime, sans même l'avoir connue. Si elle a subi une injustice je veux qu'elle soit réparée. Et je ne supporterai pas qu'on attaque mon père. Comment quelqu'un comme vous peut-il comprendre sa valeur et sa bonté? Il était tellement au-dessus des Cordova que... que...

J'étouffai de colère et des larmes me vinrent aux yeux. Je me dirigeai vers la porte en écartant la chaise si violemment qu'elle se renversa. Je n'y fis même pas attention. J'en avais fini avec cet homme.

Un éclat de rire sonore m'arrêta avant que j'aie atteint la porte. Juan Cordova riait. Je me retournai, furieuse, et le fixai d'un regard étincelant.

– Attends, dit-il. Viens ici, Amanda. Je suis content de toi. Tu vaux mieux que tous les autres réunis. Tu es une vraie Cordova, jeune, violente et douée d'un sacré caractère. Tu me ressembles et tu ressembles à ta mère. Viens... assieds-toi. Nous allons parler tranquillement.

La soudaine douceur de sa voix me mit en garde. Bien que je n'eusse guère confiance en lui, il me fascinait. Les mains encore tremblantes, je remis la chaise en place et m'assis.

– J'attends, dis-je, furieuse du tremblement de ma voix.

Il se leva et se pencha vers moi. Ses longs doigts caressèrent mon chignon, descendirent le long de mon visage, comme si l'artiste en lui cherchait une connaissance plus profonde que celle que les yeux pouvaient lui donner. Puis il me prit le menton et releva mon visage. Je restai immobile, détestant son geste où je trouvais plus de possession que d'amour.

– Je me souviens de la petite Amanda, dit-il d'un ton charmeur. Je me souviens du temps où je la tenais dans mes bras et où elle m'écoutait lui lire Don Quichotte, assise sur mes genoux.

– Don Quichotte? Mais j'avais moins de cinq ans à l'époque.

– Et alors? Un enfant ne s'attache pas à la signification des mots. C'est l'intérêt de l'adulte et la musique des paroles qui sont importants.

Je ne bougeai pas. Il sentit ma résistance et se redressa. Il ne semblait pas blessé mais amusé plutôt et manifestement ravi de mon trouble. C'était un vieil homme redoutable – méchant et dangereux.

– A présent, parlons, dit-il. Tu as raison. Il serait mauvais que tu te mettes toute la famille à dos. Je donnerai mes ordres moi-même. Les autres ne sont pas comme toi : ils sont habitués à mes extravagances et n'ont pas les moyens de s'en aller. Aussi m'obéissent-ils. Mais tu m'as rajeuni. Il y a des mois que je ne m'étais senti aussi bien. Tu peux te retirer à présent. Nous commencerons demain.

– Il n'est pas sûr que j'accepte. Que voulez-vous au juste de moi?

– Tout dépend de ce que tu as à donner. Je te conseillerai toutefois de ne pas trop fouiller le passé. Tout a été dit sur la mort de ta mère. Crois-moi. Oublie cette tragédie, Amanda, et ne va pas en parler à Paul Stewart. A présent, bonne nuit.

– Bonne nuit, dis-je.

Mais je me gardai de rien promettre au sujet de ma mère. On ne m'avait pas encore dit toute la vérité, loin de là.

J'ouvris la porte qui donnait sur la loggia et aperçus Eleanor assise dans la salle de séjour. Elle tenait un livre à la main mais je ne crois pas qu'elle lisait. Elle leva les yeux et me jeta un regard pénétrant.

– Je vous ai entendue crier, dit-elle. Vous avez dû mettre Juan très en colère.

– C'était réciproque, dis-je sèchement. Je crois que je vais aller me coucher à présent. L'accueil délirant des Cordova m'a épuisée.

– Mais bien sûr, dit-elle sans paraître fâchée de ma remarque ironique. (Elle se leva d'un mouvement souple.) Je vous accompagne pour voir si vous n'avez besoin de rien.

Je n'en avais pas la moindre envie mais je ne voyais pas comment l'en empêcher. Elle me suivit jusqu'à ma chambre et attendit que j'ouvre la porte.

On avait allumé la lampe de chevet qui répandait une lumière jaune sur un petit tapis à longs poils placé près du lit. Un objet était posé au milieu, formant une tache sombre sur la fourrure blanche. Je me baissai et le ramassai.

Il était lourd, sculpté dans un seul bloc de pierre, et représentait une taupe avec un museau pointu et des pattes grossièrement taillées.

Sur son dos, maintenues par des lanières de cuir, je reconnus une pointe de flèche ainsi que diverses perles de couleur et une turquoise enfilée sur l'une des lanières. L'objet était ancien, parsemé de taches brunâtres et, j'ignore pourquoi, me procurait une instinctive répugnance. Il devait certainement s'agir d'une sorte de fétiche indien placé là dans un but malveillant.

Je regardai Eleanor et m'aperçus que ses yeux étaient fixés avec intérêt sur la pierre noire que je tenais dans ma main.

– Qu'est-ce que c'est? demandai-je.

Elle haussa les épaules avec un léger frisson.

– Un fétiche indien. Les taches sont sans doute du sang séché. Il existe un rite où on trempe le fétiche dans le sang.

La pierre était lourde et froide dans ma main, menaçante. Mais je refusai d'abandonner le sujet.

– Pourquoi est-il ici?

– Comment le saurais-je? Quelqu'un l'y a mis, sans doute. Laissez-moi voir.

Elle prit l'objet et l'examina avec attention.

– Je crois qu'il s'agit d'un fétiche Zuni, et je sais d'où il vient. Il avait disparu depuis que Gavin l'avait rapporté avec plusieurs autres pour l'exposer dans le magasin. Les fétiches authentiques sont très rares à présent car aucun Indien digne de ce nom n'accepte de les vendre. Je crois que c'est un fétiche de chasseur. Il est supposé porter chance. Gavin m'avait dit qu'il était rare parce qu'il a la forme d'une taupe. Les taupes appartiennent aux régions pauvres et ne sont guère estimées en tant que fétiches. Ce qui explique leur rareté. Quoique, à mon avis, la taupe n'est pas à dédaigner. Elle sait se tapir dans l'ombre de son terrier et attraper ainsi des animaux plus gros qu'elle.

Elle me paraissait trop bien renseignée sur la question et je distinguai une intention ironique dans ses paroles.

– Mais pourquoi l'aurait-on laissé ici?

– C'est peut-être un avertissement, chère cousine. Peut-être est-ce vous qui êtes la proie.

L'étrange lueur qui dansait dans ses yeux violets n'était guère rassurante.

– Et qui est le chasseur? demandai-je avec défi.

Ses mains esquissèrent un geste gracieux.

– Qui connaît le chasseur avant qu'il frappe? Cela pourrait être n'importe lequel d'entre nous, n'est-ce pas?

Je regardai la pierre noire.

– Et pourquoi serais-je une proie?

Eleanor partit d'un rire étouffé qui me rappela celui de Juan Cordova.

– N'est-ce pas évident? J'ai surpris une partie de votre conversation avec grand-père. Il a l'intention de vous utiliser contre nous. Il veut nous faire peur.

Une voix appela dans la salle de séjour.

– Est-ce qu'il y a quelqu'un? Je tourne en rond depuis une heure sans trouver âme qui vive.

– C'est Paul, dit Eleanor et ses yeux prirent une expression de joie que je n'aimais pas. Je rendrai la taupe à Gavin, Amanda. Ne vous inquiétez pas. Ou... plutôt si. A votre place, je m'inquiéterais.

Elle se dirigea vers la porte.

– Je pense que Paul désire vous parler.

Je secouai la tête.

– Pas maintenant. Je ne veux voir personne ce soir.

J'en avais assez des Cordova et d'Eleanor en particulier.

– Bonsoir, dis-je d'un ton ferme.

Elle me fixa attentivement pendant un moment, puis, voyant que je ne bougeais pas, elle haussa les épaules et se dirigea vers l'escalier. Au moment de descendre, elle se retourna, le regard brillant.

– Vous n'avez pas peur, n'est-ce pas, Amanda?

Rassemblant toute ma dignité et mon courage, je la regardai sans ciller. J'avais remporté une petite victoire et elle descendit légèrement l'escalier. Comme je refermai doucement la porte, un bruit de voix me parvint, et j'eus l'impression d'entendre chuchoter deux conspirateurs.

Avais-je peur?

Je n'étais pas venue ici dans l'intention de servir d'arme à Juan dans la guerre froide qu'il menait contre les habitants de la maison. Mais je ne me laisserais pas impressionner par eux. Je n'appartenais à aucun camp, et pouvais rentrer chez moi quand j'en avais envie. Rien ne me retenait ici, sinon ma propre volonté. Etait-elle plus forte que mon désir de fuir?

Une fois de plus, j'eus l'impression que les murs d'adobe s'étaient refermés sur moi, me gardant prisonnière. Katy avait-elle éprouvé la même chose? Et ma mère? Rien de ce que j'avais appris d'elle ne pouvait me le faire penser. Elle avait grandi heureuse à l'abri de ces murs. Et pourtant elle était morte et un homme était mort aussi – à cause d'elle, disait-on.

La tête me tournait un peu. J'allai à la fenêtre et écartai les rideaux. La brise nocturne caressa mon visage et, à la lueur de millions d'étoiles, je vis briller les pics neigeux qui se détachaient sur le fond sombre du ciel. Du moins cette chambre dominait-elle les murs. Je ne me sentais pas enfermée, si ce n'est par mes propres pensées.

Ce passé qui m'avait toujours semblé lointain et que je pensais voir éclairci peu à peu, raconté telle une histoire qui m'aurait enchantée et éclairée sur moi-même, ce passé me paraissait tout à coup proche et menaçant. Je me trouvais dans cette maison quand on avait ramené les corps de Kirk Landers et de Doroteo. Et pourtant, je n'éprouvais aucun sentiment de tristesse ou de souffrance. Tout ce qui habitait les tréfonds de ma conscience était voilé par un brouillard impénétrable. Ce n'était pas pour aider Paul Stewart que je voulais fouiller le passé mais pour découvrir une vérité dissimulée au plus secret de mon être, une vérité en rapport avec la tragédie. Katy connaissait cette vérité. Ou l'avait apprise plus tard. Si je restais ici, je pourrais peut-être la connaître moi aussi et laver ma mère de ces affreuses accusations de meurtre et de suicide. Mais un tel espoir n'était-il pas futile ?

Il était impossible de le savoir avant d'être restée au moins quelques jours et d'avoir réuni le maximum de détails sur le passé. Beaucoup de blancs restaient à combler et, par exemple, la raison du violent différend entre ma mère et le demi-frère de Sylvia Stewart.

Non, je ne pouvais partir à présent. Pas même si la maison abritait une menace qui n'était pas morte avec ma mère. Ma venue avait, semblait-il, réveillé de vieilles craintes. Je devais rester et les dissiper, dans mon propre intérêt.

6

Une fois au lit, la fatigue me terrassa et je sombrai dans le sommeil. Ce n'est qu'aux petites heures du matin que le rêve commença à hanter mon cerveau endormi. Je devinai son approche avec angoisse, incapable de lutter contre l'image qui se formait lentement dans mon esprit.

L'arbre était là, gigantesque, cachant le ciel de ses branches noires et tourmentées. Tapie sur le sol, je levai les yeux vers ce toit de verdure qui m'enfermait. Un toit vivant, aux branches frémissantes et hostiles qui, bientôt, allaient me saisir et m'étouffer. Déjà, j'avais du mal à respirer. L'une d'elles s'abaissa lentement, comme animée d'une vie propre, et vint s'appuyer sur ma poitrine. Je tentai frénétiquement de me dégager, implorant un secours qui, je le savais, ne viendrait pas...

Je me dressai dans mon lit, haletante, entortillée dans les draps. Ma chemise de nuit était trempée de sueur. La brise fraîche qui pénétrait par la fenêtre acheva de me réveiller. Je ne sus pas tout de suite où je me trouvais tant l'emprise de mon cauchemar persistait. L'arbre était encore devant mes yeux et je luttais pour me dégager de ma torpeur. Comme toujours, j'éprouvais un affreux sentiment de tristesse et d'abandon.

Je me retrouvais en territoire familier. Enfant, j'avais souvent rêvé de cet arbre. Je me réveillais en hurlant et mon père me prenait alors dans ses bras pour me consoler. Toutefois, il n'avait jamais réussi à effacer cet affreux sentiment d'abandon. Je n'avais jamais pu lui dire à quel point ce rêve m'effrayait. Il me fallait parfois un long moment avant que je me rende compte que j'étais à l'abri, contre lui, dans un monde réel.

Aujourd'hui encore, je sentais ma panique me revenir par vagues et je dus attendre un long moment avant que ma vision s'efface et que je puisse me rendormir.

Quand je m'éveillai, le soleil était déjà levé. Je me sentais vide et lasse, comme toujours après mon cauchemar. Cette fois pourtant, j'avais fait des progrès. Je savais où l'arbre m'attendait. Il ne me restait plus qu'à le découvrir dans la réalité. Quand j'aurais compris pourquoi il me hantait, j'en serais libérée.

Lorsque je descendis, je trouvai la cuisinière derrière ses fourneaux, mais la table de la salle à manger était vide. Elle s'empressa de me servir. Le café chaud me fit du bien et je sentis mon appétit revenir.

Au grand jour, je pouvais cesser de songer à mon rêve et affronter un présent qui, s'il n'était pas entièrement rose, était du moins bien réel et facile à appréhender. Je décidai de voir Juan Cordova dès que possible et tenter de mettre les choses au point entre nous. Je lui dirais que je refusais de servir un projet qui risquait d'être contraire aux intérêts des autres membres de la famille et je le persuaderais de me dire toute la vérité au sujet de la mort de ma mère.

Restait l'énigme du fétiche déposé dans ma chambre. Mais, là encore, je me dis que je finirais bien par éclaircir l'affaire un jour ou l'autre. Ma présence était indésirable pour certains mais je ne me laisserais pas effrayer comme une enfant. L'adjectif « maléfique » qui m'était venu aux lèvres la veille au soir me faisait sourire en plein jour. Le courage ne me faisait pas défaut et j'étais décidée à affronter ce qui se présenterait. J'étais venue ici pour en apprendre davantage sur moi-même et je ne partirais pas avant d'avoir atteint mon but.

Mon petit déjeuner terminé, je traversai la salle de séjour et me dirigeai vers le petit escalier qui conduisait à la chambre de mon grand-père. Clarita se tenait sur la loggia.

– Je voudrais voir mon grand-père.

Elle me dominait de sa silhouette sombre, ses bras maigres croisés sur sa poitrine, son visage vieillissant penché vers moi d'un air désapprobateur.

– C'est impossible ce matin. Votre visite d'hier l'a énervé. Il n'est pas bien et ne peut recevoir personne.

Son inquiétude me parut sincère. Elle était bien ce dragon vigilant décrit par mon grand-père et je jugeai préférable de ne pas la contrarier. Elle était chez elle et avait le droit de me dicter ma conduite dans la maison. Je verrais mon grand-père quand il me demanderait.

Je montai dans ma chambre. Je me sentais nerveuse et désœuvrée et sortis mon carnet de croquis et un crayon. J'avais toujours utilisé ce moyen pour me détendre. Je trouvai une porte qui ouvrait sur le patio et sortis. L'air était merveilleusement pur et vivifiant, le ciel d'une belle couleur turquoise. Un vaste jardin descendait en pente douce derrière la maison, si toutefois on pouvait appeler jardin ces grands espaces à l'herbe rare, hérissés de roches basaltiques.

Sous ce climat, un arrosage constant aurait été nécessaire pour faire pousser la moindre plante et on avait abandonné l'idée d'un parterre de fleurs, remplacé par des bouquets de *cholla* et les classiques touffes de *chamiso*.

Un arbre à coton laissait traîner jusqu'à terre de longues écharpes blanches et, derrière, un sentier descendait vers un petit pavillon. Un peu plus loin un portail devait conduire sur la colline. Tout autour de la propriété se dressaient les murs d'adobe qui enfermaient les Cordova, les dérobaient au monde extérieur. N'avaient-ils pas, d'ailleurs, des secrets à cacher ?

La petite construction sise en contrebas de la propriété contrastait avec le reste du voisinage. Les murs étaient en adobe mais on avait utilisé le bois de séquoia pour édifier le toit pointu comme ceux des églises, et je me demandai s'il ne s'agissait pas d'une sorte de chapelle. L'architecture moderne et élégante attirait le regard et je descendis le sentier pour l'examiner plus à loisir.

La classique porte d'entrée en bois sculpté était fermée et d'épais rideaux obstruaient les fenêtres. Un rocher plat et tout proche m'offrait un perchoir idéal. Je m'y assis et ouvris mon carnet.

A grands traits j'esquissai les contours de la petite construction, son cotonnier tout proche et le massif de *cholla* à côté de la porte d'entrée. Je notai les couleurs à utiliser et pris la liberté d'esquisser une montagne au-dessus du mur d'adobe, bien qu'il n'y en eût pas de ce côté-là. L'intérêt et le plaisir de peindre n'étaient pas pour moi dans l'exacte reproduction d'un paysage mais dans l'impression que j'en retirais. Je choisissais certains éléments et en rejetais d'autres pour donner une dimension personnelle à mon dessin en recherchant sans cesse une vision plus large jusqu'à ce que le résultat me plût et existât comme mien.

Je n'avais pas remarqué un portillon encastré dans le mur d'adobe et qui s'ouvrit soudain pour laisser le passage à Sylvia.

Il devait communiquer avec le patio des Stewart, permettant ainsi aux deux familles de voisiner.

– Bonjour, Amanda.

Elle était vêtue d'un pantalon beige et d'un chandail jaune clair. Ses cheveux courts et teints dégageaient son front. Je m'aperçus que je la dévisageais d'un œil nouveau, me demandant si elle m'en voulait à cause de Doroteo et de son demi-frère. J'avais remarqué sa gêne la veille, pendant notre voyage, mais ce matin elle semblait avoir disparu.

– Puis-je voir ce que vous dessinez? dit-elle en se penchant sur mon épaule.

Je tournai la page où j'avais esquissé un détail de l'arbre à coton et revins à mon croquis précédent.

– Juan va aimer cela, dit-elle. Mais vous n'auriez pas dû oublier nos roses de Castille – il en est si fier! Ce sont les seules fleurs que les Cordova entretiennent un peu. Savez-vous ce que vous avez dessiné?

– On dirait une chapelle.

– C'en est une en quelque sorte. Pour Juan, elle

est sacrée. C'est là qu'il enferme sa collection personnelle. Elle est surtout constituée de toiles d'anciens maîtres espagnols. L'une d'elles serait même un Vélasquez. Mais il y a bien d'autres trésors. Il m'arrive de penser qu'ils ne sont pas tous venus là par la voie légale.

Elle eut un rire forcé et, habituée à ses remarques acerbes, je ne fis aucun commentaire.

– Je suppose que vous avez vu la collection? demandai-je.

– Evidemment, puisque je fais partie de la famille. Mais Juan ne la montre pas souvent. C'est une passion qu'il ne partage pas volontiers. N'essayez pas d'entrer. Il y a des mécanismes d'alarme partout. Il faut connaître la combinaison. Sinon, on alerte toute la maison.

– Est-ce que la tête précolombienne a été dérobée ici?

– Pas exactement. Elle s'y trouvait auparavant mais Juan avait accepté de la prêter au magasin pour une exposition. C'est là qu'elle a disparu. Il faut avouer que Gavin était bien placé pour la subtiliser.

– Mais pourquoi aurait-il fait une chose pareille?

– Je ne pense pas que ce soit lui. Je suppose que vous avez rencontré tous les membres de la famille? Qu'en pensez-vous?

– Je les connais à peine.

Je refermai mon carnet et me levai. Sylvia m'indiqua aussitôt le portillon.

– Venez donc voir Paul. Il veut absolument vous parler. Autant vous en débarrasser tout de suite.

Je la regardai sans comprendre.

– On a dû déjà vous parler du livre qu'il est en train d'écrire, n'est-ce pas? Et de son sujet?

– Mon grand-père m'a parlé de la mort de ma

mère, si c'est ce que vous voulez dire, fis-je d'un ton uni. Il m'a simplement relaté les faits tels qu'ils sont supposés être arrivés. Mais je refuse d'accepter cette version.

– Vous refusez? fit Sylvia, ahurie.

J'essayai de m'expliquer.

– Je la refuse pour des raisons sentimentales. Ma grand-mère Katy a écrit à mon père une lettre étrange avant de mourir, où elle disait qu'elle s'était trompée au sujet de ma mère. Qu'entendait-elle par là, à votre avis?

Sylvia me tourna le dos et s'éloigna vers le portillon. Ma question l'avait troublée.

– Avant de mourir, tante Katy m'a laissé un paquet pour vous, dit-elle. Je devais vous le donner si jamais vous veniez ici.

Tout excitée, je pressai Sylvia de questions.

– Mais pourquoi ne m'avez-vous rien dit? Pourquoi ne pas me l'avoir donné hier? Elle a peut-être laissé un message quelconque qui expliquerait sa lettre.

Sylvia revint lentement vers moi. Elle me regardait avec une certaine pitié, la même que j'avais vue dans les yeux de Gavin pendant le dîner, la veille au soir. Je me raidis et attendis qu'elle réponde à mes questions.

– J'avais le paquet avec moi quand je suis allée vous chercher. Mais à ce moment-là, vous ne saviez rien de la mort de votre mère. J'ai hésité à tout vous raconter. Je trouvais préférable d'attendre un peu. Ecoutez, vous allez vers une impasse, Amanda. Vous vous bercez d'illusions. Le passé est le passé. Je n'ai jamais aimé votre mère, je l'avoue, mais cela n'a rien à voir avec vous. J'essaie d'être juste dans cette affaire et je ne veux pas me laisser influencer par d'anciens ressentiments. On vous a dit, je suppose, que Clarita a assisté à la scène.

Je hochai la tête, attendant la suite.

– Il n'y a rien à ajouter à cela, n'est-ce pas? Jadis, Clarita s'était crue amoureuse de Kirk, vous savez. Nous avions tous entre douze et treize ans à cette époque et nous avions l'habitude d'aller au *rancho* passer les vacances ou les fins de semaine.

– Le *rancho*?

– Oui. Le *rancho de Cordova*. Il appartenait au père de Juan, notre arrière-grand-père. Il élevait des chevaux. C'était une fête pour nous d'aller là-bas. A présent, il est à l'abandon. Juan a simplement engagé un couple de gardiens pour l'*hacienda*. Clarita a fini par oublier cet amour d'enfance, naturellement. Elle a même détesté Kirk par la suite. Quand celui-ci est mort, elle était amoureuse de... de quelqu'un d'autre.

Troublée, je songeai à Clarita. J'avais du mal à l'imaginer en jeune fille amoureuse. Elle aussi, me dis-je, avait des raisons de m'en vouloir à cause de ma mère.

– Evidemment, Doro était, elle aussi, amoureuse de Kirk à l'époque du *rancho*, poursuivit Sylvia. J'ai grandi avec eux. Je connaissais toutes leurs histoires de cœur.

Je refusais d'imaginer ma mère amoureuse de quelqu'un d'autre que de mon père.

– Je ne pense pas me bercer d'illusions, dis-je. Après tout, on ne sait peut-être pas toute la vérité. C'est elle que je suis venue chercher.

– Alors venez voir Paul. Il a connu Doro lui aussi, bien qu'il ne fît pas partie de la famille à l'époque. A présent, je dois vous quitter. Ma librairie ouvre à 9 heures et je suis déjà en retard.

Juan Cordova m'avait recommandé de ne pas parler à Paul mais j'étais bien décidée à passer outre. Je m'étais sentie trop lasse, la veille, pour l'affronter mais à présent, c'était différent. Si je n'avais rien à lui offrir lui, par contre, pouvait m'apprendre certaines choses. De plus, je voulais savoir ce que Katy avait remis à Sylvia pour moi.

Celle-ci se dirigea vers le portillon tandis que je rassemblais mes affaires.

– Autant que vous le sachiez tout de suite, je suis contre le projet de Paul, dit-elle sans se retourner. J'estime, comme Juan, qu'il est inutile de fouiller le passé. Mais Paul n'est pas homme à revenir facilement sur une décision et il semble être emballé par ce projet. Tout cela est la faute d'Eleanor. Elle adore semer la zizanie et faire enrager Juan. Elle a réussi à convaincre Paul que son livre serait génial. Je l'ai entendue lui dire qu'il ne devait pas tenir compte des conseils de Juan ou de Clarita. Ou du mien par la même occasion. Le livre, évidemment, ne servira les intérêts de personne. Pas même de Paul. Mais il adore jouer avec le feu.

Elle s'était curieusement animée en parlant et se calma un peu quand elle s'aperçut que je la regardais.

Je laissai mon attirail près du rocher plat et rejoignis Sylvia devant le petit portail. Comme je m'apprêtais à entrer, elle posa une main sur mon bras.

– Faites attention, Amanda. J'ai comme l'intuition que toutes ces passions qu'excitait Doro autour d'elle ne sont pas tout à fait éteintes. Elles risquent encore de blesser les vivants. Vous y compris.

C'était un étrange avertissement qui coïncidait d'ailleurs avec mon propre sentiment. Mais comment pouvais-je prendre garde quand j'ignorais ce qui me menaçait. Sans lui répondre je poussai la porte qui séparait les deux jardins.

Nous traversâmes un patio plus petit que celui des Cordova et pénétrâmes dans la salle de séjour des Stewart, avec ses nattes indiennes aux couleurs vives et sa collection de poupées Katchina. Au fond, une porte ouvrait sur le bureau de Paul. Il arpentait la pièce avec agitation. Quand il m'aperçut, son visage aux pommettes larges, marqué d'une fossette au menton, s'éclaira comme à la vue d'un cadeau que lui apportait Sylvia. Pour la première fois, je remarquai ses yeux. Ils avaient la couleur de la chrysolithe, un jaune-vert un peu pâle, et son regard était perçant, observateur, comme s'il cherchait à découvrir chez les êtres une vérité cachée. J'étais habituée à présent à ce genre d'examen. Sans être très sûre de ce que je voulais défendre, j'étais sur mes gardes.

— Bonjour, Amanda, dit-il, en s'avançant d'un pas étonnamment léger pour un homme de sa corpulence. Comment s'est passée votre installation chez les Cordova?

— J'ai fait la connaissance de toute la famille, dis-je prudemment, éludant la question qui brillait dans ces yeux étranges.

— Je t'ai déjà dit qu'Amanda ne se souvenait plus de rien, intervint rapidement Sylvia.

— Venez vous asseoir, dit-il sans lui répondre, en me dirigeant vers un fauteuil recouvert d'une natte bleu et marron.

Sylvia essaya, en vain, de retarder l'échéance.

— Regardez donc la natte qui recouvre ce fauteuil, Amanda. Juan nous l'a offerte l'an dernier pour Noël. Il a vraiment des trouvailles superbes pour le magasin. Cet indigo est très rare et le marron n'est pas teint, c'est la couleur naturelle du mouton.

— Je m'assis après avoir consciencieusement examiné la natte.

Une telle nervosité m'étonnait chez Sylvia, mais peut-être était-elle toujours ainsi en présence de son mari. D'ailleurs, c'était surtout lui qui m'intéressait.

98

– On m'a parlé de votre livre, dis-je, entrant dans le vif du sujet. Je désapprouve votre projet. De toute façon, je ne peux vous être d'aucune utilité. Je n'ai pas le moindre souvenir de cette époque.

– Cela ne m'étonne pas. Ce genre de souvenirs est facilement relégué au fond de l'inconscient. On tente instinctivement de les enfouir, de les oublier, ne croyez-vous pas ? Mais il existe peut-être certains moyens de les ressusciter.

Ma méfiance augmenta. J'avais déjà eu de brèves réminiscences, des souvenirs très vagues. Et mon rêve de cette nuit avait, sans nul doute, été suscité par un environnement familier. Quoi qu'il en soit, j'étais bien décidée, si je découvrais quelque chose ayant trait à la tragédie, de n'en parler à personne et surtout pas à cet homme.

– Je ne désire pas me souvenir, c'est exact. D'ailleurs, les lieux comme les gens me sont parfaitement étrangers. J'ai l'impression de les découvrir pour la première fois.

– Tu vois, Paul ? dit Sylvia d'un ton presque implorant.

Il se tourna vers sa femme, m'offrant son profil couronné d'une masse de cheveux blonds grisonnants. Curieusement, il ne correspondait pas à l'aspect plutôt engageant du visage vu de face. C'était celui d'un faune, aux arêtes aiguës, un visage rieur, plein de dangereuses promesses. Je me dis qu'il devait exercer une fascination certaine sur les femmes.

Malgré le regard de blâme qu'il attachait sur Sylvia, il poursuivit d'un ton calme, sans rien perdre de cette concentration profonde que j'avais observée chez lui.

– La mémoire est un phénomène fascinant. Il arrive que des souvenirs oubliés émergent peu à peu jusqu'à former une image très nette où il n'y avait auparavant qu'obscurité. J'aimerais tenter ce genre d'expérience avec vous, Amanda.

Derrière ses manières calmes et assurées, je devinais une impatience latente, un certain goût du risque. Comme Sylvia l'avait laissé entendre, c'était un homme qui aimait jouer avec le feu. Je sentais en lui une attirance pour le macabre et me dis que, quoi qu'il arrive, il fallait l'empêcher d'écrire sur ma mère. J'ignorais pourquoi Sylvia semblait si opposée à son projet mais je comprenais pourquoi mon grand-père se méfiait de cet homme.

Sylvia intervint à nouveau. Sa voix était tendue.

– Non, Paul. Non. Laisse-la tranquille. Ne tente pas ce genre d'expérience. Elle pourrait être dangereuse.

Il la regarda de ses yeux pâles et elle parut se recroqueviller sur elle-même.

– Dangereuse pour qui, ma chère?

– Pour... pour nous tous. Moralement, bien entendu. Je t'en prie Paul, laisse-la tranquille. Tu as suffisamment d'éléments pour ton livre, sans ennuyer les Cordova. Et je n'ai aucune envie d'indisposer Juan et Clarita. Ni Gavin, d'ailleurs.

Il vint s'asseoir en face de moi, toute son attention tournée dans ma direction.

– On est toujours forcé d'indisposer quelqu'un dans ce genre d'affaire. De vagues parents vous menacent de procès. On reçoit des lettres indignées. J'ai déjà connu cela avec d'autres livres. Mais comme je m'en tiens généralement aux faits, je suis inattaquable. En outre, c'est l'affaire Cordova qui a fourni le point de départ à mon livre. De plus, c'est le seul meurtre auquel j'aie assisté personnellement : je connaissais tous les acteurs, j'étais présent à l'époque où il s'est produit et la plupart des personnes intéressées sont encore vivantes, à part les deux acteurs principaux, bien sûr.

– Tu n'y as pas assisté, c'est faux!

– Si tu entends par là que je n'étais pas présent au moment du meurtre, c'est vrai. Mais j'ai dû arriver dix minutes plus tard... et je me souviens de tout.

– Dans ce cas, en quoi les souvenirs à demi effacés d'une enfant de cinq ans vous intéressent-ils?

Il me regarda avec un certain amusement comme si j'avais dit quelque chose de comique.

– Vous ne voyez pas, n'est-ce pas? Vous ne voyez vraiment pas?

– Je ne comprends pas ce que vous voulez dire.

– Dans ce cas, nous ferions peut-être mieux de la mettre au courant. Qu'en penses-tu, Sylvia?

– Non! Non! Surtout pas! C'est à eux de lui raconter!

– En donnant leur propre version?

– C'est à Juan Cordova de décider.

Il haussa les épaules et se renversa dans son fauteuil.

– Très bien. Je ne suis pas pressé.

La tranquille assurance qu'il affectait me troubla et je lui répondis avec colère:

– Que vous attendiez ou non ne change rien. Même si je me rappelais quelque chose, je ne vous en parlerais pas. Je vous l'ai déjà dit.

– Même pas si ce souvenir devait changer le jugement porté sur votre mère? S'il la disculpait, par exemple?

Je le fixai avec étonnement.

– Que voulez-vous dire?

– Rien du tout. C'est une simple éventualité.

Il eut un geste apaisant que démentait la lueur provocante de ses yeux.

– Comme Sylvia l'a suggéré, nous attendrons. Je

serai toujours là si vous désirez me parler. Es-tu satisfaite, Sylvia?

Elle se détendit de façon presque imperceptible quoiqu'elle ne lui répondît pas et conserva son regard fixé sur moi. A présent, elle était impatiente de changer de sujet.

– Vous a-t-on dit pourquoi Eleanor s'était enfuie? demanda-t-elle.

Paul ayant vu Eleanor la veille, je trouvai étrange qu'il ne lui ait rien raconté. Mais je n'avais aucune raison de me taire et racontai comment nous avions découvert Eleanor dans la grotte et l'avions ramenée à la maison.

– Je crois qu'elle a voulu fuir sa famille...

– Elle a réussi. Ils étaient mortellement inquiets, dit Sylvia.

– Gavin est une brute, lança Paul.

Qu'avait bien pu lui raconter Eleanor? me demandai-je.

– Il n'a rien d'une brute, rétorqua Sylvia. Tu le sais très bien. Eleanor veut divorcer et je ne serais pas surprise qu'elle cherche à pousser Gavin à bout. Quel guêpier que cette maison! Juan s'oppose absolument à ce qu'elle quitte Gavin et il usera de tous les moyens pour préserver leur ménage.

Etais-je l'un de ces moyens? Cela semblait probable.

– Que veut Gavin? demandai-je.

– Eleanor, bien sûr, dit Paul. Pour lui, elle représente l'argent et le contrôle du magasin. Il ne la laissera jamais partir à moins qu'elle ne l'y force. Comme elle se trouve désarmée en face d'une situation difficile, elle commet des imprudences.

– Elle est à peu près aussi désarmée qu'une tarentule, fit sèchement Sylvia, redevenue elle-même. Mais si nous cessions de parler des Cordova. Nous ennuyons Amanda. J'ai du café sur le feu. Je vais aller le chercher. Montre-lui un exemplaire d'*Emanuella*, Paul. J'ai toujours pensé que c'était ton meilleur livre.

Paul sourit, et je n'aimais pas ce sourire qui semblait me mettre de son côté. Il avait l'air de croire qu'avec un peu de patience, il finirait par me faire partager son point de vue.

– Sylvia est inquiète, dit-il, quand elle fut partie. Vis-à-vis d'Eleanor, j'entends.

Il se pencha vers moi et, de nouveau, je fus sensible à cette violence qui émanait de lui et m'inquiétait un peu.

– Vous ressemblez beaucoup à votre mère, vous savez. Vous me rappelez ma jeunesse. Une époque insouciante. Serez-vous étonnée d'apprendre que j'ai moi-même été un peu amoureux de Doro jadis? C'était ridicule, bien sûr. Elle était déjà mariée et Sylvia était l'épouse qui me convenait.

Peut-être Sylvia l'entendit-elle car elle revint à cet instant avec un plateau chargé de tasses qu'elle posa sur le bureau. Peut-être avait-il prononcé ces paroles à dessein. Je n'aimais pas Paul Stewart, je n'avais aucune confiance en lui et j'espérais que ma mère n'avait jamais éprouvé le moindre sentiment à son égard.

– Il ne vous a pas montré le livre? dit Sylvia.

Elle versa le café puis, allant à l'étagère, prit un livre à couverture jaune moutarde.

– Emportez-le et lisez-le un de ces jours, Amanda. C'est un roman historique qui a pour cadre l'Espagne de jadis. Nous sommes partis quelques mois à Madrid où Paul faisait des recherches. En fait, il raconte l'histoire des Cordova. Celle de la branche espagnole.

Intéressée, je pris le livre et, en feuilletant les premières pages, je remarquai qu'il avait été publié peu d'années après la mort de ma mère.

J'avais à peine touché à mon café quand Eleanor entra dans la pièce d'un pas décidé. Ses cheveux blonds étincelaient dans le soleil et elle portait un costume pantalon gris perle qui dégageait admirablement sa silhouette fine et élancée.

– Je vous cherchais, Amanda. Grand-père désire vous voir tout de suite. Vous feriez mieux de vous dépêcher.

Je bus une dernière gorgée de café et me levai :

– Merci, Sylvia. Je crois qu'il faut que je vous laisse. Vous m'avez dit que vous aviez un paquet pour moi?

Sylvia bondit de sa chaise et se précipita dans la pièce voisine. Elle revint bientôt avec une grosse enveloppe.

– Voilà. Je l'avais complètement oublié. Katy était très faible lorsqu'elle me l'a remis, mais elle a réussi à murmurer quelques mots : « Dis-lui d'aller au *rancho.* »

Je pris l'enveloppe et me dirigeai vers la porte. Eleanor et Paul avaient assisté à notre conversation mais ni Sylvia ni moi ne fournîmes aucune explication.

– A bientôt, me dit Paul.

Son regard me défiait avec une assurance amusée comme s'il était certain que je reviendrais.

Eleanor esquissa un geste nonchalant.

– Je n'ai pas besoin de vous accompagner, n'est-ce pas? Vous connaissez le chemin. Sylvia, je prendrais volontiers de votre café, si vous m'en offrez.

Comme Sylvia se détournait pour verser le café, je surpris le regard qu'échangeaient Paul et Eleanor, et celui-ci me déplut. Il semblait sceller une sorte de pacte, et j'eus l'impression désagréable qu'il me concernait.

La grille était ouverte. J'allai ramasser mes affaires de dessin et revins à la maison. Clarita se trouvait dans la salle de séjour et parlait avec Rosa. Elle m'aperçut et son regard se fit volontairement indifférent, mais elle n'essaya pas de me barrer le chemin.

Je déposai mes affaires sur une table avec l'enveloppe mais conservai le livre. Peut-être le montrerais-je à Juan. Manifestement, Clarita avait reçu des ordres à mon sujet, ce qui ne devait pas contribuer à augmenter son affection pour moi. J'aurais aimé la rassurer mais, pour l'instant, je n'en voyais pas le moyen.

En grimpant le petit escalier, j'entendis un bruit de voix et m'arrêtai sur le palier. Gavin se trouvait avec mon grand-père. Juan Cordova était assis derrière son bureau, pâle, les yeux fermés, les lèvres pincées. Gavin se tenait debout près de lui, et je l'entendis qui disait d'une voix sourde :

– C'est une affaire dont vous ne pouvez pas décider seul. Nous en avons déjà discuté et mon avis n'a pas changé.

– Grand-père? dis-je rapidement, ne voulant pas surprendre une conversation qui ne m'était pas destinée.

Gavin se retourna et me considéra d'un air distant. Quel dommage qu'il fût mon adversaire et non mon allié, me dis-je. J'aurais aimé pouvoir lui demander conseil. Mais il me tourna le dos et se dirigea vers l'une des fenêtres dont les rideaux tirés laissaient pénétrer le soleil matinal du Nouveau-Mexique.

– Entre, entre, Amanda, dit Juan Cordova d'un air irrité. Où avais-tu donc disparu pour mettre si longtemps?

Je vins me placer devant son bureau.

– J'étais à côté, chez Sylvia et Paul.

Il me fixa de son œil de faucon.

– Je t'avais dit de ne pas parler à Paul Stewart.

– Je sais. Mais je ne vous ai rien promis. D'ailleurs, ne vous inquiétez pas au sujet de son livre. Je ne peux lui être d'aucune aide. Pourtant, il m'a posé une question étrange. Il voulait savoir si je me souvenais d'un détail qui pouvait disculper ma mère.

– Disculper? Je ne crois pas que ce soit dans ses intentions. Mais nous verrons cela plus tard. Assieds-toi. Je parlais de toi à Gavin. Je veux qu'il te montre le magasin ce matin. Il est nécessaire que tu saches tout ce qu'il représente pour la famille Cordova.

Je n'aimais guère ce genre d'insinuation.

– Et pourquoi? demandai-je en m'asseyant à côté de lui.

Il abaissa ses lourdes paupières comme si ma résistance le fatiguait. Son visage était dur et fermé.

– Le magasin fait partie de ton héritage. Tu apprendras à le connaître.

– J'ai entendu qu'on le surnommait *l'albatros*, dis-je en pianotant d'un doigt léger sur le livre que Sylvia m'avait prêté.

Gavin se retourna.

– Ce sera le cas si vous vous laissez faire. Mais vous êtes avertie à présent. Très bien, Juan, je vais faire ce que vous demandez. Si Amanda doit visiter le magasin, nous ferions mieux d'y aller tout de suite.

– Un instant, Gavin. Tu n'as rien appris de nouveau sur la tête précolombienne qu'on a déposée dans ta chambre?

– Je ne m'y attendais pas. Toutes ces petites machinations sont destinées à me nuire auprès de vous, et personne n'avouera. Je ne peux que m'en remettre à votre confiance.

– Tu l'as dans une certaine mesure. Je dis bien,

dans une certaine mesure. Je ne sais plus très bien à qui me fier à présent. Je vais parler un instant avec Amanda, et ensuite tu la conduiras au magasin et tu lui montreras les plus beaux objets. Elle et CORDOVA risquent d'avoir partie liée dans l'avenir.

Je me levai et me hâtai de déclarer pour cacher mon embarras :

– Je serai ravie de voir le magasin... en visiteur. J'en rêve depuis ma plus tendre enfance et il m'a toujours fascinée. Ne pouvez-vous pas nous accompagner ? ajoutai-je en me tournant vers Juan.

– Pas aujourd'hui. (Sa voix était lasse.) Laisse-nous un instant, Gavin. Je veux parler à Amanda.

Gavin sortit. Je vis luire dans ses yeux une colère qui n'augurait rien de bon. Il n'avait jamais été un allié, mais cette visite au magasin risquait de le tourner définitivement contre moi.

– J'ai un service à te demander, dit Juan en me faisant signe d'approcher. Je sors très peu ces temps-ci et j'aimerais que tu fasses quelque chose pour moi quand tu iras au magasin : il s'agit d'une certaine vitrine contenant des objets de Tolède. Tu la trouveras au premier étage. Repère bien son emplacement exact pour pouvoir la retrouver facilement par la suite. Tu as compris ?

– Pas le moins du monde, dis-je. Mais je ferai ce que vous m'avez dit.

– Très bien. Je t'expliquerai un autre jour. A présent, va rejoindre Gavin. Mais reviens me voir après ta visite. Je veux savoir ce que tu penses de CORDOVA. Et, écoute-moi bien Amanda, ne parle pas à Gavin de cette vitrine. Tu m'entends ?

– Parfaitement. Je ne lui dirai rien.

Bizarrement, ma réponse eut l'air de le soulager et il me gratifia d'un petit sourire de triomphe. Je le soupçonnai de s'être adroitement servi de moi dans un but que j'ignorais mais c'était une faveur bien peu importante et je pouvais la lui accorder.

Je descendis dans la salle de séjour où Rosa s'affairait. Clarita avait disparu mais Gavin m'attendait.

– Je vais déposer le livre de Paul Stewart et mes affaires dans ma chambre, lui dis-je en lui montrant le volume.

Gavin le regarda avec dégoût.

– Heureusement que votre grand-père ne l'a pas remarqué. Il y a longtemps de cela il a ordonné qu'on se débarrasse de tous les exemplaires qui se trouvaient à la maison. Il ne sera pas content que vous le lisiez. Il estime que Stewart a mal agi vis-à-vis d'Emanuella.

– Dans ce cas, je ne lui dirai rien, fis-je, et je grimpai en hâte l'escalier qui conduisait à ma chambre.

A présent, le livre m'intéressait encore davantage mais je n'avais pas le temps de le parcourir pour le moment. Je le lançai sur le lit et m'assurai d'un coup d'œil que le fétiche ne se trouvait plus sur le tapis. Plus je songeais à cet incident, plus il me déplaisait. Mais ce qui importait à présent était le paquet de Katy. Je déchirai l'enveloppe et regardai à l'intérieur. Elle ne contenait qu'un petit écrin bleu. Aucune lettre, aucun message. Je pressai sur le fermoir et la boîte s'ouvrit. A l'intérieur, coincée dans la petite fente de satin réservée à la bague, se trouvait une minuscule clé de cuivre. Rien d'autre. Je me trouvais en face d'une énigme sans autre indice que les dernières paroles de Katy qui me demandait d'aller au *rancho de Cordova*. Je n'avais pas le temps de m'interroger car Gavin m'attendait et j'étais moi-même impatiente de voir le magasin.

Juan avait raison : il faisait partie de mon héri-

tage, que cela me plaise ou non, et il me renseigne-
rait sur les Cordova. Gavin n'avait montré aucun
empressement à m'accompagner et je m'aperçus
que je le regrettais. Je ne voulais pas qu'il devienne
mon ennemi. S'il s'était montré moins hostile, j'aurais pu lui demander de m'aider dans mes recherches ou même lui parler des tentatives de Paul pour
m'extorquer mes souvenirs. Mais il me fallait
d'abord abattre les défenses qu'il avait édifiées
contre moi.

Pour la première fois, je me demandais si c'était
possible. La requête de Juan l'avait certainement
contrarié, mais peut-être pendant notre visite trou-
verais-je le moyen d'apaiser ses soupçons. J'avais
terriblement besoin d'un ami et, pleine d'espoir
dans mon nouveau projet, je descendis le rejoindre.

7

CORDOVA occupait une large façade dans l'une des
rues conduisant à la place. Je m'aperçus qu'une
partie seulement des vitrines étaient représentées
sur la page publicitaire que j'avais découpée il y
avait si longtemps. La façade était impressionnante
et les vitrines, avec leurs trésors discrètement exposés, représentaient le comble du luxe et de l'élégance.

Gavin poussa la porte vitrée et je le précédai dans
le magasin. C'était une construction ancienne et
très vaste, avec ses hauts plafonds noyés d'ombre,
ses comptoirs vernissés et ses rayonnages muraux à
perte de vue. Le savant étalage attirait l'œil des
collectionneurs et des curieux.

Le jour pénétrait à peine par les vitrines de la façade et l'intérieur était éclairé à la lumière artificielle. Les visiteurs se promenaient à pas lents et, derrière les comptoirs, les vendeuses attendaient avec une courtoisie pleine de dignité. Les portes épaisses étouffaient les bruits de l'extérieur, donnant au magasin une atmosphère de solennité imposante. On sentait que, pas plus que dans un musée, l'agitation et la turbulence n'y étaient admises. Juan avait manifestement voulu faire de CORDOVA un sanctuaire destiné à abriter les trésors qu'il vénérait.

J'eus soudain envie de troubler cette atmosphère un peu étouffante par une réflexion peu respectueuse.

– Personne ne rit donc jamais ici ? demandai-je à Gavin.

Il avait dû guetter ma première réaction et celle-ci le surprit. Il esquissa un sourire.

– Ainsi, vous n'êtes pas intimidée ?

Je regardai un ancien coffre espagnol aux lourds tiroirs sculptés et aux poignées de fer forgé. Sur le dessus se trouvait une coupe de cuivre martelé provenant de Guyane ainsi que plusieurs plateaux et boîtes sculptés, en bois précieux du Paraguay, portant, discrètement collées sur la base, les étiquettes mentionnant les prix.

– Je trouve tous ces objets vraiment magnifiques, fis-je, mais je ne peux m'empêcher de songer à la réflexion d'Eleanor : CORDOVA passe toujours avant ceux qui s'en occupent. Ce qui explique ma révolte contre... enfin... cette perfection un peu pesante.

Gavin étendit la main et caressa une coupe finement ciselée.

– L'auteur de cette coupe savait rire. Il était près de la terre, primitif peut-être selon nos critères, mais capable de créer une œuvre belle. Juan ignore tout de lui. Il a toujours été intéressé par l'œuvre plus que par l'artiste. D'un point de vue purement esthétique, il a peut-être raison.

– Mais vous, vous êtes intéressé par l'artiste en dehors de son art?

– Oui... peut-être parce que je voyage beaucoup et que je connais certains des artistes qui travaillent pour le magasin. Beaucoup des objets que nous avons ici ont été exécutés par des hommes et des femmes qui vivent en Espagne, au Mexique ou dans les États du Sud et du Centre de l'Amérique. Peu à peu, j'ai appris à connaître leur famille, à déceler leurs talents ou leurs aptitudes particuliers. Quand mon père voyageait pour Juan, il allait toujours se rendre compte sur place au lieu de passer par un intermédiaire. Je fais de même. L'artisanat est vraiment un art vivant.

Sa tête, couronnée d'épais cheveux blonds, était dressée comme pour embrasser tout ce qui l'entourait et ses yeux gris voyaient au delà des simples objets. Son explication me le fit aimer davantage et je n'eus plus envie de me moquer du magasin.

Nous passâmes devant une natte à motif Katchina marron, blanc et noir, étalée sur l'un des murs. Je m'arrêtai devant un miroir mexicain cherchant dans la glace le reflet de Gavin. C'était la première fois que je le voyais ainsi, non plus lointain et méfiant, mais vif, intéressé par ce qui l'entourait. J'aimais la flamme qui animait son regard quand il parlait de son métier. Peut-être était-ce l'homme que j'avais deviné lors de notre première rencontre, quand j'avais éprouvé cette attirance violente dont je ne pouvais tout à fait me défaire.

– Est-ce que vous êtes en désaccord, mon grand-père et vous, au sujet du magasin? demandai-je.

De nouveau, il était sur ses gardes.

– Je travaille pour lui, dit-il sèchement.

Il se dirigea vers une table surmontée d'un délicat candélabre en fer forgé au dessin compliqué, qu'entouraient de belles poteries indiennes. A côté, appuyé contre le mur, se trouvait un faisceau de portes sculptées à motif colonial, semblables à celles que j'avais vues chez les Cordova et les Stewart.

— Ces portes sont faites ici, en ville, dit Gavin. Elles sont célèbres, on les appelle les portes de Santa Fe.

Il avait retrouvé son rôle de guide, brisant le faible lien qui nous avait un instant unis. S'engageant dans l'allée suivante, il s'arrêta devant une vitrine centrale. Un petit carton indiquait que les objets, prêtés au magasin pour l'exposition, appartenaient à l'époque précolombienne. Il y avait des morceaux de pierre, des fragments de poterie et des motifs d'ornement d'architecture antique. L'une des pièces était une tête de pierre brisée au niveau du cou mais au visage intact, avec des traits proéminents et volontairement exagérés.

— Est-ce la tête qui avait disparu? demandai-je.

— Oui... celle que je suis supposé avoir volée.

— Pourquoi vous aurait-on joué ce tour stupide?

Il me jeta un regard glacé.

— Cela ne vous regarde pas, il me semble.

Une indignation brûlante m'envahit. Je n'allais pas non plus me laisser intimider par Gavin Brand.

— Grand-père à l'air de penser que tout ce qui touche CORDOVA me concerne.

— Et pourquoi, s'il vous plaît?

— Parce que je fais partie de la famille, je suppose. Je suis certaine que grand-père ne peut croire à ce prétendu vol.

— C'en est un pourtant. Quelqu'un a dérobé la tête dans cette vitrine qui était verrouillée. Quelqu'un qui avait accès au magasin et savait où trouver la clé.

Il s'éloigna, indifférent à ce que je pouvais penser, et nous poursuivîmes notre visite. De temps à autre, il s'arrêtait pour me fournir une explication ou me désigner un objet avec une admiration qui contrastait avec son indifférence à mon égard. Mon ressentiment augmentait à chaque minute. Devant ce mur qu'il dressait entre nous, tous mes espoirs se révélaient futiles. Pourtant, je refusais de m'avouer vaincue.

Nous arrivâmes au fond du magasin où étaient exposés des objets en vannerie. L'odeur du jonc embaumait l'air. L'endroit était désert et, comme Gavin faisait mine de continuer, je l'arrêtai.

– J'aimerais que vous m'excusiez pour cette remarque ridicule que j'ai faite lors de notre première rencontre. J'ai agi bêtement mais je souhaiterais que vous cessiez de m'en tenir rigueur.

Pour une fois, son regard s'attarda sur moi. Il paraissait surpris.

– Je l'avais complètement oubliée. D'ailleurs, c'était sans importance.

– Mais alors pourquoi..., commençai-je, mais il me coupa dans un brusque élan de franchise :

– Juan vous a fait venir ici parce qu'il veut se servir de vous, et vous êtes tombée dans le piège. Vous n'y perdrez rien, je suppose, mais sachez-le, vous me trouverez sur votre chemin. Il existe d'autres intérêts, plus importants que les vôtres.

Je le regardai, muette de rage. Que voulait-il dire avec ses allusions à un piège et à mes prétendus intérêts ?

Trop furieuse pour lui répondre, je me dirigeai vers la vitrine suivante, incapable de l'examiner avec calme.

– Les plus beaux objets se trouvent au premier, dit-il.

C'était de nouveau le guide indifférent que sa tâche ennuyait.

– Beaucoup des articles exposés ici sont destinés aux touristes ou importés de l'étranger pour les acheteurs de Santa Fe.

Le département suivant était réservé à la maroquinerie et il y régnait une forte odeur de cuir. Il y avait des ceintures, des portefeuilles, des bottes et même des selles. Face à l'entrée, un grand escalier conduisait au premier étage. Je suivis Gavin, encore tremblante de fureur. Toutefois, je n'avais pas oublié les indications de Juan : c'était là que se trouvait la vitrine contenant les articles de Tolède, que je devais repérer. Je décidai de m'acquitter de ma mission au plus vite avant de tourner le dos à Gavin et au magasin.

En haut de l'escalier, protégée par une vitrine, une danseuse de flamenco en céramique nous attendait. Plus loin, le magasin se transformait en musée. La plupart des objets exposés, d'une facture exquise, atteignaient des prix fabuleux. Tel était le vrai CORDOVA, sobre dans la présentation de ses trésors, moins encombré qu'au rez-de-chaussée, reflétant cette même assurance arrogante qui caractérisait Juan Cordova. Rien ici ne flattait l'acheteur. L'achat lui-même semblait un privilège. Pour la première fois, j'eus l'intuition de ce puissant orgueil tribal qui régentait le magasin comme les Cordova.

– Jamais je ne pourrai me sentir liée à tout cela. CORDOVA doit être un maître qui exige qu'on lui consacre sa vie.

Gavin m'observa avec curiosité.

– Je ne m'attendais pas à ce que vous le compreniez.

Je songeai avec rancune que ce qu'il attendait de moi n'avait guère de rapport avec la réalité. Toutefois, en dépit de ma première impression défavorable, je fus rapidement conquise par toutes les richesses déployées. L'artiste en moi était subjuguée.

De splendides châles espagnols brodés à la main attirèrent mon regard, et je m'arrêtai pour toucher les franges de soie et examiner en détail les immenses fleurs brodées. On aurait cru de la peinture sur soie. Plus loin, c'étaient des couvertures aux couleurs éclatantes, des *rebozos* et des ponchos de Bolivie et, sur le comptoir suivant, un étonnant gilet de daim argentin.

– Rien n'est fait à la machine, ici, m'informa Gavin. Tous les articles sont exécutés par des artisans ou des femmes douées pour le dessin et le travail à l'aiguille.

Malgré son parti pris d'indifférence, sa voix avait pris une chaleur nouvelle.

– Juan m'a donné carte blanche pour cet étage et aucun des objets n'a été envoyé au musée. En les vendant, nous préservons la survie de l'artisanat et de ses créateurs.

En l'écoutant, je sentais ma rancœur s'évanouir, je comprenais sa volonté de conserver un marché aux artistes et j'effleurai avec respect une boîte en marqueterie provenant de la Guinée française.

– Je me suis trompée au sujet de CORDOVA, dis-je. Selon Sylvia Stewart, c'est un monstre qui règne sur la famille. Je devine la somme d'efforts et de dépenses que nécessite son entretien. Mais peut-être qu'il en vaut la peine.

– Certainement, à condition de garder les pieds sur terre et de ne pas se perdre dans des rêves esthétiques, comme le fait Juan. Il achète des pièces de musée qu'il ne revendra jamais. Il ne pense qu'à collectionner et à exposer, alors qu'il faut vendre. Ce magasin ne doit pas être un musée vieillot, il est destiné à faire vivre des hommes et des femmes, à conserver des talents qui, sinon, risquent de se perdre. Il doit rester *vivant* et non se transformer en relique poussiéreuse.

Il y avait chez cet homme une passion, un amour de la beauté et en même temps de l'artiste, qui m'allaient droit au cœur.

– Qu'adviendra-t-il du magasin à la mort de Juan?

– Eleanor héritera, fit-il sèchement. Juan en a décidé ainsi dans son testament.

– Et Clarita?

– Il ne l'a pas oubliée. Quoique, à mon avis, il se soit toujours montré injuste envers elle, vu la façon dont elle s'est dévouée pour le magasin. C'est elle qui s'occupait de cet étage. Elle connaît CORDOVA mieux qu'Eleanor ne le connaîtra jamais.

– Encore une qui y a consacré sa vie? Peut-être CORDOVA est-il insatiable, comme Juan? Qu'est-ce qu'Eleanor en fera si elle hérite?

– Je l'ignore. Je doute qu'elle se laissera posséder par CORDOVA.

Sa voix était dure.

– Mais vous continuerez à diriger le magasin?

– Je n'en jurerais pas.

– Mais si Eleanor est raisonnable...

Son regard m'avertit qu'une fois de plus je me mêlais de ce qui ne me regardait pas, et je me tus. Je soupçonnai que, sous les apparences, une guerre pouvait bien couver dans la famille Cordova.

Nous longeâmes d'autres comptoirs. Je commençais à me sentir saturée comme il arrive parfois dans les musées. Je me promis, si c'était possible, de revenir une autre fois. Je souhaitais en voir davantage et je me demandai avec une certaine inquiétude si je n'allais pas me laisser dévorer par le magasin, comme les Cordova.

En passant devant l'un des étalages, mon œil fut attiré par un bois sculpté d'un rouge sombre et je m'arrêtai pour l'examiner plus en détail. Il mesurait environ vingt centimètres de haut et représentait une tête aux pommettes saillantes, avec des narines retroussées et une bouche large et généreuse. Les lignes étaient modernes, dépouillées, suggérant plus qu'elles n'exprimaient. Je la pris et caressai le bois lisse, semblable à du satin.

– Comme elle est belle. D'où vient-elle ?

Gavin se dégela un peu.

– C'est un sculpteur de Taxco qui l'a exécutée. Il est à moitié indien et remarquablement doué. Le seul ennui, à notre point de vue, est qu'il produit très peu. L'argent ne l'intéresse pas et il ne travaille que lorsqu'il est inspiré. Mais alors le résultat est superbe.

Je reposai la sculpture à regret. J'aurais aimé pouvoir l'acquérir, mais je ne pris même pas la peine de jeter un coup d'œil à l'étiquette discrètement collée sur le socle. Je devinais ce qu'elle coûtait.

– Comme il a de la chance de ne faire que ce qu'il aime vraiment, dis-je en songeant à mes brochures et aux maquettes publicitaires que j'illustrais parfois sans y porter grand intérêt.

– Vous voulez être peintre, n'est-ce pas ?

– C'est mon plus cher désir, fis-je, surprise qu'il m'interroge. Mais mon métier m'oblige souvent à certains travaux qu'on ne peut guère qualifier d'artistiques.

– Et qui, sans doute, vous font le plus grand bien. Mon ami de Taxco est une exception. S'enfermer dans une tour d'ivoire nuit à la plupart des artistes. Comme d'ailleurs à la plupart des gens. L'homme doit être engagé dans la vie, sinon il se dessèche et sa vision se rétrécit.

Comme Juan par exemple, me dis-je. Gavin, lui, s'intéressait à autre chose qu'à la simple beauté des trésors accumulés dans le magasin. Jusqu'où allait son intérêt pour Eleanor et, elle-même, dans quelle mesure s'intéressait-elle à tout ce qui ne la concernait pas personnellement?

Mais là encore, je me mêlais de choses qui ne me regardaient pas.

— Si vous voulez peindre, peignez et moquez-vous du reste, dit Gavin.

Je l'écoutai, surprise. Je ne m'attendais pas à ce qu'il me comprît aussi vite. Sa froideur ne l'avait pas quitté mais, du moins, respectait-il mon idéal.

— Vous n'avez pas vu ma peinture, dis-je. Comment savez-vous si, au contraire, il ne faudrait pas me décourager?

— Personne ne doit l'être. Vous pouvez toujours créer pour vous-même, à défaut du reste.

— Cela ne me suffit pas. C'est encore la tour d'ivoire. Ce que j'exprime dans mes tableaux, je veux que les autres puissent le sentir et l'apprécier. Me regarder dans un miroir ne me satisfait pas.

Il me sourit, d'un sourire pour une fois dépourvu de soupçon ou d'agressivité, qui éclaira tout son visage.

— Vous avez raison, bien sûr, et c'est ce que Juan oublie. Il a créé CORDOVA et, à présent, il se conduit en avare. Il le veut pour lui seul et pour sa famille – comme sa collection. Il a oublié un point fondamental : c'est que l'œuvre d'art doit être appréciée par tous. Est-ce que vous me montrerez votre travail un jour?

— Je... je ne sais pas, dis-je.

Je me sentais soudain timide et en même temps pleine d'espoir. Gavin avait du goût et de la sensi-

118

bilité. S'il n'aimait pas ce que je faisais, il me le dirait honnêtement et j'en serais blessée car je tiendrais compte de son avis. Mais il me permit de rester dans le vague et je lui en fus reconnaissante.

– Venez par ici, me dit-il, et nous nous arrêtâmes devant une vitrine où s'étalaient, sur un fond de velours noir, des bijoux d'argent et de turquoise.

– Ce sont des bijoux du Sud-Ouest, exécutés par nos meilleurs artisans indiens. Votre grand-père a recommandé que vous choisissiez celui que vous préfériez. Il veut que vous ayez un bijou de turquoise venant de CORDOVA.

L'intention me toucha et je me penchai sur la vitrine pour examiner les bijoux de plus près. La vendeuse sortit un tiroir et le déposa devant moi. Il y avait des bagues, des pendentifs et des broches. Je ne voulais ni d'une bague ni d'un collier, et je choisis finalement une broche à pointes d'argent incrustée de turquoise, de jais et de corail.

– Celle-ci, dis-je, en l'épinglant au revers de ma robe en toile bleue.

La jeune fille m'apporta aussitôt un miroir pour que je puisse juger de l'effet.

– Un bon choix, dit Gavin. C'est du travail Zuni, et du meilleur.

J'allais quitter le comptoir lorsque mon attention fut attirée par une haute vitrine qui occupait le centre de l'étage. J'allai aussitôt examiner les épées et les couteaux qui s'y trouvaient exposés. *Acier de Tolède*, lisait-on sur le carton. Je ne comprenais pas ce que grand-père lui trouvait de particulier mais la repérai néanmoins parmi les autres.

Gavin ne semblait pas intéressé par ce genre d'objets.

– Vous avez à peu près vu le magasin, dit-il,

redevenu distant. Cela vous suffit-il et connaissez-vous CORDOVA à présent?

– Vous savez fort bien qu'il me faudrait des mois pour y arriver. Mais c'est un bon début.

Manifestement, j'avais mal choisi mes mots. Son visage était impassible et fermé.

– Oui... je suppose que c'est par là qu'il faut commencer.

Je jetai un coup d'œil dans l'allée et, voyant qu'elle était déserte, lui demandai à brûle-pourpoint :

– Qu'est-ce que mon grand-père attend de moi? Que veut-il?

Il me répondit avec une indifférence appliquée, comme s'il n'attachait aucune importance aux paroles qu'il prononçait :

– Peut-être une héritière. Peut-être seulement une arme contre nous.

A l'entendre, on aurait pu croire qu'il parlait de la pluie et du beau temps.

– Mais je ne veux être ni l'une ni l'autre! Je n'espère rien de lui, excepté peut-être l'affection que je ne trouve pas dans cette maison.

Il ne me croyait pas. Son silence était sceptique et je poursuivis avec chaleur, tout en sachant que c'était inutile.

– Je ne veux être une menace pour personne. Bien que j'aie l'impression d'être, moi, menacée.

Et je lui parlai du fétiche que j'avais trouvé la veille au soir dans ma chambre. Il ne parut pas surpris.

– Qu'attendiez-vous donc? Si vous êtes décidée à demeurer ici, vous susciterez certainement de l'hostilité. Juan vous utilisera comme il tente d'utiliser tout ce qu'il touche.

– Je ne me laisserai pas faire.

– Dans ce cas, pourquoi restez-vous?

120

– Pourquoi voulez-vous que je parte? De quoi avez-vous peur? J'ignore encore qui est mon grand-père. Je désire apprendre à le connaître par moi-même et non à travers l'opinion et les préjugés des autres.

Ce n'était pas tout. Il restait encore la mort de ma mère, mais je ne voulais pas m'attirer ses moqueries avec ce genre de confidence.

– Si le fait de rester ici est une preuve de l'entêtement bien connu des Cordova, soit, je l'accepte.

– L'entêtement des Cordova ou de la Nouvelle-Angleterre? dit-il. Il n'y a guère de différence, n'est-ce pas?

A ma grande surprise, le ton n'était pas seulement ironique. Même s'il ne m'aimait pas et blâmait mon obstination, j'avais l'impression qu'il commençait à me respecter. J'éprouvai toutefois une pointe de dépit quand je le vis se diriger d'un pas tranquille et assuré vers le grand escalier, manifestement soulagé d'en avoir fini avec la visite. J'eus envie de le contrarier et, prenant une allée que je n'avais pas encore vue, je m'arrêtai devant l'une des vitrines. La clé se trouvait encore sur la porte entrouverte comme si l'étalagiste n'avait pas terminé son travail, et le contenu attira mon attention.

Au centre, se trouvait une petite charrette primitive à deux roues, aux bords supérieurs hérissés de pointes de fer. Elle était remplie de gros cailloux sur lesquels était assise la forme humaine qui avait attiré mon regard. Sculptée dans le bois, elle représentait le squelette d'une femme coiffée d'une perruque noire aux boucles rêches et tenant dans ses doigts osseux un arc et une flèche. Elle avait des trous à la place des yeux et les dents semblaient esquisser un étrange et mystérieux sourire.

– Charmante, n'est-ce pas? dit une voix derrière moi.

Surprise, je me retournai et vit Paul Stewart tout près de moi. Il tenait dans une main un fouet à trois lanières à l'aspect redoutable. Il s'aperçut que je le regardais et donna une légère chiquenaude aux cordelettes.

– C'est une *disciplina*. Elle fait partie de ma collection de Pénitents. Vous avez dû entendre parler des Pénitents du Sud-Ouest? J'ai proposé à Juan de lui prêter ma collection pour le magasin et il a accepté avec plaisir. J'ai donc transporté tous les objets ici et je suis en train de les disposer. Comment trouvez-vous la dame dans la charrette?

Ses yeux pâles se détournèrent un instant pour regarder en direction de l'allée, et j'aperçus Gavin qui, un peu à l'écart, m'attendait avec une certaine impatience. Je décidai de ne pas bouger.

– Que représente-t-elle? demandai-je à Paul.

– La *Muerte*. Ou Doña Sebastiana, si vous préférez. C'est ainsi qu'on l'appelle ici. C'est à elle qu'il faut demander longue vie. Cette flèche que vous voyez est pointée sur les malheureux sceptiques. Quant à la charrette, elle est destinée aux processions et remplie de cailloux pour la punition de ceux qui la tirent.

– Vous avez écrit sur les Pénitents, n'est-ce pas?

– Oui. Ils me fascinent. Je suis allé chez eux et, en les mettant en confiance, je suis arrivé à les faire parler. Ils utilisent ce fouet pour se flageller. Ces claquettes se nomment *matracas*. Elles font un vacarme horrible. Les silex que vous voyez dans le coin, les *pedernales*, servent à infliger des blessures superficielles. Notez, là-bas, la lanterne et le crucifix. La secte est en train de s'éteindre, mais *los Hermanos*, les Frères, existent encore dans les montagnes. Ils sont espagnols d'origine et se réclament du catholicisme quoique l'Eglise ait dénoncé leurs pratiques.

Paul Stewart avait pris soin de disposer au centre de la vitrine plusieurs exemplaires de son livre dont je lus le titre : *La Marque du Fouet*. Doña Sebastiana en personne ornait la couverture et le nom de Paul s'étalait en grosses lettres noires au bas de la jaquette.

– Je vous prêterai un exemplaire, si vous voulez, dit-il.

Je frissonnai légèrement.

– Il me reste encore à lire *Emanuella*. Je crois qu'il sera davantage à mon goût.

– Je n'en suis pas sûr. On y apprend peut-être trop de choses sur les Cordova.

– C'est justement ce qui m'intéresse, fis-je légèrement.

Je tournai les talons et me dirigeai vers Gavin qui m'attendait en haut de l'escalier. Il ne fit aucun commentaire quand je le rejoignis. J'eus l'impression que la présence de Paul dans le magasin lui déplaisait et que, s'il avait pu en décider, il se serait passé de l'exposition des Pénitents. Je sentis également qu'il n'appréciait guère que je parle à Paul. Mais Gavin n'était pas mon mentor et j'étais libre d'agir à ma guise.

Nous descendîmes jusqu'au rez-de-chaussée et quittâmes le magasin. La voiture était garée dans la rue et, tandis que nous prenions la route de la maison, j'essayai de faire taire ma rancœur et le remerciai.

– Je suis sûre que personne ne m'aurait aussi bien montré le magasin. Merci de m'avoir consacré un peu de votre temps.

Il me répondit par un léger signe de tête, signifiant par son silence qu'il ne tenait pas à s'attarder sur ce sujet. Il avait simplement exécuté les ordres de Juan. Si j'avais espéré profiter de notre visite pour nouer une amitié, j'avais totalement échoué. D'ailleurs, je m'étais souvent demandé, au cours de celle-ci, si je le désirais vraiment.

Il me déposa devant la grille et repartit vers le magasin. Je traversai la petite cour et pénétrai dans la maison sans avoir vu personne. Je grimpai l'escalier qui conduisait à la chambre de mon grand-père et frappai à la porte. Il me dit d'entrer et je le trouvai allongé sur un large divan de cuir, un coussin appuyé sous sa tête, les yeux clos.

– J'ai vu le magasin. Vous m'aviez demandé de revenir ensuite.

Il m'indiqua un fauteuil près du divan.

– Très bien. Assieds-toi ici et raconte-moi, dit-il sans ouvrir les yeux.

J'essayai de lui obéir, mais j'étais un peu perdue. Mes impressions étaient trop récentes, trop nombreuses. Il me fallait le temps de les digérer. Je parlai de l'utilité du magasin grâce auquel tant d'artistes doués pouvaient vivre et m'aperçus que je citais Gavin.

Mon grand-père écarta cette opinion d'un haussement d'épaules.

– Nous ne sommes pas une institution charitable. Le beau travail est bien payé, c'est tout. Dis-moi ce que tu as préféré.

Je lui parlai de la tête de Taxco et, ouvrant les yeux, il me regarda d'un air approbateur.

– Ah! oui... la femme de Taxco. Magnifique. Je voulais la ramener à la maison pour la mettre dans mon bureau, mais Gavin ne l'a pas permis.

– Permis? répétai-je, surprise.

Il eut un sourire rusé.

– En ce moment, Gavin doit être mes yeux, mes

mains, ma volonté. Il ne servirait à rien de le contrer outre-mesure. As-tu choisi une turquoise ?

Je touchai la broche qui ornait mon revers.

– Oui. Merci, grand-père.

Il avança la main et caressa les incrustations.

– Zuni. C'est un bon choix. Est-ce que Gavin t'a aidée ?

– Je l'ai choisie toute seule, dis-je, sans parvenir à dissimuler une certaine fierté. Je n'avais pas besoin de Gavin.

– Et as-tu vu les armes de Tolède ?

– Oui. J'ai repéré la vitrine. Pourquoi m'avez-vous demandé cela ?

– Plus tard, plus tard, fit-il d'un air irrité. Dis-moi, que penses-tu de Gavin ?

Ce n'était pas une question à laquelle je désirais répondre et elle me prit par surprise. Je déclarai prudemment :

– Il semble parfaitement connaître le magasin. C'est un guide excellent.

– Je sais tout cela. Je te demande ce que tu penses de *lui* ?

Il ne me laissait aucune échappatoire et j'essayai de répondre honnêtement.

– Je pense qu'il sait voir l'homme derrière son œuvre. Il estime que l'art doit être quelque chose de vivant, qu'il doit s'adresser aux vivants. Et, dans le cas de l'artisanat, qu'il doit faire vivre l'artiste.

– Il t'a fait un cours, je vois. Mais là encore tu me parles de ses conceptions esthétiques. Que penses-tu de l'homme... de Gavin lui-même ?

Bien que le sujet me déplût, je tentai une fois encore de me montrer impartiale.

– Je crois que j'aimerais être son amie, s'il le voulait. Mais il ne m'aime pas. Il s'imagine que je constitue une menace pour les Cordova.

Le vieil homme eut un rire méchant.

– Ils le croient tous. J'ai versé du poison dans la fourmilière et c'est un sauve-qui-peut général.

– Je n'aime pas jouer le rôle de poison.

Il rit de nouveau, d'un rire moqueur cette fois.

– Ils ignorent mes intentions à ton sujet et ils meurent de peur.

– Je ne suis pas venue ici pour faire peur à qui que ce soit. Je n'aime pas le rôle que vous me faites jouer.

– Pourquoi es-tu venue alors?

C'était toujours la même question et il n'avait pas compris mes motifs. L'attrait d'une famille pour quelqu'un qui n'en avait pas dépassait son entendement.

– Je suis venue à cause de ma mère. Je sais à présent que je dois me rappeler un événement précis. Grand-mère Katy m'a laissé un petit écrin contenant une clé. Elle l'a confié à Sylvia pour que celle-ci me le remette au cas où je viendrais un jour. Elle m'a également laissé un message disant que je devais aller au *rancho*.

Il rejeta brutalement la courtepointe et, se redressant, me fixa avec stupeur.

– Qu'est-ce que cela veut dire? Sylvia est comme une fille pour moi et pourtant elle ne m'a jamais parlé de cette clé. Pourquoi?

– Je crains que vous ne deviez le lui demander vous-même.

Il resta songeur.

– Avant de mourir, Katy a prononcé des paroles insensées dont je n'ai rien pu tirer.

– C'est donc qu'elle savait quelque chose! Paul Stewart n'a peut-être pas tort quand il parle d'un certain souvenir qui pourrait justifier ma mère.

– Tout cela s'est passé il y a si longtemps, dit-il en secouant la tête avec tristesse. C'est une expérience que je ne tiens pas à revivre.

– Mais vous aimiez Doroteo?

– Cela aussi appartient au passé. Le vieil homme que je suis est au delà de l'amour comme de la haine.

– Si c'est exact, je vous plains, dis-je.

Il se redressa sur sa couche, me dominant de sa taille et de son orgueil.

– Je ne veux la pitié de personne. D'ailleurs, je suis plutôt à envier. J'ai tout ce que je désire et rien ne peut m'atteindre.

– Ni vous faire plaisir, n'est-ce pas?

– Tu parles franc, comme une Cordova. Qu'as-tu l'intention de faire avec cette clé?

– Je demanderai à quelqu'un de m'accompagner au *rancho*. Peut-être trouverai-je là-bas un indice qui m'aidera à me souvenir.

Il alla jusqu'au fauteuil derrière son bureau, resserrant sa robe de chambre de soie sur sa poitrine maigre.

– Si tu tiens vraiment à te souvenir, je peux peut-être t'aider. Mais pas si tu comptes te confier à Paul Stewart.

– Comment pouvez-vous m'aider?

– Je vais réfléchir à la question et nous en reparlerons plus tard. S'il existe vraiment un élément susceptible de changer notre jugement sur ce qui s'est passé entre Doroteo et Kirk Landers, je ne veux pas le négliger. Doroteo était ma fille bien-aimée et je chérissais Kirk plus encore que mon fils Rafaël. Peut-être m'aimait-il plus que mon propre fils. Et il aimait l'Espagne. C'est lui que j'aurais dû engendrer.

C'était un nouvel aspect de Kirk et j'écoutai, un peu surprise.

– Passons là-dessus, reprit-il. Je ne crois guère qu'on puisse modifier le passé. Pour l'instant, des problèmes plus urgents nous attendent. Tu as commencé avec le magasin, Amanda. A présent, tu vas continuer.

Je n'aimais guère ce que j'entendais, mais sans attendre de réponse, il prit du papier sur son bureau et me congédia d'un signe de tête. Pour l'instant, il ne désirait plus rien de moi. En descendant, je me rappelai qu'il ne m'avait toujours pas dit pourquoi il m'avait demandé de repérer la vitrine des épées de Tolède.

La pièce de séjour était vide. Je regardai autour de moi en réfléchissant. Rien ici ne me parlait. La pièce, sombre et fraîche, avec ses murs blancs, ses *vigas* et sa décoration indienne, me semblait parfaitement étrangère. Mais, au delà de la simple vision, je sentais planer une menace – une menace imminente.

Je me rappelais le fétiche et les paroles d'Eleanor. J'étais bien décidée à ne pas accepter ce rôle. Je ne serais pas le jouet de Juan Cordova, ni la proie du chasseur. Je resterais dans la maison pour apprendre la vérité sur ma mère. Ensuite, je tournerais le dos aux murs d'adobe et à la *mesa* qui les cernait et je m'en irais pour de bon.

Tout en montant l'escalier qui conduisait à ma chambre, je me demandai pourquoi ma décision ne m'apportait aucun soulagement. Existait-il après tout une magie dans ces montagnes, ce désert, ces villes couleur d'adobe? Quelque chose semblait me retenir, me tirer en arrière, où je devinais en même temps comme une vague menace. Se pouvait-il que Doroteo n'ait pas abattu Kirk Landers? S'était-elle vraiment suicidée? Un témoin vivait-il encore, qui connaissait la vérité et se dresserait contre moi si je me mêlais d'une affaire enterrée depuis si longtemps?

La maison était parfaitement silencieuse, et pourtant je n'avais jamais l'impression d'y être seule. Il y avait trop de fenêtres et de couloirs, trop de pièces qui communiquaient entre elles. Etais-je espionnée? La chose semblait si facile. Je me retournai brusquement et vis bouger une ombre près de la porte qui conduisait au patio. Un instant, je fus tentée de courir m'en assurer, mais je ne le fis pas. Un étrange frisson de panique me prit et je grimpai en hâte mon escalier, pressée de fermer la porte qui me protégerait de cette maison silencieuse et hantée. Mais en arrivant dans ma chambre, je constatai que ma précaution serait inutile. Cette fois encore, Eleanor m'attendait, vêtue de son pantalon gris perle et d'une blouse sans manches couleur turquoise. Elle était assise, jambes croisées, au milieu du lit, le livre d'*Emanuella* ouvert sur ses genoux.

— Je vous attendais, dit-elle. Je vois que quelqu'un vous a prêté *Emanuella*.

— Sylvia m'a dit que je devrais le lire.

— Elle a raison... vous devriez. Bien qu'il risque de vous effrayer. C'est ce qui s'est passé pour moi. Savez-vous qui était Emanuella?

Je secouai la tête tout en me demandant ce qui avait pu pousser Eleanor à venir dans ma chambre.

— Elle serait, selon la légende, une de nos ancêtres. Célèbre d'ailleurs, à cause de ses intrigues amoureuses à la cour de Philippe IV d'Espagne. Paul a appris son existence après son mariage avec Sylvia. Il est allé à Madrid pour effectuer quelques recherches avant d'écrire son livre. Grand-père est fier de cette prétendue ascendance et en parle volontiers. Emanuella avait, paraît-il, une nature passionnée et un tempérament que nous sommes tous supposés avoir hérité. Mais dans son livre, Paul prétendait qu'elle était un peu folle, ce qui a rendu grand-père furieux. Sa cousine, Doña Inès, a fini dans un asile. Croyez-vous que nous ayons hérité de ces tendances, Amanda?

Ses grands yeux étaient fixés sur moi avec cet air d'innocence charmante qui ne me trompait pas.

– Je ne le crois pas, fis-je, en me forçant à l'indifférence. Ou alors, elles ont dû pas mal s'édulcorer avec le temps.

– Vélasquez a peint la folle Doña Inès, reprit-elle en jetant le volume près d'elle, sur le lit. Dans le livre de Paul, il fait d'ailleurs partie des personnages : est-ce que grand-père vous a parlé de ce scandale, Amanda?

– Non. Et d'ailleurs, quelle importance? Tout cela remonte si loin.

Eleanor étira ses longues jambes.

– Peut-être pas autant que vous le croyez. Grand-mère Katy avait coutume de nous observer pour déceler des signes de cette humeur fantasque dont grand-père est si fier et qu'il se garde d'appeler folie.

– D'après ce que je sais de Katy, c'était une femme beaucoup trop raisonnable et pondérée pour ce genre d'attitude.

– Je me souviens fort bien d'elle. Elle n'était pas toujours calme, ni raisonnable. Une fois, quand j'étais petite, je l'ai vue arpenter le patio en se tordant les mains comme si elle luttait contre un fardeau insupportable. Elle se parlait à elle-même, elle disait qu'elle était enfermée dans son silence, comme dans une trappe. Je me suis toujours demandé ce qu'elle entendait par là.

Je me le demandai aussi et songeai à la petite clé enfouie au fond de mon sac. Cette trappe du silence allait-elle s'ouvrir tout à coup? Et grâce à moi? J'allai jusqu'à l'une des fenêtres qui plongeait dans le patio. J'imaginais Katy déambulant sous l'ardent soleil qui frappait les murs d'adobe. Eleanor s'approcha sans bruit et vint se placer à côté de moi.

– D'ici, vous apercevez l'emplacement où la famille avait l'habitude de pique-niquer, dit-elle. (Sa voix était douce, insinuante.) Voyez-vous cet endroit où la colline descend vers l'*arroyo*, derrière le mur d'enceinte? (Elle me l'indiqua du doigt.) On y trouve un arbre à coton qui dessine une ombre ravissante et, en dessous, la colline forme une sorte d'avancée. Voyez-vous le sentier qui y descend?

Je suivis du regard la direction qu'elle m'indiquait et je me souvins du malaise que j'avais éprouvé en contemplant l'*arroyo*. J'apercevais nettement le sentier et la clairière au milieu de la verdure environnante qui, au Nouveau-Mexique, indique un point d'eau.

– Oui, je le vois.

J'allais me détourner de la fenêtre mais elle posa sa main sur mon bras qu'elle serra avec méchanceté.

– Votre mère est morte sur cette corniche, au-dessous de la clairière.

Sa voix s'était faite claire et glacée, une voix qui voulait blesser, torturer.

– A cause des genévriers, il est impossible de l'apercevoir de l'endroit où avait lieu le pique-nique. Mais d'ici, on la voit très bien. Elle est formée par ces blocs de rochers à flanc de colline. Vous la voyez?

J'acquiesçai d'un simple signe de tête, la gorge serrée. Ses doigts refermés comme un étau sur mon bras me faisaient mal.

– C'est là qu'ils se sont battus – votre mère et Kirk Landers. Bien qu'il fût allé à Taos ce jour-là, Mark Brand, le père de Gavin, était en visite chez nous et il avait apporté son fusil. Doro a dû aller le chercher dans sa chambre et on pense qu'elle est descendue avec ce fusil pour tuer Kirk Landers.

– Je ne crois pas à cette version, fis-je péniblement.

Eleanor haussa ses jolies épaules et lâcha mon bras.

– Que vous y croyiez ou non, quelle importance puisque c'est ainsi que les choses se sont passées? J'ai entendu Paul dire une fois que Doro ressemblait à Emanuella. Elle aimait les hommes. Elle en a aimé beaucoup. Mais c'était une nature passionnée et elle ne supportait pas d'être... dédaignée comme on disait autrefois. Jeune fille, elle était amoureuse de Kirk mais il est parti et il a changé de sentiments à son égard. Alors, elle l'a tué.

Je respirai plus vite et sentis des gouttes de sueur tremper mon cou et mes joues.

– Mais si rien de tout cela n'était vrai? Vous venez de dire qu'il était impossible de les voir depuis l'emplacement du pique-nique.

– C'est la question que Paul se pose. Mais vous oubliez qu'il y avait un témoin, tante Clarita. Elle souffrait de maux de tête et était restée à la maison. Elle s'est levée pour respirer un peu et c'est de cette fenêtre qu'elle a tout vu. Elle a vu Doro tirer pendant qu'elle se battait avec Kirk. Comme on faisait des travaux de mine ce jour-là sur un terrain voisin, personne n'a entendu le coup de feu. Mais tante Clarita a compris que Doro avait tiré car elle a vu Kirk tomber et votre mère se jeter dans l'*arroyo*. C'est ce qu'elle a juré plus tard devant tout le monde et personne ne songerait à mettre sa parole en doute.

La voix claire, un peu haletante, se tut pendant un moment. Je devinai le sentiment de triomphe avec lequel elle attendait ma réaction. Je me sentais furieuse et, en même temps, j'éprouvais un léger mal de cœur. Je refusais obstinément d'accepter les faits.

– Vous vouliez savoir, n'est-ce pas? reprit-elle. Personne n'aurait accepté de vous dire la vérité, mais j'estime qu'il est juste que vous connaissiez les circonstances de cette tragédie. Il est regrettable, évidemment, que le second témoin n'ait pu donner sa version des faits.

– Il y avait un second témoin?

– Mais oui. On ne vous l'a pas dit? *Vous*, Amanda, vous trouviez sur la corniche avec votre mère. Vous avez assisté à toute la scène et de beaucoup plus près que Clarita. La terreur vous avait rendue muette. Selon Gavin, il vous a fallu un bon moment avant de vous remettre à parler. Votre père était absent ce jour-là et c'est Gavin qui vous a découverte, pleurant à chaudes larmes. Il vous a ramenée à la maison. Les autres étaient trop occupés à ce moment-là et il s'est chargé de vous avant de vous remettre entre les mains de grand-père. J'ai assisté à cette partie des événements car Gavin m'avait emmenée avec lui. Ah! il savait être gentil à cette époque. Ce n'est pas comme maintenant.

Je frissonnai au contact de la brise et m'écartai de la fenêtre.

– Vous êtes sans doute venue me voir pour une raison quelconque? demandai-je, consciente de la sécheresse de ma voix.

– Certainement. Et je vous ai dit ce que j'avais à vous dire. A présent que vous savez tout ce qui est arrivé, vous pouvez rentrer à New York et cesser de tourmenter grand-père.

Sur ce, elle tourna les talons avec un léger claquement des doigts et sortit. Son but, charitable ou non, était atteint. Je ne me sentais plus l'envie de regarder par cette fameuse fenêtre. Je fermai la porte pour décourager les visiteurs éventuels et allai me jeter sur le lit. Eleanor souhaitait mon départ. C'est pourquoi elle avait parlé. Mais je refusais d'accepter son histoire. Mon instinct se rebellait contre cette version officielle des événements. Mon père lui-même avait cru à ce qu'on racontait sur ma mère. Moi seule, qui pourtant la connaissais si peu, croyais en elle. Je mis ma main sur mes yeux pour m'abriter de l'éclatant soleil de Santa Fe et réfléchis. J'avais assisté à la tragédie. J'avais tout vu, n'en avais gardé aucun souvenir. Mais quelque chose au plus profond de moi connaissait la vérité, étayait mes doutes et me forçait à rester pour découvrir le passé.

8

Je dus m'endormir profondément car, lorsque je m'éveillai, il était presque l'heure de déjeuner. Ma main toucha un objet dur, près de moi, et je m'aperçus qu'il s'agissait du livre de Paul Stewart. Je me redressai et contemplai le dos de la couverture où s'étalait une photographie de l'auteur.

Elle devait avoir été prise plusieurs années auparavant. Le visage, d'une beauté juvénile, faisait plus que jamais songer à celui d'un faune. Ces traits étaient fiers et prononcés et les yeux pâles semblaient jeter un défi au monde entier. Ce n'était pas l'image de l'écrivain enfermé dans sa tour d'ivoire mais celle d'un homme aimant la vie et le danger. Quelques années à peine avant que cette photo n'ait été prise, il avait été amoureux, m'avait-il dit, de Doroteo Austin. Pourtant, il avait épousé Sylvia. A présent, il se proposait de ressusciter les événements au cours desquels le frère de Sylvia avait trouvé la mort, et celle-ci s'opposait à ce projet. D'autre part, il semblait exister un lien entre le mari de Sylvia et la femme de Gavin. Eleanor, elle aussi, paraissait tramer quelque chose, et le même pressentiment m'envahit qu'une menace imminente planait sur le présent qui nous concernait tous. Moi plus encore, peut-être, à cause des souvenirs enfouis dans ma mémoire d'enfant.

J'étais invinciblement attirée par la fenêtre ouvrant sur l'*arroyo*. Quelque chose se trouvait là-bas qui m'appelait et, un jour ou l'autre, il me faudrait obéir à cette voix. Mais pas tout de suite. Je m'approchai pourtant de la fenêtre et me penchai au dehors.

Aussitôt, mon attention se fixa sur le patio, au rez-de-chaussée. Près du portillon qui reliait les propriétés des Cordova et des Stewart, Paul et Eleanor parlaient. Ils ne se cachaient pas le moins du monde et, d'ailleurs, leur présence en ces lieux n'avait rien d'étrange. Pourtant leur conversation à mi-voix et l'intérêt qui les animait dégageaient un parfum de clandestinité. J'aurais pu intituler le tableau qu'ils formaient : *Les Conspirateurs*, et je me demandai pourquoi mon impression était si forte.

Soudain, je revis Paul, tel qu'il m'était apparu le matin même dans le magasin, la *disciplina* des Pénitents à la main. Cette vision m'avait désagréablement surprise. Je l'imaginais sans peine en train de se servir du fouet, quoique d'une façon différente de celle des Pénitents.

Paul quitta Eleanor et poussa la grille qui conduisait à sa propre maison. Quant à elle, un mystérieux sourire aux lèvres, elle traversa le patio et disparut dans le garage. J'entendis la voiture démarrer puis, quittant le garage, s'engager sur la route.

Au delà du patio et du mur d'enceinte, le sentier qu'Eleanor m'avait indiqué serpentait à flanc de colline au-dessus de l'*arroyo*. Je m'arrachai brutalement à la fenêtre. Je n'étais pas encore prête à affronter ce qui m'attendait là-bas. Il me fallait d'abord parler à Clarita. Juan et Eleanor m'avaient dit qu'elle avait assisté à la tragédie, mais je désirais en entendre le récit de sa propre bouche et observer ses réactions.

Je me préparai pour le déjeuner et descendis, un peu inquiète. Je n'avais aucune envie d'affronter Eleanor, pas plus d'ailleurs que les autres membres de la famille. Mais ni elle ni Gavin n'étaient là et Clarita présidait seule à la table. Je m'assis et elle m'observa de ce regard étrange et scrutateur qui démentait la banalité de ses paroles.

– Nous avons seulement une omelette pour le déjeuner. J'espère que cela vous conviendra. Je déjeune souvent seule et je préfère quelque chose de léger.

– Cela m'ira parfaitement.

C'était l'occasion rêvée. Je me demandais comment tourner ma question. Je devais agir avec prudence – car c'était un sujet qu'elle abhorrait – et la prendre au dépourvu, ce qui me paraissait difficile.

Les omelettes arrivèrent, garnies de tomates, de poivrons verts et d'oignons, légèrement dorées et fermes sur les bords. Je m'aperçus que j'avais faim et dégustai mon plat en paix, débarrassée des autres et des courants d'hostilité que créait leur présence. Rien toutefois dans l'attitude de ma tante ne m'offrit l'ouverture que je souhaitais et je ne fis pas allusion au sujet qui me préoccupait. Cette fois encore, Clarita était vêtue de noir, sa couleur favorite, et sa robe n'offrait guère de concessions à la mode. Seules ses boucles d'oreilles en turquoise lui prêtaient une touche d'élégance, bien qu'elles accusassent encore la maigreur de ses joues. Elle avait ce même port orgueilleux qui caractérisait Juan Cordova et qu'elle avait dû apprendre de lui.

— Vous avez visité CORDOVA, ce matin? demanda-t-elle après qu'on eut apporté les omelettes.

— Oui. Gavin m'a servi de guide. Quelle abondance de trésors! Une vie ne suffirait pas à tout épuiser...

Son regard devint lointain. Elle semblait perdue dans ses souvenirs.

— Jadis, je connaissais le magasin par cœur. Je formais les vendeuses du premier étage. Comme mon père l'avait fait pour moi. Si j'avais été un homme, Gavin n'aurait jamais pris ma place. Mais père n'a pas confiance dans les femmes pour ce qui est des affaires.

Ses paroles laissaient percer à l'égard de Juan une hostilité qui me surprit. Pour la première fois, je pressentais un antagonisme latent derrière l'affection qu'elle portait à son père.

— Mais vous avez certainement dû lui prouver vos aptitudes?

— Gavin les connaissait. Il me consultait toujours, comme son père le faisait avant lui. J'avais une certaine influence, quand je travaillais pour CORDOVA.

— Pourquoi avez-vous cessé?

Je vis luire ses bagues bleues et ambre tandis que ses mains esquissaient un geste vague.

— Ce genre d'activité ne m'intéresse plus.

Sa réponse coupait court à mes questions mais elle était lourde de sous-entendus. Je mangeai en silence. Nous n'avions guère de sujet de conversation. Cependant, la fin du déjeuner me réservait une surprise.

— J'ai quelque chose à vous montrer dans ma chambre, dit Clarita. Voulez-vous m'accompagner?

Elle quitta la table et nous suivîmes le long

couloir qui conduisait aux chambres. Le soleil ne pénétrait pas dans celle de Clarita, austère et silencieuse. Une couverture indienne, marron et blanc, recouvrait le lit étroit et une natte marron était jetée sur le sol. Celui-ci était constitué de larges lattes sombres, nues, impeccablement cirées. Au-dessus du lit, Clarita avait accroché plusieurs *santos* très anciens, ces portraits de saints communs dans la région du Sud-Ouest et, sur une étagère, se trouvaient deux *bultos*, des statuettes de saints en ronde-bosse, également très anciens. Une table, près de la fenêtre, supportait une collection des différents petits objets qu'elle m'indiqua de la main.

– Ils appartenaient à votre mère. Je les ai trouvés dans le grenier et j'ai pensé qu'ils vous feraient plaisir.

Je m'approchai de la table en hésitant. Une émotion soudaine me paralysait. Des sentiments que je croyais depuis longtemps oubliés me submergeaient tout à coup. Un instant, je revis nettement l'arbre de mon rêve et je chancelai, comme étourdie.

Clarita m'observait.

– Quelque chose ne va pas?

Le visage pathétique de l'enfant apparut une seconde, s'effaça, et l'adulte retrouva son sang-froid.

– Je vais très bien, affirmai-je.

Mais l'enfant m'avait fait peur.

Sur la table se trouvait une paire de boucles d'oreilles en argent et turquoise, finement ciselées. Du travail Zuni, encore, avec ses typiques incrustations de corail, de turquoise et de jais, dessinant de petites ailes d'oiseaux. Il y avait également un peigne espagnol aux dents immenses, au manche haut et incurvé qui soutenait la mantille et, un instant, il me sembla voir Doroteo ainsi parée, éblouissante dans sa robe d'Espagnole. Le petit livre de prières s'ouvrit de lui-même quand je le pris, révélant des pétales de roses pressés entre les pages. Je le reposai bien vite car mes mains tremblaient. Le dernier objet était un chausson de bébé en satin brodé de rose. Je le pris dans ma main et les larmes qui emplirent alors mes yeux me soulagèrent et m'apaisèrent.

– Est-ce tout ce qui reste d'elle? réussis-je à demander.

Clarita hocha la tête.

– Ma mère a emballé ces quelques objets dans une boîte quand on a ôté ses affaires de la maison.

– Pourquoi? Pourquoi les a-t-on fait disparaître?

– Votre père ne voulait rien garder. Juan a ordonné qu'on donne toutes ses affaires à des œuvres. Il ne voulait conserver aucun souvenir qui la lui rappelle. Mais mère a réussi à préserver quelques objets. Elle a dit qu'ils vous étaient destinés. Jusqu'à aujourd'hui je les avais complètement oubliés.

Je ne pus retenir mes larmes. L'émotion était trop forte, trop brutale. Grand-mère Katy, une fois de plus, avait songé à moi. Clarita me laissa pleurer sans rien dire. Elle n'eut pas un geste de compassion ou de sympathie. Ses yeux étaient froids.

Quand j'eus séché mes larmes, elle s'adressa à moi sans émotion :

– Ces objets sont à vous. Gardez-les. C'était le vœu de ma mère et je désire le respecter. Voici la boîte où elle les avait placés.

Elle extirpa un petit coffret de bois de santal de dessous la table et me le donna.

Je pris, un par un, les boucles d'oreilles, le peigne, le livre de prières et le chausson, et les déposai sur le fond de coton qui garnissait le coffret. Mes larmes m'avaient un peu calmée et je me sentais à présent plus forte pour lutter contre l'enfant qui habitait en moi et qui m'avait effrayée un instant plus tôt. Le seul fait de toucher ces objets semblait me rapprocher de Doroteo et me dictait mon devoir envers elle – envers moi aussi. Je devais parler à Clarita.

– Le chausson est mal brodé, fit-elle observer d'un air désapprobateur. Doro n'avait aucun talent dans ce domaine et elle refusait de s'appliquer. Notre mère ne pouvait rien lui apprendre.

Cela ne faisait qu'ajouter à la valeur de ce petit chausson qu'elle avait maladroitement confectionné à mon intention. Je refermai le coffret. Le moment était venu de passer à l'attaque.

– Merci d'avoir songé à ces objets, tante Clarita. Puis-je vous demander encore autre chose ?

Bien que son expression ne changeât pas, je sentis qu'elle était sur ses gardes, et cela ne fit qu'augmenter ma curiosité. Je poursuivis résolument :

– Pourriez-vous me dire ce que vous avez vu ce fameux jour depuis la fenêtre de la chambre de Doroteo ? Ce qui s'est passé entre elle et Kirk ?

Clarita se tourna vers la porte et je ne vis plus que son dos rigide, le lourd chignon noué sur sa nuque et ses boucles d'oreilles.

– Je vous ai déjà dit que nous ne parlons jamais de cela.

– Mais on en parle pourtant, fis-je doucement. Grand-père m'a dit que vous aviez vu ce qui s'était passé. Et Eleanor me l'a dit aussi. Ce que je veux, et c'est mon droit en tant que fille de Doroteo, c'est l'entendre de votre bouche. Racontez-moi, je vous en prie.

Je m'attendais presque à la voir quitter la pièce

en me plantant là. Aussi fus-je stupéfaite quand elle se retourna vers moi avec une violence fort inhabituelle chez une personne aussi maîtresse de ses émotions.

– Autant que vous le sachiez, je n'aimais pas Doroteo. Sylvia était beaucoup plus proche de moi que votre mère ne le fut jamais. Vous êtes peut-être la fille de Doroteo, mais je ne vous dois rien. Puisque mon père et Eleanor vous ont parlé, vous n'avez plus rien à apprendre. Je n'ai pas pleuré la mort de Doro.

– Mais vous avez pleuré celle de Kirk, rétorquai-je sans céder d'un pouce.

Elle se rapprocha et saisit mon bras avec colère.

– Je ne l'ai pas pleuré! Jadis, il y a très longtemps, Doro et moi étions amoureuses de lui. Et je détestais votre mère parce que c'était elle qu'il préférait. Les choses ont changé par la suite. Mais je ne veux pas parler de cela. J'ai assez souffert. Souvenez-vous que vous êtes la fille d'une criminelle et que vous n'avez aucun droit dans cette maison.

Bien qu'effrayée par ce brusque accès de violence, je n'essayai pas de me dégager.

– Vous oubliez quelque chose. Vous oubliez que moi aussi j'ai vu ce qui s'était passé. J'étais là. Plus près que vous. Assez près pour voir et pour entendre.

Mes paroles lui causèrent un choc car elle lâcha mon bras et recula d'un pas. Un bref instant, je lus la peur dans ses yeux. Puis elle se reprit, domina son trouble et son visage redevint sans expression.

– Et que savez-vous? Que pourriez-vous raconter qui serait différent de ce que j'ai vu de mes propres yeux?

– Rien, dis-je. Rien encore. Mais peut-être trouverai-je un moyen de me souvenir. Mon grand-père m'a dit qu'il m'y aiderait si tel était mon désir. Tante Clarita, étiez-vous vraiment dans la chambre de Doroteo ce jour-là? Vous trouviez-vous près de cette fenêtre?

Rien ne transparut dans ses yeux ou son visage. Elle marcha simplement vers la porte et me fit signe de sortir. Il ne me restait plus qu'à lui obéir et regagner la salle de séjour. Elle ne me suivit pas et je me retrouvai dans la pièce fraîche et sombre, encore secouée de cette confrontation plus violente que je ne l'aurais cru ou souhaité. Clarita ne me dirait rien de plus, mais elle m'avait pourtant appris une chose : elle détestait ma mère quand elle était jeune fille et, par voie de conséquence, elle ne m'aimait pas.

Plus que jamais, je me sentais enfermée dans ces murs d'adobe cernés par la *mesa* et, plus loin, la montagne. J'avais envie de m'évader pour quelques heures et aussi de me confier à quelqu'un. Gavin, me dis-je. J'allais redescendre en ville, au magasin, et essayer de le voir. Au même instant, je sus que je n'en ferais rien. Nous ne nous étions pas quittés en amis le matin. Ma vue ne lui causerait aucun plaisir et il était trop étroitement lié aux Cordova pour me prêter une oreille favorable. Mais j'avais une autre cousine – Sylvia Stewart.

Malgré ses remarques acerbes, elle était plus honnête que les autres et peut-être m'écouterait-elle mieux que quiconque. Je savais où la trouver : en ville, dans sa librairie.

Je portai le coffret dans ma chambre et pris le temps d'ajuster les boucles d'oreilles de ma mère devant la glace de la coiffeuse. Les ailes d'oiseaux semblaient palpiter près de mon visage et le bijou s'harmonisait avec la broche offerte par mon grand-père. Après avoir pris mon sac, je descendis et sortis par la porte d'entrée. J'avais toujours ma petite clé mais j'ignorais encore si j'aurais un jour l'occasion de m'en servir.

J'aurais peut-être pu emprunter l'une des voitures si j'avais demandé l'autorisation mais, dans l'état d'esprit où je me trouvais, je n'avais aucune envie de parler à personne. La place centrale n'était pas très loin et je connaissais la route de Canyon Road jusqu'à l'Alameda.

Marcher me calma un peu. J'arrivai sur la place, endormie sous le doux soleil de mai, avec ses bancs de fer forgé blancs et son mémorial, véritable asile de calme en plein centre de la ville. Je m'arrêtai devant le monument et essayai de me concentrer sur le monde extérieur. Je lus l'inscription gravée sur la plaque :

AUX HÉROS TOMBÉS PENDANT LA BATAILLE
CONTRE LES SAUVAGES INDIENS
DU NOUVEAU-MEXIQUE.

Je me demandai ce que les Indiens du Nouveau-Mexique devaient en penser, quoique cette épitaphe appartînt à un autre siècle et un autre idéal.

Je quittai la place et, traversant la rue, me dirigeai vers le grand immeuble d'adobe, ancien palais du Gouverneur, transformé en musée. Le long du trottoir, abrités par les sombres *vigas*, des Indiens assis contre le mur offraient un étalage de bijoux d'argent et de turquoise posés sur des carrés d'étoffe. Des passants s'arrêtaient pour les examiner tandis que les Indiens, hommes et femmes, les regardaient, impassibles. Ramassés sous de lourdes couvertures, ils attendaient. Les « héros » comme les « sauvages » avaient disparu, et ces Indiens des villages observaient l'agitation et la convoitise des « Inglès » avec une sage et tranquille supériorité. C'était un tableau que j'aurais aimé peindre.

En faisant le tour de la place, je découvris la rue que Sylvia m'avait indiquée lors de notre premier voyage. Je longeai lentement les vitrines des petites boutiques jusqu'à ce que j'arrive à la librairie. Quand j'entrai, Sylvia était occupée avec un client.

Ses courts cheveux bruns étaïent ébouriffés. Elle me regarda derrière ses lunettes aux verres sombres et me fit un signe de tête, m'indiquant de l'attendre. La boutique était petite, avec une unique fenêtre dans le fond, bourrée de livres aux couvertures bariolées. Ils étaient soigneusement rangés le long des étagères et empilés en bon ordre sur une grande table centrale. Une alcôve abritait un bureau et une machine à écrire où s'activait l'assistante de Sylvia.

Son épouse ayant pris soin de les mettre en valeur, je trouvai facilement les livres de Paul Stewart. Il y avait *Emanuella*, *La Marque du Fouet* et plusieurs autres. J'étais en train de feuilleter un volume sur les paysans indiens quand, son client parti, Sylvia vint me rejoindre :

– Les choses se passent bien ? demanda-t-elle.

Je remis le livre sur l'étagère.

– Pas tellement. Je viens d'avoir une discussion assez vive avec tante Clarita. Elle m'a donné quelques objets qui avaient appartenu à ma mère et je lui ai demandé de me dire exactement ce qu'elle avait vu le jour de la mort de maman.

– Et elle l'a fait ?

– Non. Elle a eu l'air troublée et elle a refusé de me dire quoi que ce soit. Je lui ai rappelé que j'étais également présente ce jour-là et que j'avais assisté à tout.

Sylvia sursauta.

144

– Voulez-vous dire que vous commencez à vous souvenir?

– Non... non. Pas du tout. Mais Clarita a eu l'air littéralement terrorisée pendant un instant, et puis elle s'est reprise. Je crois qu'elle cache quelque chose.

Sylvia prit un livre et l'épousseta un peu trop négligemment.

– C'est une éventualité assez improbable, à mon avis.

– Je lui ai même demandé si elle se trouvait vraiment devant cette fameuse fenêtre.

– Je comprends sa réaction! Clarita est, de tous les membres de la famille Cordova, la plus sous-estimée. Elle est bien autre chose que ce qu'elle paraît. Juan l'a toujours méprisée un peu et ne s'en cache pas. Pourtant, c'est elle qui a préservé l'unité de la famille. Elle a été une véritable mère pour Eleanor. Elle s'est montrée très bonne pour moi quand nous étions petits et je lui en ai toujours été reconnaissante.

– Elle m'a dit qu'elle vous aimait comme une sœur.

– Katy appréciait sa loyauté et son sens du devoir. Je crois aussi qu'elle avait deviné que Clarita était une nature passionnée. A une époque, elle était follement amoureuse de Kirk, mais les choses ont changé avec les années et c'est tant mieux. Je pense que Juan est le seul qui ait conservé son affection à Kirk – peut-être parce que celui-ci l'avait pris pour modèle. Parfois, j'avais du mal à admettre son côté plus espagnol que nature. Nous nous sommes querellés à une certaine époque parce qu'il ne voulait pas que j'épouse Paul.

Kirk n'était pas la personne qui m'intéressait le plus en cet instant. C'est de Doroteo que je voulais

parler et j'essayai d'interrompre ce torrent de con-
fidences.

– Est-ce que Paul, comme il le dit, était vraiment
amoureux de ma mère à une certaine époque?

Sylvia haussa les épaules avec une indifférence
un peu trop appuyée. Je me dis qu'elle aussi ne
devait pas se montrer tout à fait honnête sur
certains sujets.

– Je crois que c'est simplement une idée qu'il
s'est mise en tête quand il était en train d'écrire
Emanuella. De son aveu même, il avait projeté Doro
sur Emanuella à l'époque. Autant que je sache, il n'a
rien éprouvé de semblable dans la réalité.

Sa voix s'était durcie. Un client entra à ce
moment-là et elle se hâta de me quitter, comme
soulagée de mettre fin à notre conversation. En y
réfléchissant, celle-ci n'était guère satisfaisante. Les
divers sentiments qui avaient agité les Cordova
n'étaient pas faciles à démêler.

Je me dirigeai vers la fenêtre, au fond du magasin.
Elle s'ouvrait sur un décor qui me surprit agréablement. Le bâtiment où se trouvait la boutique de
Sylvia encadrait un vaste patio, planté d'arbres et
de bosquets où s'entrecroisaient des petites allées
pavées. Assis sur un banc de pierre, près du centre
de la cour, Paul Stewart prenait des notes.

Ce n'était pas un homme dont j'appréciais la
compagnie et sa curiosité m'avait déplu. Mais ses
relations avec Eleanor m'intriguaient, et je savais
qu'il était susceptible de m'apprendre certaines
choses. Je décidai de le sonder un peu.

Une porte, au fond de l'alcôve, donnait accès au
jardin, et je la poussai.

Dehors flottait l'odeur acide des genévriers chauf-
fés par le soleil, et des obiers offraient leurs touffes
immaculées. Des iris poussaient le long des allées
et, dans cet enclos retiré où parvenait à peine le

146

vacarme de la circulation, les oiseaux chantaient sous un ciel d'azur. Une allée faisait le tour du patio, abritée par une galerie de bois où se trouvaient des bureaux et des boutiques. De nouveau je ressentis cette désagréable impression d'isolement. Je supportais de moins en moins d'être cloîtrée. Pourtant, songeai-je, une famille espagnole avait jadis vécu ici, jalouse de sa solitude, coupée du reste du monde.

Je me dirigeai vers Paul et, au bruit de mes pas, il leva les yeux et me sourit sans cesser de m'examiner attentivement.

– Je vous dérange? demandai-je avec un coup d'œil à son carnet de notes.

Il le referma d'un geste.

– Pas du tout. J'avais besoin de quitter un peu ma machine à écrire et de réfléchir. Vous avez visité la boutique de Sylvia?

– Oui, j'ai même feuilleté certains de vos livres. En avez-vous un à me conseiller particulièrement?

– Je me contenterai de vous donner l'avis des critiques. Pour les uns, je suis un maître, pour les autres un historien fantaisiste. Je puis vous assurer que mes libertés avec l'histoire sont volontaires. J'ai laissé libre cours à mon imagination avec *Emanuella*. C'est vraiment un roman.

– Votre femme dit que vous pensiez à ma mère en l'écrivant. A quoi ressemblait Doro?

Il parut légèrement agacé:

– Elle était inoubliable. Belle et un peu extravagante. Perverse, provocante. Inconstante. Tout ce qu'Emanuella a dû être. Etes-vous ainsi, Amanda Austin?

Je secouai la tête et, relevant le défi, lui rendis son sourire. C'était vraiment un faune, à l'humeur fantasque et taquine.

– La femme que vous décrivez ressemble à ma cousine Eleanor.

– Peut-être. Mais Eleanor, elle, ne ressemble à personne.

– Je le crois sans peine.

– Est-ce qu'ils vous ont déjà dit...?

Je compris où il voulait en venir.

– Que j'ai assisté au drame? Oui, Eleanor s'en est chargée.

– C'est moi qui l'en ai persuadée. C'était nécessaire pour que vous puissiez vous rappeler. A présent, les souvenirs vont vous revenir peu à peu. Acceptez-vous de me faire part de vos découvertes?

Certainement pas, me dis-je, mais j'éludai sa question. J'avais à mon tour des choses à lui demander.

– Vous m'avez un peu parlé de ma mère. Mais, dites-moi, à quoi ressemblait Kirk?

Il parut peser sa réponse.

– Les femmes le trouvaient irrésistible et cela lui plaisait. Il aimait jouer au *caballero*, au jeune seigneur espagnol. Pour tout dire, je ne l'appréciais guère.

– Selon Sylvia, il ne voulait pas de votre mariage.

– Il avait un préjugé contre moi. Je ne sais pas très bien pourquoi. Juan l'a persuadé de partir en lui donnant de l'argent. Il voulait l'éloigner de Doroteo jusqu'à ce qu'ils aient grandi tous les deux. Et puis Doro a épousé votre père – ce qui n'a pas beaucoup plu à Juan. Evidemment, le retour de Kirk a été dur : Doro était mariée et Clarita ne le regardait plus avec la même adoration.

Paul jouait avec les charnières de son carnet, un mystérieux sourire aux lèvres. Il releva la tête et me fixa d'un air songeur.

– D'ailleurs, Amanda, il reste un moyen de ressusciter vos souvenirs, si vous voulez bien me laisser essayer.

Je ne lui faisais aucunement confiance mais il excitait ma curiosité. J'attendis sans un mot et il rouvrit son carnet.

– J'ai pris des notes dans ce carnet. J'ai essayé de reconstituer la journée du drame, les faits et gestes des personnes présentes. Mais je ne suis arrivé à rien de bon. Je songeais à retourner sur les lieux en me disant que cela m'aiderait peut-être à préciser certains souvenirs. Voulez-vous m'accompagner?

Bien qu'il me prît par surprise, je n'hésitai pas. Je savais que cette visite avait des chances d'être fructueuse et, d'ailleurs, j'avais un *rendez-vous* (1) avec cet endroit.

– Quand? dis-je.

– Pourquoi pas tout de suite? Ma voiture est dehors et nous pouvons nous rendre là-bas directement. A moins que quelqu'un ne regarde par cette fameuse fenêtre, aucun des Cordova ne sera au courant.

– Très bien. Passons par le magasin. Je veux mettre Sylvia au courant.

Il parut hésiter comme s'il eût préféré passer directement par les arcades. Mais il me suivit et nous traversâmes la cour.

La boutique était vide. Sylvia était occupée à déballer un carton rempli de livres multicolores. Ses yeux se posèrent aussitôt sur Paul et je compris à quel point elle tenait à lui.

– Nous partons pour une petite excursion dans le passé, lui dit-il. Sur l'emplacement du pique-nique.

Cette flamme étrange, que Sylvia paraissait crain-

(1) En français dans le texte.

dre, était apparue dans ses yeux. Elle ne fit aucune objection – peut-être savait-elle que ce serait inutile – et alla rapidement vers un petit arbre en carton, posé sur un comptoir, auquel étaient suspendus des objets carrés. Elle en choisit un qu'elle m'apporta.

– C'est un *Ojo de Dios*. Pour vous protéger contre le mauvais œil.

Son ton était léger mais j'y discernai une sorte d'avertissement. Je pris l'objet qui avait à peine deux centimètres et demi de côté. Il était composé de deux rameaux croisés au milieu et reliés par des fils de couleur, rouges, verts et blancs, comme une toile. Le centre était noir.

– Qu'est-ce que c'est? demandai-je.

Sylvia, désireuse de me retenir, se lança dans une explication détaillée pendant que Paul s'agitait impatiemment dans la boutique.

– Les Indiens Zapotèques le fabriquent pour la naissance de chaque enfant. Ils croisent deux rameaux et les entourent de fil en commençant par le centre – les premières années de l'enfant. Il y a des fils sombres et des fils de couleurs vives qui représentent les bons et les mauvais jours. Près du centre, au commencement de la vie, les années sont courtes, puis elles s'allongent en se rapprochant des bords. Jadis, on en suspendait un au mur pour représenter les années de la vie. Aujourd'hui, on les considère davantage comme des amulettes contre le mauvais œil. Le noir, au centre, est supposé représenter l'Œil de Dieu – *l'Ojo de Dios*. Mettez-le dans votre sac et gardez-le avec vous.

Je remerciai Sylvia et mis le porte-bonheur dans mon sac. Je me sentais mal à l'aise. Pourquoi voulait-elle me mettre en garde contre Paul? Elle cessa soudain de m'observer et dit une parole étrange pour une femme douée d'un esprit aussi pratique.

– Vous ne devriez pas aller là-bas. C'est un endroit maléfique.

Paul l'entendit et se mit à rire.

– Ce genre d'endroit n'existe pas. Certains êtres sont maléfiques, simplement.

– Ce n'était pas le cas de ma mère, fis-je.

Il me sourit, une lueur étrange dans les yeux.

– Non, c'est vrai. Elle était peut-être imprudente et fantasque, mais pas vraiment mauvaise.

– Kirk non plus ne l'était pas.

– Alors qui l'était?

Paul semblait la défier. Un instant, Sylvia eut l'air effrayé. Je le vis à ses lèvres serrées et au regard qu'elle lui jeta. Elle étendit la main et effleura mon bras.

– Ne le laissez pas vous tourmenter avec ces vieilles histoires. Le passé est le passé.

– Venez donc, Amanda.

La voix de Paul était dure et il jeta à sa femme un regard dépourvu d'affection.

Mais déjà, mon attention était ailleurs. Depuis longtemps l'*arroyo* m'appelait, et le moment était venu d'obéir.

9

Nous prîmes la direction du garage des Stewart. Paul parlait peu. De temps en temps, il jetait un coup d'œil dans ma direction et je devinais cette curiosité, ce désir de savoir qui l'habitaient. Pour quelle raison? Quel motif le poussait ainsi à fouiller le passé?

Une fois arrivés au garage, nous partîmes à pied, contournant la maison pour suivre le sentier à flanc de colline qui surplombait l'*arroyo*. On pouvait également, comme me le dit Paul, arriver par le haut, mais ce sentier en diagonale qui longeait le mur d'enceinte de la maison Cordova était le plus court.

– C'est celui que vous avez pris avec votre mère le jour où elle est partie rejoindre Kirk.

Je devais résister à son influence ou il risquait fort de me faire « me souvenir » de quelque chose qui n'avait jamais existé.

– Comment savez-vous que Doroteo devait rencontrer Kirk ?

– On a supposé qu'elle a pris le fusil de Mark Brand dans sa chambre. Elle a dû l'emporter en prévision de cette rencontre.

Je frissonnai malgré la chaleur et le laissai me précéder. Le sentier que nous suivions n'évoquait rien en moi. Des arbres à coton et des peupliers formaient un épais rideau au-dessus de l'*arroyo* à sec, sans doute transformé en torrent à la fonte des neiges. Je retrouvai les habituels bosquets de genévriers et de *chamisos*. Nous atteignîmes rapidement la clairière où se dressait l'arbre à coton et nous arrêtâmes à l'ombre pour regarder le paysage.

La main de Paul serrait mon bras, légère mais insistante.

– Voilà l'endroit où nous avions coutume de pique-niquer. Est-ce qu'il évoque quelque chose en vous ? Un souvenir en particulier ?

Je secouai la tête. L'endroit m'était étranger, contrairement à la *mesa* qui s'étendait au delà de Santa Fe. Peut-être un vigilant gardien avait-il enfoui le souvenir de cette colline si loin au fond de ma mémoire que plus rien ne le ferait jamais resurgir.

Un sentier escarpé et caillouteux descendait de la clairière jusqu'à la corniche en contrebas, invisible depuis l'emplacement du pique-nique à cause des buissons et des taillis qui la surplombaient. Paul descendit et je le suivis avec peine car mes sandales glissaient sur la pierre. Après la corniche, le terrain tombait presque à pic jusqu'au lit de l'*arroyo*. Arrivée sur celle-ci, quelque chose s'émut soudain en moi... et ce fut tout. Mes souvenirs un instant réveillés avaient cédé aussitôt devant ce mystérieux gardien.

Le paysage respirait la paix. On entendait seulement le chant léger de la brise dans les arbres et les taillis. Mes sens étaient en alerte, comme conscients d'un danger. Mais rien ne se produisit.

– Voilà l'emplacement du drame, dit Paul doucement.

Je m'avançai jusqu'au bord de la corniche et me penchai. Je frissonnais à présent, en proie à un léger mal de cœur. Non parce que je me souvenais, mais à cause de tout ce qu'on m'avait raconté. Lentement, je promenai les yeux sur l'environnement immédiat, puis sur le paysage qui s'étendait plus loin.

Dominant le coteau, j'apercevais la maison, ainsi que la fenêtre de la chambre de ma mère, la plus haute, celle où se trouvait Clarita le jour fatal. La colline, la maison, la fenêtre étaient restées les mêmes. Moi seule avait changé. Je n'étais alors qu'une petite fille. A présent, j'étais une femme. Une femme qui ignorait tout de son passé.

J'aperçus une ombre derrière la fenêtre. Quelqu'un nous surveillait. Mais l'éclairage était insuffisant et je ne pus distinguer de qui il s'agissait. Cela d'ailleurs n'avait aucune importance. Je me souciais peu qu'on s'inquiète ou non que je sois venue là.

Paul avait lâché mon bras et s'était reculé de quelques pas pour me laisser à mes pensées. Je me tournai vers lui et ressentis à nouveau l'influence magnétique de ses yeux vert pâle.

– Dites-moi à quoi vous pensez. Dites-moi ce que vous voyez.

– Rien d'autre que ce qui se trouve ici. Ce paysage m'est étranger.

Il guettait mon visage.

– Laissez-moi vous aider. Katy, votre grand-mère, et Gavin se trouvaient en haut quand la chose s'est passée. Eleanor était avec eux. Elle devait avoir une dizaine d'années à l'époque. Deux ou trois voisins s'étaient joints à eux. Juan était resté à la maison. Il n'est pas grand amateur de pique-niques et il se sentait mal ce jour-là. Clarita, qui n'était pas très bien non plus, était allée s'étendre dans la chambre de Doro, plus aérée que les pièces du bas. C'est du moins ce qu'elle prétend. Sylvia et moi nous apprêtions à quitter la maison. Nous avions pris le sentier du bas. Kirk devait attendre Doro ici lorsqu'elle est arrivée. Est-ce que cela vous rappelle quelque chose?

Cela ne me rappelait rien du tout. Il n'y avait que ce semblant de souvenir, lorsque je m'étais penchée au-dessus de l'*arroyo*, mais je ne pouvais me baser sur une impression aussi vague. De plus, la présence de Paul me gênait et me distrayait. Comment pouvais-je me rappeler quoi que ce soit quand je sentais cette muette interrogation peser sur moi?

– Pourquoi tenez-vous tant à ce que je me souvienne? Les souvenirs d'une enfant n'ont pas une telle importance. J'étais trop jeune à l'époque.

– Ils ajouteraient, bien sûr, un élément neuf à mon livre. Mais si vous n'y arrivez pas, tant pis.

– J'aimerais rester un peu seule ici, fis-je. Cela m'aiderait peut-être.

– Si vous voulez. Je vais retourner à ma machine à écrire. Vous connaissez le chemin de la maison.

Son ton était cassant à présent, comme si, ayant obtenu ce qu'il voulait, il n'avait plus besoin de moi.

J'acquiesçai d'un signe de tête et il reprit le chemin par lequel nous étions venus. Aussitôt, je me sentis enfermée dans un monde de silence. Les bruits de la ville étaient loin. Peu de voitures passaient sur la petite route tranquille qui surplombait la corniche.

Qu'avait pu ressentir cette enfant de cinq ans en ce jour lointain où elle se tenait près de sa mère? Qu'avait-elle vu et entendu? Elle avait certainement dû être terrorisée, choquée, hystérique. Pourtant, nulle émotion ne subsistait en moi excepté celle, consciente, de me dire : « C'est l'endroit où ma mère est morte. » Elle avait dévalé le talus escarpé qui plongeait dans l'*arroyo* et la chute l'avait tuée. Mais d'abord elle avait délibérément pointé son arme contre Kirk Landers et l'avait abattu.

Non! Quelque chose n'allait pas dans ce récit tel qu'on me l'avait raconté et auquel je ne parvenais pas à croire. La corniche ne m'ayant rien appris, je grimpai de nouveau jusqu'à la clairière. Cette fois, je me postai face à l'arbre à coton sous lequel je n'avais fait que passer quelques instants plus tôt. Aussitôt, une fulgurante réminiscence me traversa. C'était l'arbre de mon cauchemar. Il était grand, surmonté d'un épais feuillage et ses branches étaient tordues par l'âge. Il dominait la colline et avait dû sembler gigantesque à la petite fille que j'étais alors.

Tout près se trouvait un banc de bois usé, sans doute abandonné par ceux qui avaient pique-niqué à cet endroit et je m'y laissai tomber car mes genoux tremblaient. C'est là que j'avais dû m'asseoir enfant, en face de l'arbre. Je l'avais contemplé du fond de mon désespoir jusqu'à ne plus voir rien d'autre et il m'avait hanté depuis lors – symbole d'un événement terrifiant qu'un esprit d'enfant avait rejeté.

Ce début de souvenir m'effraya. L'arbre de mon rêve baignait dans un mirage d'horreur et des visions indistinctes commençaient à m'assaillir. Je laissai tomber ma tête sur mes genoux et attendis que mon vertige s'apaisât. Mon sac était sous ma joue et je sentis à travers le cuir les coins du carnet à croquis que j'emportais toujours avec moi. Je décidai d'exorciser l'arbre en le dessinant, de le fixer dans sa réalité pour que, désormais, il ne puisse plus me terroriser en rêve.

En fouillant dans mon sac, mes doigts rencontrèrent le petit « Œil de Dieu » que m'avait donné Sylvia. Je le tins quelques instants dans ma main, souriant à demi. C'était l'instant ou jamais d'éprouver son efficacité.

Puis, mon crayon en main et mon carnet ouvert sur mes genoux, je me mis à dessiner : la silhouette torse de l'arbre, le tronc et les branches, le feuillage qui, dans mon rêve, semblait vouloir m'engloutir et m'étouffer. L'esquisse qui prenait forme sur le papier ressemblait davantage à mon cauchemar qu'à l'arbre réel. Ses branches se tordaient, comme douées d'une vie mystérieuse, les feuilles avaient l'air de battre dans la tempête.

Je fermai les yeux pour ne plus voir l'horreur incarnée dans mon dessin et, aussitôt, une image me traversa. Deux silhouettes que je distinguais mal s'affrontaient dans une lutte sans merci et une couleur dominait, le rouge, le rouge écarlate du sang. Mais rien n'était clair. Il ne s'agissait pas vraiment d'un souvenir.

J'entendis un bruit venant du sentier, au-dessus. Quelqu'un descendait, venant de la route. Un être réel appartenant à un monde réel. L'idée que ce fût

Paul qui revenait me fut insupportable. Il ne devait pas me voir ainsi : au bord d'une effrayante découverte, les mains moites de sueur, à tel point que mon crayon glissait entre mes doigts, et la bouche sèche. J'ouvris les yeux à contrecœur et regardai l'homme qui se tenait devant le banc; c'était Gavin Brand.

Il avait dû remarquer la terreur qui déformait mon visage. Il s'assit tranquillement sur le banc, à côté de moi, et regarda mon carnet ouvert.

– Vous avez fait plus que rendre l'image de l'arbre. Vous en avez saisi l'esprit. Quand j'étais petit garçon, je croyais que certains arbres étaient vivants, vivants comme les hommes. Et je pensais que certains me menaçaient.

Je respirai profondément. Je commençai à me remettre.

– Je me souviens de cet arbre, dis-je. Il m'est arrivé de le voir au cours d'un cauchemar. C'est un rêve qui m'a toujours hantée.

– Je le comprends. J'étais ici, vous savez. C'est moi qui vous ai ramenée de la corniche et qui vous ai fait asseoir sur ce banc. J'ai dû vous laisser un moment car on avait besoin de mon aide. Je suis descendu dans l'*arroyo* avec Paul Stewart et l'ai aidé à remonter votre mère. On ne pouvait rien faire pour Kirk. A mon retour, votre aspect m'a effrayé. Vous ne pleuriez plus et vous étiez assise là, à contempler cet arbre d'un regard fixe.

– J'ai dû l'imprimer dans ma mémoire pour chasser tout autre souvenir.

– C'est probable. Katy était inquiète à votre sujet mais elle voulait rester sur place et essayer de se rendre utile, malgré le choc qu'elle venait de subir. Elle m'a demandé de vous ramener à la maison avec Eleanor.

Je ne trouvai rien à lui répondre. Son récit

m'avait secouée bien que je n'eusse pas l'impression d'y avoir assisté. Doucement, il prit ma main dans la sienne.

– C'est ainsi que je vous tenais la main ce jour-là. Vous vous accrochiez à moi. Vous refusiez de me laisser partir. Quand l'heure est venue d'aller dormir, vous avez voulu que je m'assoie un moment à côté de votre lit. Vous étiez jeune et effrayée et je suppose que je devais l'être aussi. C'était la première fois que j'assistais à une mort violente, à quelque chose d'horrible qui frappait des êtres que je connaissais. J'avais toujours aimé Doro. Elle était gaie, un peu frivole je suppose, mais bonne aussi. Elle n'a jamais fait de mal à personne.

Il s'arrêta et, me regardant, s'écria soudain :

– Ces boucles d'oreilles que vous portez! Votre grand-père les lui avait données. Elle les portait le jour de sa mort. Je revois encore ces petits oiseaux à ses oreilles quand nous l'avons remontée de l'*arroyo*.

Sa main posée sur la mienne me calmait, me réconfortait. J'effleurai doucement les incrustations de corail et de turquoise. Mais je n'ôtai pas les boucles. Elles me donnaient l'impression d'être plus proche de Doroteo.

– Merci de m'avoir raconté tout cela, Gavin. Je ne me souviens pas vraiment. Peut-être que je ne veux pas me souvenir. Mais parfois, un coin du rideau se soulève et alors j'éprouve un vertige et une terreur folle. Et pourtant, je dois me souvenir. Je sais que j'ai assisté à une lutte mais j'ignore s'il s'agissait vraiment de ma mère et de Kirk.

– C'est probable. Il n'y avait personne d'autre sur la corniche.

J'essayai de rester calme, de vaincre ma panique et de réintégrer le monde réel qui m'entourait.

– Comment m'avez-vous trouvée?

– Je vous cherchais. Je suis monté jusqu'à votre chambre et comme vous n'y étiez pas, j'ai regardé à la fenêtre et vous ai aperçue ici, avec Paul. Je n'aime pas cela. Vous devriez le garder à distance. Ses intentions ne sont pas bonnes.

Je retirai ma main de la sienne et l'essuyai avec mon mouchoir. C'était agréable de sentir que quelqu'un s'occupait de moi, mais je ne voulais pas qu'il me dicte ma conduite à l'égard de Paul Stewart. Si Paul pouvait m'aider à découvrir la vérité, eh bien! je le verrais.

– Pourquoi me cherchiez-vous?

Un sourire éclaira son visage sévère.

– Des remords peut-être. J'ai réfléchi à certaines choses que je vous ai dites ce matin. Je me suis montré trop dur et je voulais vous prier de m'excuser.

– Je n'ai pas à vous excuser. Si vous estimez que Juan cherche à se servir de moi contre Eleanor, c'est votre devoir de la protéger.

Il se tut, et nous restâmes un moment sans parler. Je me sentais plus calme et, sans bien savoir pourquoi, rassurée. Jadis, quand je n'étais encore qu'une enfant, Gavin m'avait servi de refuge, et aujourd'hui j'éprouvais à ses côtés la même impression de sécurité. Il avait cessé de se montrer dur et acerbe, et je pouvais, à mon tour, me détendre. Peut-être allait-il m'aider.

– Accepteriez-vous de me conduire au *rancho*?

Il paraissait surpris.

Je lui parlai alors du message de Katy et du petit coffret qu'elle avait remis à Sylvia. Je ne savais pas du tout ce que je trouverais au *rancho* mais, tôt ou tard, je devrais y aller, et je préférerais que ce soit Gavin qui m'y conduisît plutôt qu'un autre membre de la famille.

Il n'hésita pas.

– Je vais passer à la maison et téléphoner au magasin. Ensuite, nous irons là-bas. J'ignore ce que vous espérez y trouver, mais je vous y conduirai si tel est votre désir. Katy avait certainement une idée derrière la tête. C'était un être merveilleux, à la fois raisonnable et sensible.

Je refermai mon carnet sur l'affreux dessin et me levai, tournant le dos à l'arbre.

– Merci. Je me sens mieux à présent. Je suis prête.

Il acquiesça de la tête, et je me dis qu'il pouvait être vraiment gentil quand il cessait de me considérer en ennemie.

Nous reprîmes le raccourci qui aboutissait derrière la maison. Cette fois, aucune réminiscence ne vint me troubler. En arrivant, je ne vis Clarita nulle part. J'attendis dans le salon pendant que Gavin téléphonait, puis nous allâmes à sa voiture et partîmes par Canyon Road.

L'autoroute quittait la ville par le sud, en direction d'Albuquerque. Après l'avoir suivie sur quelques kilomètres, nous obliquâmes vers Los Cerrillos, les Petites Collines. De nouveau, c'était le désert sillonné de routes droites. Je m'enfonçai dans mon siège et ouvris la vitre pour laisser le vent me caresser le visage. Après l'expérience que je venais de vivre, je n'aspirais plus qu'à rester tranquille et à retrouver mes forces. Gavin dut le comprendre car nous n'échangeâmes pas un mot pendant la demi-heure qui suivit. J'allais presque m'endormir quand Gavin me parla.

– Voilà l'*hacienda*, devant nous. Le *rancho de Cordova* n'est plus ce qu'il était du temps du père de Juan : la plupart des terres ont été vendues.

Le père de Juan... mon arrière-grand-père.

Il s'arrêta devant une longue construction basse en adobe. Francisco et Maria, le couple engagé par

Juan pour s'occuper de l'*hacienda*, apparurent sur le seuil pour nous accueillir. Ils connaissaient Gavin évidemment mais non ma mère car leur arrivée datait d'après la mort de celle-ci. Toutefois, ils saluèrent chaleureusement la petite-fille de Juan Cordova.

Nous entrâmes dans la *sala*, fraîche et sombre. Des piments et des épis de maïs séchaient, suspendus aux *vigas*. Les meubles en bois sombre étaient vieux et délabrés. Gavin expliqua que je voulais connaître la maison et demanda la permission de me la faire visiter.

– *Esta bien*, dit Maria avec un geste de la main pour nous indiquer que nous étions chez nous.

Gavin me conduisit à une fenêtre qui ouvrait sur une cour vide et me raconta l'histoire du *rancho*.

– On se battait constamment à cette époque. Au moment de l'attaque de Santa Fe par les Indiens, la plupart des Espagnols qui habitaient la région furent massacrés. Les colons des alentours vinrent se réfugier au *rancho*. Plus tard, après le départ des Espagnols, les troupes de l'Union s'abritèrent ici pendant leur lutte avec les Sudistes.

Je regardai la cour vide au sol de terre battue, desséché et craquelé par le soleil. Un *portal* aux piliers de bois longeait la cour sur un côté et, au fond, se trouvait une construction d'adobe qui, m'apprit Gavin, servait autrefois à loger les militaires.

Je l'imaginais facilement pleine de cavaliers et de chevaux, soulevant des nuages de poussière, mon arrière-grand-père circulant parmi eux avec ce port orgueilleux que Juan Cordova, son fils, avait hérité. Je me sentais bien loin des froids rochers de la Nouvelle-Angleterre et compris que j'appartenais à ce pays de soleil et de sécheresse.

Le *rancho* est mort à présent, dit Gavin. Bien peu

d'entre nous y viennent encore. Et pourtant quelle animation il a connu du temps de Clarita, de Rafaël, de Doroteo, de Sylvia!

– Et de Kirk? demandai-je.

– Lui aussi, bien sûr. Mais, voyez-vous, je l'ai surtout connu à l'époque de son retour, peu de temps avant sa mort. Enfant, j'en ai gardé un souvenir assez vague, celui d'un garçon fantasque, plein de vie, adorant se donner en spectacle. J'étais encore un petit garçon quand les autres avaient l'habitude de venir ici. Doro était, paraît-il, une merveilleuse cavalière, malgré ses imprudences. Elle et Kirk avaient l'habitude de monter ensemble. Nous faisions de même avec Eleanor quand nous venions ici enfants. Mais tout cela est fini. Juan n'élève plus de chevaux à présent.

Nous quittâmes la fenêtre et Gavin m'entraîna vers un long couloir qui conduisait aux chambres.

– Je me demande ce que peut bien ouvrir votre clé, dit-il. Elle est si petite. Voulez-vous me la montrer?

Je pris la boîte dans mon sac et la lui tendis. La petite clé attendait, dans son nid de satin.

– Peut-être un écrin à bijoux, suggérai-je.

Il acquiesça.

– Nous pourrions commencer ici. C'était autrefois la chambre de votre mère.

Je franchis le seuil et regardai autour de moi. La pièce était vide et impersonnelle. Le lit était recouvert d'une housse, il n'y avait aucune natte sur le sol, aucun tableau au mur. Toute trace de la présence de Doroteo Austin avait été effacée depuis longtemps.

Je fis le tour de la pièce, ouvrant des tiroirs vides, examinant le gracieux secrétaire en bois de rose. Un seul des tiroirs offrit matière à mes souvenirs. Il contenait un presse-papiers en verre et, quand je le pris, je déplaçai des flocons de neige qui tourbillonnèrent au-dessus de montagnes ressemblant à celles des Sangre de Cristo et des tours jumelles de Saint-François.

– Il me semble que j'avais l'habitude de jouer avec quand j'étais petite, dis-je à Gavin. Pensez-vous que je puisse le garder?

– Bien sûr.

Sa voix était tendre. C'était un homme différent de celui qui m'avait fait visiter le magasin le matin même. Pour une raison que je ne comprenais pas encore très bien, on aurait dit qu'il m'avait acceptée, oubliant la rancœur et les soupçons qu'il avait d'abord nourris contre moi. De la même façon, j'avais moi aussi oublié mon ressentiment car il était vraiment devenu l'ami dont j'avais besoin. Une nouvelle et tranquille assurance me disait que je pourrais lui parler quand le moment serait venu, et qu'il m'écouterait; et cette assurance me réconfortait.

Rien dans la chambre de ma mère ne pouvait être ouvert par ma petite clé et nous passâmes à la pièce suivante. Gavin m'ouvrit la porte.

– C'était la chambre de votre grand-mère Katy quand elle venait au *rancho*.

Je passai rapidement devant lui et m'arrêtai, stupéfaite. Quelqu'un était venu ici avant nous. Comme sous l'effet d'une tornade, tout avait été déplacé, en grande hâte semblait-il, et sans qu'on ait pris la peine de remettre les objets à leur place. La pièce avait conservé ses meubles et les affaires de sa propriétaire mais tout était sens dessus dessous.

Les tiroirs béaient, leur contenu éparpillé sur la table ou le sol. Les boîtes d'un placard étaient ouvertes et on avait même défait le lit. Je considérai le carnage, ébahie, tandis que Gavin appelait Maria. Celle-ci arriva aussitôt et s'exclama bruyamment :

– Mais hier encore j'ai fait le ménage dans cette pièce, Señor Brand! Tout était parfaitement en ordre!

– Est-ce que des visiteurs sont venus au *rancho* depuis?

Elle secoua la tête avec véhémence puis s'arrêta, cherchant son mari des yeux. Lorsqu'il arriva, elle entama avec lui une discussion animée en espagnol. Il hocha la tête, comme pour acquiescer à ce qu'elle disait, puis haussa les épaules de façon éloquente.

Gavin me traduisit leur conversation.

– Tôt cet après-midi, peu de temps avant notre arrivée, Franscico a entendu du bruit dans cette partie de la maison. Lorsqu'il est arrivé dans l'entrée, il n'a rien vu. Les portes étaient fermées et tout était calme, aussi n'est-il pas allé regarder dans les chambres, pensant qu'il s'était trompé. Il se souvient maintenant qu'il a entendu une voiture quitter l'*hacienda* quelques instants plus tard. Mais quand il est allé regarder à la fenêtre, la voiture était déjà loin et il n'a pas pu l'identifier.

Maria commençait à s'agiter dans la pièce, impatiente de remettre un peu d'ordre. Je l'arrêtai aussitôt.

– Je vous en prie. Pouvez-vous la laisser ainsi un instant? J'aimerais examiner moi-même certains objets avant que vous les emportiez.

Elle regarda Gavin qui acquiesça d'un signe de tête et, troublée, quitta la chambre.

Mes efforts furent vains. Le désordre était tel que je ne savais par où commencer. Je pris au hasard une boîte à couture ayant appartenu à ma grand-mère, fouillai parmi les ciseaux et les bobines puis passai à autre chose. Je ne trouvai aucune boîte à bijoux, rien que ma petite clé de cuivre pût ouvrir.

Je poursuivis néanmoins mes recherches, tout en sachant que quelqu'un était passé par là avant moi et que l'écrin que je cherchais avait sans doute disparu. Je maniais distraitement différents objets tout en réfléchissant.

— Autant que je sache, dis-je à Gavin, trois personnes seulement étaient au courant de ma visite. Sylvia m'a remis l'enveloppe cachetée, mais peut-être l'avait-elle déjà ouverte. Et puis j'en ai parlé à Clarita et à Juan. A part vous, c'est tout.

— Si Sylvia était au courant, Paul avait des chances de l'être aussi.

— Oui, et Eleanor, je suppose. Mais dans ce cas, pourquoi la personne en question ne serait-elle pas allée au *rancho* plus tôt?

— Peut-être qu'elle ne l'estimait pas nécessaire avant que vous n'ayez la clé en main.

Sans doute était-ce Clarita qui était venue ici, me dis-je. Mais je décidai de laisser la chose de côté pour l'instant et de continuer mes recherches.

Un grand carton avait été à moitié vidé et, quand je fouillai parmi les affaires éparpillées sur le sol, je tombai sur un costume d'homme mexicain. J'examinai le pantalon étroit en daim bleu sombre, orné de boutons d'argent sur les côtés et allai m'emparer du gilet brodé quand Gavin m'arracha le costume sans cérémonie.

— Vous n'avez pas besoin de ça, dit-il en le jetant sur l'étagère d'une grande armoire.

La brutalité de son geste m'étonna mais j'étais trop occupée à vider le reste du carton pour lui prêter attention. Un objet en bois creux tomba et rebondit sur le sol. Je le ramassai et le retournai entre mes mains. Soudain, sans que rien ne le fît prévoir, une vague de terreur me submergea, me laissant pantelante et glacée jusqu'au bout des doigts.

Ce que je regardais, paralysée par le choc, était un masque en bois sculpté. Le visage était peint en bleu et les traits habilement dessinés au moyen d'incrustations d'argent et de turquoises. Les sourcils étaient faits de minuscules turquoises, deux fentes soulignées d'argent et de turquoises figuraient les yeux, et les narines étaient représentées par deux petits fils d'argent. Mais c'était la bouche, un trou ovale également incrusté d'argent et de turquoises, qui était le plus étonnante : elle paraissait crier. En contemplant cette face bleue, je sentis ma bouche s'ouvrir malgré moi et arrêtai de justesse le hurlement qui montait du fond de ma gorge.

Gavin qui me regardait traversa aussitôt la chambre.

– Qu'y a-t-il, Amanda? Que s'est-il passé?

J'étais incapable de répondre. Il me prit par les épaules et m'étreignit doucement. Ses yeux étaient pleins de tendresse et de sympathie.

– Quelque chose vous a effrayée encore une fois!

Je lui tendis le masque avec des mains qui tremblaient.

– Oui, c'est... c'est comme l'arbre. J'ai déjà vu ce masque, il fait partie de mon cauchemar, il est lié à cette époque.

Gavin le prit et l'examina.

– Je l'ai déjà vu, moi aussi, quand j'étais enfant. Bien avant la mort de votre mère. Il me semble que... Oui, il était pendu à un mur, ici, à l'*hacienda*. Je me rappelle même l'emplacement exact dans la *sala*.

– Mais comment puis-je m'en souvenir, moi?

– N'essayez pas, dit-il, et j'eus l'impression qu'il en savait plus sur le masque qu'il ne voulait me le dire.

Je ne tins aucun compte de son avertissement. Je

devais me souvenir. Je lui repris le masque et me forçai à l'examiner dans tous ses détails, affrontant le regard mauvais qui semblait filtrer sous la fente des paupières.

L'artiste qui avait créé ce masque avait voulu lui faire exprimer la douleur et il avait réussi. Devant cette face bleue, à la bouche hurlante, je sentais s'éveiller ma propre souffrance.

– Je ne me souviens de rien, dis-je. Simplement, j'éprouve un affreux sentiment d'horreur et de danger. Mais ce masque doit certainement signifier quelque chose.

Un carton plus petit contenant un livre de cuir se trouvait sur le lit. Gavin ôta le livre, mit le masque à sa place et referma le couvercle sur ce visage de cauchemar.

– Voilà; pour l'instant du moins, vous ne le verrez plus.

J'avançai la main pour prendre la boîte.

– Je vais l'emporter à la maison. Il se rattache certainement à un souvenir.

– Très bien. Puisque vous le voulez. Et maintenant, voilà la serrure qui convient à votre clé.

Il prit le livre de cuir tombé sur le lit et me le tendit. Je remarquai aussitôt le petit fermoir et, sans même regarder ma clé, je sus qu'elle irait. Mais je n'eus pas besoin de m'en servir. Le fermoir pendait, l'une des charnières arrachée.

– C'est sans doute un journal, dis-je.

Je soulevai la couverture de cuir. Sur la page de garde, le nom de Katy Cordova était tracé de cette même écriture ferme qui m'avait frappée dans la lettre envoyée à mon père. La date du journal était celle de l'année de la mort de ma mère.

Je feuilletai les pages couvertes d'une écriture serrée. C'était là la réponse laissée par Katy, la réponse à toutes mes questions.

Les doigts un peu tremblants, je tournai les pages, examinant les dates, cherchant approximativement celle de la mort de ma mère. J'ignorais le jour exact mais je savais qu'elle s'était produite en mai, le mois où nous étions. Arrivée au passage du pique-nique, je me mis à lire avidement, oubliant Gavin et jusqu'à l'endroit où je me trouvais. Oui, elle parlait des projets qu'elle avait pour ce jour-là, elle avait noté le nom des convives. Mes yeux parcoururent rapidement quelques pages et je m'arrêtai soudain, stupéfaite. Le journal s'arrêtait là. On voyait encore la trace des feuillets déchirés au niveau de la reliure. Tout ce que Katy avait écrit sur cette journée et le reste de l'année avait disparu.

Je tendis le volume à Gavin.

– Le passage concernant le pique-nique. Elle devait raconter ce qui s'est passé ce jour-là, mais il a disparu, les pages ont été arrachées. Quelqu'un est venu ici aujourd'hui probablement et a arraché ces pages. Quelqu'un qui a peur.

Gavin prit le livre et examina le bord des feuillets arrachés où seuls un ou deux mots subsistaient.

– On dirait que vous avez raison. Mais ne comptez pas trop sur ce qui était écrit dans ce journal, Amanda.

– J'y compte... j'y compte absolument! Il faut que je retrouve ces pages.

– Si elles contenaient un élément révélateur, elles sont sûrement détruites à l'heure qu'il est.

La déception me coupa les jambes et je m'assis sur le lit. Que pouvais-je faire à présent? Vers qui me tourner?

– Nous ferions mieux de rentrer en ville. J'ai reporté mon rendez-vous à plus tard dans l'après-midi mais je dois y aller à présent. D'ailleurs, il ne reste plus rien à voir ici.

J'acquiesçai tout en réfléchissant à ce que j'allais faire dans l'immédiat.

– Oui, rentrons. Je vais parler à grand-père. Je lui montrerai le masque et le journal. Si seulement j'arrive à le persuader de ce que je crois, peut-être acceptera-t-il de m'aider.

– Et que croyez-vous?

– Que ma mère n'a pas tué. Et peut-être qu'elle n'est pas tombée toute seule de la corniche. Que quelqu'un l'a peut-être poussée parce qu'elle avait vu ce qui s'était passé.

Gavin hocha la tête avec regret.

– Je crains que vous ne vous fassiez des illusions. Vous espérez trop.

Je lui arrachai le journal, indignée.

– Ceci est une preuve! Katy voulait que je sache. Elle estimait que j'avais le droit de savoir!

– De savoir quoi? Ne pensez-vous pas que si votre grand-mère avait cru à l'innocence de Doro elle l'aurait criée sur les toits? Je me souviens de Katy. Je me souviens de son courage. Et je sais à quel point elle aimait votre mère.

– Elle n'aurait pas révélé la vérité si celle-ci devait nuire à un être qu'elle chérissait autant que Doro. Elle s'est peut-être imaginé qu'il valait mieux épargner les vivants que disculper les morts. Mais elle a tenu à ce que je sache, *moi*.

– Venez. Nous allons laisser Maria mettre de l'ordre et rentrer en ville.

Nous dîmes au revoir à Maria et à Francisco et je suivis Gavin. Je savais que je commençais à l'impatienter mais je ne m'en souciai pas. J'étais sur la bonne voie et bien décidée à ne pas me laisser arrêter par quiconque.

10

Après que Gavin m'eut déposée devant la maison et pris le chemin du magasin, je montai aussitôt dans le bureau de Juan Cordova avec la boîte contenant le masque et le journal. Clarita n'était pas là et la porte était ouverte.

– Entre, dit-il quand il m'aperçut.

Je plaçai la boîte sur son bureau :

– Voici quelque chose que j'aimerais vous montrer.

Il ne fit même pas attention à la boîte. Son regard était fixé sur mon visage.

– Où as-tu pris ces boucles?

– Clarita me les a données. Elles appartenaient à ma mère. Gavin m'a dit que vous les lui aviez offertes.

– Enlève-les! fit-il durement. Enlève-les!

Je compris qu'il souffrait et détachai mes oiseaux Zuni. Je les mis dans mon sac. Puis, sans autre préambule, je pris la boîte et en sortis le masque que je déposai devant lui. Je savais cette fois à quoi m'attendre et je n'éprouvais plus le sursaut de panique qui m'avait saisie la première fois.

– Connaissez-vous ce masque?

Un instant, un souvenir pénible parut l'effleurer et une grimace de souffrance déforma son visage. Mais il se reprit aussitôt et, s'emparant du masque, en caressa les contours du doigt.

– Je me demandais ce qu'il était devenu. Un ami indien l'a fait pour moi, il y a très longtemps, quand les enfants étaient petits. Il les fascinait, et nous l'avions pendu à un mur au *rancho*. C'est un travail particulièrement délicat quoique peu classique, évidemment. Ce n'est pas un masque de cérémonie.

Mon ami voulait simplement créer quelque chose d'original. Où l'as-tu trouvé?

– Dans la chambre de Katy au *rancho*. Gavin m'y a conduite. Je l'ai reconnu tout de suite.

Son visage ne trahit pas la moindre émotion. Il se contenta de répéter :

– Tu l'as reconnu?

– Oui. Il m'a fait terriblement peur, bien que j'ignore pourquoi. J'ai pensé que vous pourriez peut-être me fournir une explication.

– Parce qu'il t'a effrayée? Tu as dû le voir sur le mur de l'*hacienda* quand tu étais enfant mais, autant que je m'cn souvienne, il ne te faisait pas peur. Les enfants jouaient avec parfois, bien que ce fût interdit, car je ne voulais pas qu'on l'abîme. Tu remarqueras que la peinture est éraflée en certains endroits et qu'il manque une ou deux pierres. Un jour, j'ai surpris Kirk Landers qui se promenait avec. Il était doué pour la pantomime à l'époque et il était parfois très amusant.

Aucun de ces souvenirs ne me rappelait quelque chose.

– Je suis descendue jusqu'à l'*arroyo* avec Paul Stewart. J'ai pensé que je me souviendrais peut-être si je voyais l'endroit où... où la chose s'est passée.

– Et tu t'es souvenuc?

– De l'arbre à coton simplement. Tout le reste s'est effacé. Pourquoi grand-mère Katy a-t-elle choisi cet endroit pour pique-niquer, d'ailleurs? Vous pouviez déjeuner plus confortablement à l'extérieur, dans le patio.

– C'était à cause des murs... Katy voulait en sortir.

– Moi aussi, j'ai parfois l'impression d'étouffer entre ces murs. Mais, pour en revenir à la corniche, vous m'avez dit que vous acceptiez de m'aider. Quand commencerons-nous?

Son sourire qui se voulait gentil me parut pourtant empreint d'une certaine méchanceté.

– Pourquoi pas tout de suite? Assieds-toi, Amanda, et détends-toi. Tu es toute crispée.

Je replaçai le masque dans la boîte. Plus tard, je lui montrerais le journal.

– Si vous n'y voyez pas d'inconvénient, j'aimerais conserver le masque quelque temps. Peut-être m'aidera-t-il à me souvenir.

– Tu peux le garder.

Je m'assis en face de lui et attendis. Pendant un moment, il parut absorbé dans ses pensées, la bouche tirée par une expression de tristesse. Puis il ferma les yeux et se mit à parler.

– Comme tu le sais, je n'étais pas allé au piquenique ce jour-là. Quand Gavin t'a ramenée à la maison, Katy était déjà venue me raconter ce qui s'était passé. Je venais d'être malade, et elle a refusé que je l'accompagne quand elle est retournée là-bas. Je suis donc resté dans cette pièce à pleurer sur la mort de ma fille et d'un fils adoptif que je chérissais. Gavin est arrivé quelques instants plus tard avec toi. Ton visage était livide, encore tout sillonné de larmes, mais tu ne pleurais plus. Tu t'es assise sur mes genoux. Tu as posé ta tête sur ma poitrine et nous avons essayé de nous consoler mutuellement. Te souviens-tu de quelque chose?

Je fermai les yeux comme Juan et fouillai dans ma mémoire. Me rappelais-je ces bras solides autour de moi, ce cœur d'adulte qui battait sous ma joue? L'image était devant mes yeux mais j'ignorais s'il s'agissait d'un souvenir.

– Après un moment, tu t'es mise à prononcer des paroles confuses. Tu disais que ta mère était tombée et que tu avais vu quelqu'un couvert de sang. Je t'ai serrée contre moi et j'ai essayé de te parler. Je t'ai dit que ta mère n'aurait jamais blessé quelqu'un de sang-froid, mais qu'elle avait dû se mettre en colère contre Kirk.

J'ouvris les yeux.

– Sont-ce là les circonstances atténuantes dont vous parliez?

– Oui, peut-être, mais c'était une histoire que je ne pouvais raconter à une enfant. J'avais éloigné Kirk parce qu'il s'était mis en tête d'épouser ta mère. Elle était trop jeune pour le mariage, et lui trop jeune pour les responsabilités. Je lui ai ordonné de partir et de faire ses preuves. Je voulais attendre qu'ils soient plus mûrs tous les deux. Quand il est revenu, près de dix ans s'étaient écoulés, et Doroteo avait épousé William Austin. Ce n'était pas l'homme que j'aurais choisi pour ma fille, mais il l'a rendue heureuse, je dois le reconnaître. Kirk avait certainement connu pas mal d'aventures entre-temps mais n'avait jamais réussi à l'oublier. Elle n'en voulait plus et elle possédait le tempérament violent des Cordova.

Ce n'était pas la version d'Eleanor – celle de Doroteo tuant parce qu'elle avait été « dédaignée ». Celle-ci me paraissait plus vraie.

– Tu ne te souviens pas?

– De quoi? demandai-je.

– De ce qui s'est passé entre eux un jour qu'elle était furieuse contre lui. Il l'avait menacée d'aller voir ton père et de lui parler de leur amour d'adolescents. C'était de l'histoire ancienne et je ne crois pas que cela aurait offensé William. Mais ta mère était folle de rage et elle a giflé Kirk. Tu étais présente, Amanda. Tu te trouvais dans la pièce de séjour qui n'était pas très différente alors de ce qu'elle est aujourd'hui.

Comme dans un brouillard, il me sembla entendre le bruit d'une gifle. Je voyais une femme, belle, animée par la colère, la main levée. J'avais peur, mais ce n'était pas contre moi qu'elle était en colère. Quand l'homme était sorti de la maison, elle m'avait prise dans ses bras et serrée contre elle. Je pouvais presque sentir son parfum.

– Tu te souviens, n'est-ce pas?

Je passai mes mains sur mes yeux.

– Il me semble... oui... de certains détails.

– Bien. C'est un début. Il ne faut pas trop forcer ta mémoire. Nous continuerons une autre fois.

– Mais le souvenir de cette gifle n'a rien à voir avec ce qui s'est passé sur la colline.

– C'est un début, te dis-je. Tu auras quelque chose à raconter à Paul. Je devine que tu lui as parlé malgré ce que je t'ai dit.

– Pourquoi lui raconterai-je cet événement?

– Il faut qu'il comprenne que Kirk torturait ta mère, qu'il l'a poussée à commettre ce geste fatal. S'il doit écrire son livre, je ne veux pas qu'il accable Doroteo. N'oublie pas que Paul la connaissait à cette époque. Il n'ignorait pas la violence de son caractère – le sang de cette naine qui coule dans nos veines!

Je l'interrompis d'un geste.

– Cette naine! encore! Eleanor y a déjà fait allusion et mon père aussi, autrefois. Qu'est-ce que cela signifie? Il faut me le dire.

– Oui, il est temps que tu saches.

Ouvrant le tiroir de son bureau, il en sortit un trousseau composé de deux clés qu'il tâta du doigt comme s'il voulait suppléer par le toucher à sa vision défectueuse. Lorsqu'il eut trouvé celle qu'il cherchait, il laissa tomber le trousseau dans le tiroir qu'il referma.

– Pas maintenant, dit-il. Nous irons ce soir. Je ne veux pas qu'on nous voie. Tu viendras me trouver, ici, après le dîner, et je te montrerai quelque chose. Tu as le droit de connaître tous nos secrets de famille. Peut-être en seras-tu responsable un jour. A présent, je suis fatigué. Reviens plus tard. *Por favor.*

Mais je refusai de me laisser congédier ainsi.

– Je viendrai. Mais avant j'ai autre chose à vous montrer.

Je pris le journal de Katy et le déposai devant lui. Je n'eus pas besoin de lui demander s'il savait ce dont il s'agissait. Il le reconnut aussitôt et, l'attirant à lui, l'ouvrit à la page de garde pour examiner la date.

– C'est celui qui manquait. Elle tenait son journal depuis des années – avant la mort de Doroteo et jusqu'au moment où elle est tombée malade. Après sa mort, je les ai tous lus, sauf celui-ci. Tu l'as trouvé au *rancho*?

J'acquiesçai.

– Il était dans le carton, avec le masque et différents objets.

– J'ai demandé à Clarita de le chercher, mais elle n'a jamais réussi à le trouver. C'est du moins ce qu'elle m'a dit.

J'ouvris le journal aux dernières pages.

– Je crois qu'on a déchiré ces feuillets aujourd'hui. Est-ce que Clarita a quitté la maison?

Il me fixa de son œil implacable.

– Elle est restée ici tout l'après-midi. Elle est venue me voir plusieurs fois. Clarita ne ferait jamais une chose pareille.

– Et quoi donc? demanda la voix de Clarita derrière moi.

Je tournai la tête comme elle entrait dans la pièce. Pour une fois, elle ne ressemblait pas à une respectable dame espagnole. Elle portait un pantalon marron et une blouse rouge foncé sans le moindre bijou. Ces vêtements la transformaient.

Elle avait l'air plus jeune et, semble-t-il, moins soumise à Juan Cordova.

Il lui répondit froidement.

— Tu n'irais pas, je pense, au *rancho* pour fouiller dans les affaires de ta mère? Tu ne déchirerais pas les pages de son journal?

— Bien sûr que non. Que s'est-il donc passé?

En dépit de son démenti, je la sentais tendue.

— Dis-lui, Amanda.

J'obéis.

— Katy m'avait laissé une clé avec un message me disant d'aller au *rancho*. Gavin m'y a conduite aujourd'hui. Nous avons trouvé ce journal avec le fermoir arraché et les dernières pages déchirées. Celles qui relataient, sans doute, le pique-nique et la mort de ma mère.

— Ces pages n'avaient aucune importance. Katy ne savait rien de plus que ce que nous savions tous, depuis le début.

— J'ai dit à Amanda que tu n'avais pas quitté la maison et que tu étais venue plusieurs fois me voir.

— C'est exact.

Clarita parlait avec dignité et assurance, mais j'ignorais si elle disait la vérité ou si Juan venait de lui fournir un alibi. Elle paraissait nerveuse.

— J'ai trouvé autre chose là-bas, dis-je en prenant le masque et en le lui tendant.

Elle laissa échapper une exclamation de dégoût et recula instinctivement.

— Ce masque te rappelle des souvenirs pénibles? demanda aussitôt Juan, sur le qui-vive.

— Vous savez bien que oui. On l'a découvert là-bas, le jour de la mort de Doro et de Kirk. Amanda le tenait dans ses mains. Ma mère le lui a pris. Plus tard, elle l'a déposé dans un carton avec d'autres objets qu'elle a fait porter à l'*hacienda*. Je ne l'avais jamais revu depuis. Il porte malheur, Amanda.

– Je sais. Il m'a fait peur dès que je l'ai vu.

– Personne ne m'a parlé de cette histoire, fit Juan, irrité. Le masque était pendu au *rancho*. La dernière fois que j'y suis allé, il avait disparu et je n'y ai pas prêté attention sur le moment. Comment se trouvait-il sur les lieux du pique-nique ?

Si Clarita savait la vérité, elle n'en laissa rien paraître. Elle se contenta d'allonger le bras pour prendre le journal et elle s'apprêtait à l'emporter quand je l'arrêtai.

S'il vous plaît, tante Clarita. J'aimerais, si vous le permettez, lire les pages qui restent. Je connais si peu ma grand-mère. Je devais avoir cinq ans l'année où elle a écrit ce journal.

Elle me le tendit à contrecœur et je le rangeai dans la boîte avec le masque.

– Je vais dans ma chambre à présent. Aviez-vous autre chose à me demander, grand-père ?

Il fit signe que non, et Clarita s'écarta pour me laisser passer. J'allais sortir quand Juan m'arrêta.

– Tu n'as pas oublié nos projets, Amanda ?

Je lui répondis que je viendrais dans son bureau après le dîner et m'en allai.

L'après-midi était avancé et je trouvai ma chambre à demi plongée dans l'ombre. *Emanuella* m'attendait sur le lit, mais je n'avais pas envie de m'y consacrer pour l'instant. Le journal de ma grand-mère qui touchait à un passé plus proche m'intéressait bien davantage.

Je m'installai dans le fauteuil près de la fenêtre et commençai à le parcourir. Katy était une narratrice prolixe, et je ne m'attardai guère sur certains passages, me réservant de les approfondir par la suite. Je me sentais, en effet, étrangement impatiente, comme si j'étais sur le point de découvrir quelque chose. C'était comme si je me trouvais derrière un rideau et qu'il me suffisait de l'écarter pour assister à la tragédie qui se déroulait derrière. Mais je ne parvenais pas à avancer la main. Sans que je sache pourquoi, ma vision comme ma volonté étaient bloquées. Peut-être ce journal me donnerait-il la force de soulever le rideau?

Katy, si elle aimait la vie et adorait sa famille, n'était pas de celles qui s'illusionnent. Elle voyait le monde et les gens en réaliste. Elle se montrait tolérante envers ceux qu'elle aimait, respectueuse de leur personnalité, même si elle ne les approuvait pas toujours. On voyait qu'elle adorait Juan, son époux, bien que parfois il l'exaspérât. Elle s'inquiétait pour Clarita et priait pour elle en secret.

A un certain endroit, elle écrivait : « Clarita est vouée au malheur. L'homme qu'elle aime ne m'est pas sympathique et je ne crois pas qu'il l'épousera. » Il ne pouvait s'agir de Kirk à cette époque et je me demandai avec curiosité quel était cet homme que Clarita avait aimé.

Doroteo faisait sa joie ainsi que ses deux petites-filles, Eleanor et Amanda.

Je lus attentivement le passage qui nous concernait. Son affection pour moi – la fille de Doroteo – s'exprimait chaudement dans cette écriture vigoureuse et je sentis les larmes me monter aux yeux. C'était bien là la famille que j'avais cherchée. Comme je regrettais que cette grand-mère exquise n'ait pas vécu assez longtemps pour que j'aie pu la connaître vraiment!

Toutefois, quand elle parlait d'Eleanor, les mots prenaient une résonance étrange, comme douloureuse, et, semblait-il, forcée. On y lisait son affection mais aussi autre chose – une tristesse, une crainte, un regret? et je me demandais si, déjà enfant,

Eleanor n'avait pas montré des dispositions inquiétantes.

Elle parlait également du retour de Kirk Landers. On devinait d'abord sa détresse et son incertitude, puis son soulagement quand elle comprenait que, quels qu'aient été les sentiments de Doro pour Kirk à une certaine époque, leur histoire était terminée, et que Doro ne quitterait jamais son mari. L'attitude de Kirk l'indignait. Juan et elle l'aimaient et l'avaient élevé comme leur fils, ainsi que Sylvia, sa demi-sœur. Mais Kirk, parce qu'il souffrait, essayait de jeter le trouble dans un ménage heureux. Juan tentait de le guider et de le conseiller et, de tous, il était le seul que Kirk semblât écouter.

En tournant la page, le nom de Paul Stewart me sauta aux yeux. Kirk ne voulait pas que Paul épouse sa demi-sœur, et un jour une violente querelle avait éclaté entre eux où Paul avait eu le dessous. Katy les avait surpris en train de se battre dans le patio. Quand elle avait réussi, non sans peine, à les séparer, Paul avait déjà reçu quelques blessures sérieuses. L'écriture de Katy devenait irrégulière et elle concluait sur ces mots : « Ces blessures ne sont pas de celles qui se cicatrisent facilement. Juan ne doit pas savoir. Il a été malade et il est encore faible. Il aime profondément Kirk, et cette histoire le bouleverserait. »

Elle n'avait rien écrit pendant les quelques jours qui suivaient, puis venaient les préparatifs du pique-nique. Un passage ennuyeux qui ressemblait à une liste : la nourriture à préparer, les personnes à inviter. Pourtant, quelque chose clochait dans le style même. Katy, avec son sens de l'humour et sa finesse psychologique, savait rendre à merveille la vie de tous les jours. Or, rien de tel dans ce compte rendu sec et sans vie. Peut-être servait-il à cacher une émotion qu'elle se refusait à exprimer.

Puis venait la description du pique-nique lui-même. Le journal s'arrêtait là, me laissant, une fois de plus, à mes questions. J'examinai les bords des feuillets arrachés, y déchiffrant ici et là un mot coupé ou incompréhensible. Et soudain, au bas d'un feuillet, le mot « masque » me sauta aux yeux.

Je m'assis, le journal ouvert sur mes genoux, essayant de toutes mes forces d'écarter ce rideau qui obstruait ma mémoire. Mais seules des images confuses s'agitaient devant mes yeux. Le rideau refusait obstinément de s'écarter. Une déchirure se produisait de temps à autre, m'offrant un fugitif aperçu du passé. Juan m'avait aidée plus que quiconque dans ce domaine, et je décidai de retourner bientôt le voir. Pour l'instant, je me sentais épuisée et ne voulais pas abuser de mes forces.

L'idée du masque me préoccupait.

J'ouvris le carton posé sur le lit et en sortis la sculpture. J'y étais habituée à présent et mon premier sentiment d'horreur s'estompait. Je savais qu'il était lié pour moi à un événement précis – horrible comme son cri muet.

Poussée par un brusque caprice, j'allai à la coiffeuse et m'assis devant le miroir. Les mains un peu tremblantes, j'élevai lentement le masque et le plaçai devant mon visage. Les fentes d'argent me permettaient tout juste d'apercevoir la face grimaçante auréolée par ma sombre chevelure. De nouveau, un frisson de terreur me parcourut. J'avais devant moi l'image du mal. La bouche arrondie criait des obscénités muettes. Je n'étais plus moi mais la victime désignée du mal. J'étais hantée.

La voix de Sylvia me fit sursauter.

– Votre porte était ouverte, dit-elle. Puis-je entrer ? Clarita m'a dit que vous étiez dans votre chambre.

Incapable de bouger, je restai un instant à la

regarder dans la glace, à travers les fentes d'argent. Puis, lentement, j'abaissai le masque et le posai sur la coiffeuse devant moi. Je me retournai vers Sylvia. Aucun son ne parvenait à franchir mes lèvres.

Elle prit mon silence pour une invitation et s'approcha.

– Vous êtes blanche comme un linge. Auriez-vous vu un spectre?

Elle avança la main et prit le masque.

– Colin-maillard, fit-elle doucement.

– Clarita m'a dit qu'on m'a découverte, ce masque à la main, le jour de la mort de ma mère.

Elle acquiesça d'un signe de tête, le visage fermé.

– Oui. Je m'en souviens. Oh! pas de ce détail. J'étais trop bouleversée. Mais je sais que Kirk l'avait emporté en partant pour le pique-nique.

– Pourquoi? Pourquoi l'a-t-il emporté?

– Il ne m'a pas donné d'explication. Je sais seulement qu'il était affreusement bouleversé. Il est parti comme un fou par le raccourci d'en bas. Doro l'a sans doute suivi en vous emmenant avec elle. J'avais peur de ce qui pouvait arriver entre eux et j'ai préféré passer par le haut. J'ai rattrapé Katy qui était partie en avant avec l'un des paniers de pique-nique. Je ne savais pas où était Paul et j'ai continué seule.

Un détail me préoccupait, mais j'ignorais lequel; simplement je savais que son récit ne concordait pas avec un élément que je connaissais déjà.

– Pourquoi avez-vous parlé de colin-maillard?

Elle posa le masque comme s'il la gênait et alla vers le fauteuil, près de la fenêtre.

– Puis-je m'asseoir? C'est une longue histoire, vous savez. Tenez-vous vraiment à l'entendre?

– Oui. Je veux en apprendre le plus possible.

Le jour qui tombait de la fenêtre éclairait ses

cheveux teints et les petites rides qui commençaient à marquer ses yeux. Elle baissa ses paupières
fardées comme pour s'isoler du monde et mieux se
replonger dans le passé.

– Enfants, nous jouions souvent à colin-maillard
au *rancho*. Chaque fois que nous réussissions à nous
en emparer sans nous faire pincer, nous nous
servions du masque. On ne pouvait pas distinguer
grand-chose à travers les fentes et il remplaçait
parfaitement un bandeau. C'était un objet précieux
et, bien sûr, on nous avait interdit de jouer avec.
Mais il nous fascinait et ajoutait du piment aux
poursuites. Plus grands, nous cessâmes de jouer à
ce jeu, excepté au *rancho* où il était devenu une
sorte de rite. Kirk mettait le masque et s'amusait à
poursuivre Doro. Je m'estimais trop âgée pour ce
genre de bêtises et Clarita également. Paul, bien sûr,
n'était pas avec nous à l'époque. Quand il a acheté
la maison voisine, nous étions déjà grands.

– Qui d'autre était là?

– Gavin, parfois, quoique nous le trouvions trop
jeune à l'époque. Et puis Rafaël, évidemment.

– Le père d'Eleanor?

Sylvia ôta les mains de son visage et me regarda :

– Oui. Le père d'Eleanor. Il était toujours là.
Même à l'époque, il semait le trouble partout.

Rafaël? Je savais peu de choses sur lui. Sinon
qu'il refusait ses origines espagnoles et avait quitté
les Cordova dès qu'il avait pu. C'était un nouvel
aspect de son caractère. Eleanor avait peut-être
hérité de lui.

Sylvia se secoua comme pour se débarrasser de
souvenirs importuns.

– Ne parlons plus de toutes ces histoires. Elles
sont enterrées depuis longtemps.

Je décidai de ne pas la presser davantage. Les

182

pièces du puzzle s'additionnaient peu à peu. Elles finiraient bien un jour par former un tout, celui de la vérité que je cherchais.

Je lui montrai le journal qui se trouvait sur mon lit.

— Je suis allée au *rancho* aujourd'hui. Avec Gavin. C'est là que j'ai trouvé le masque, ainsi qu'un vieux journal appartenant à Katy. Elle parle des mois précédant le pique-nique. Le reste a été arraché.

Aussitôt, je vis que Sylvia était sur ses gardes. Elle attendait quelque chose.

— Il y a eu une bagarre, n'est-ce pas? continuai-je. Entre votre demi-frère et Paul Stewart? Katy en parle.

— Je... je crois, en effet, qu'il s'est passé quelque chose de ce genre. J'étais absente à l'époque.

Pour une raison ou une autre, elle refusait de parler et cherchait à fuir ce souvenir.

— C'est sans importance, fis-je. Un détail de plus que j'aurai à raconter à Paul, simplement.

Elle se reprit avec effort.

— C'est justement la raison pour laquelle je venais vous voir. Paul voulait savoir si vous aviez découvert quelque chose de nouveau.

Je n'allais pas raconter à Sylvia ma conversation avec Juan. Kirk était son demi-frère et elle risquait de passer sous silence ces fameuses « circonstances atténuantes » dont parlait mon grand-père. Si je devais me confier à Paul, je le ferais directement.

— Que s'est-il passé après... après leur mort? Vous êtes restée chez les Cordova?

— Bien sûr. Les Cordova étaient ma famille et je ne pouvais les accuser du meurtre commis par Doro. De plus, Paul habitait à côté et nous nous fréquentions déjà à l'époque. Bien. Il faut que je rentre à présent, puisque vous n'avez rien à me dire pour l'instant.

Elle avait l'air contrarié et je me demandais pourquoi. Plantée au milieu du tapis, je la regardais descendre l'escalier. Je me souvenais de la question qui m'avait intriguée. A présent, je connaissais la réponse.

Sylvia m'avait dit qu'elle avait rejoint Katy par le chemin du haut. Seule. Elle s'inquiétait de la raison qui avait poussé Kirk à quitter la maison en emportant le masque. Or, Paul m'avait dit que Sylvia et lui étaient arrivés en retard sur les lieux du pique-nique. Les deux récits ne concordaient pas et je me demandai lequel des deux mentait. S'il n'accompagnait pas Sylvia, où donc se trouvait Paul, ce jour-là, et à quel moment avait-il rejoint les autres?

Je retournai à la coiffeuse et pris le masque. Son cri muet était à lui seul une énigme. Trop de questions restaient sans réponse. Pourquoi Kirk Landers l'avait-il emporté ce jour-là? Et que signifiait-il pour Doroteo Austin?

11

Aussitôt le dîner terminé, je montai dans le bureau de mon grand-père et le trouvai qui m'attendait. Un changement s'était opéré en lui. Il paraissait plus vif et plus cruel que jamais. Cela éveilla aussitôt ma méfiance. J'ignorais ses intentions, mais j'étais bien décidée à rester sur mes gardes.

– *Buenas tardes*, lança-t-il. Dis-moi, sais-tu où se trouvent les autres?

– Je l'ignore. Ils sont partis chacun dans une direction différente. Mais ils ne se trouvent pas au salon, si c'est ce que vous voulez dire.

– Aucune importance. Suis-moi, Amanda.

Quittant son bureau, il pénétra dans la pièce obscure qui se trouvait derrière lui – la chambre, sans doute, que je n'avais pas vue jusqu'alors. Il alluma une lampe près du lit à baldaquin et j'entrai pour la première fois dans le sanctuaire.

La pièce offrait une harmonie marron qui contrastait avec le blanc des murs, des hauts montants sculptés du lit, jusqu'à la courtepointe et à la natte espagnole jetée sur le parquet. A côté d'une table en bois sculpté se trouvait un fauteuil d'église, lourd et carré. Le dossier était en cuir sombre et un coussin de velours pourpre était posé sur le siège de cuir également. Les bras étaient larges et massifs, et j'imaginais facilement Juan assis dans ce fauteuil comme sur un trône, régnant sur son domaine.

Il n'y avait rien d'indien dans cette pièce. La seule touche de couleur vive provenait d'un immense tableau. Il était suspendu face au lit pour qu'on pût le contempler à l'aise et je ne pus m'empêcher de songer qu'il ne convenait guère à un lieu destiné au repos.

Au centre de la toile se dressait un vaste brasier dominé par un ciel d'orage. Les flammes léchaient un homme lié à un bûcher. Des silhouettes en cagoule, des croix à la main, entouraient le supplicié et, un peu plus loin, une vieille femme se tordait les mains. Une mère, peut-être, pleurant son fils brûlé par la Sainte Inquisition.

Mon grand-père suivit la direction de mon regard.

– Une belle peinture, n'est-ce pas, et très ancienne. L'artiste est un inconnu. Je l'ai découverte il y a longtemps dans une boutique de Séville.

– Quel tableau étrange à mettre dans une chambre!

Il me fixa avec arrogance.

– Cette scène fait partie de l'Espagne, Amanda, et

du tempérament espagnol. Ce n'est pas parce que nous vivons dans une époque plus civilisée qu'il faut rejeter notre héritage.

– Celui-ci ne me plaît guère. Je n'ai jamais apprécié les tortures commises au nom de la religion.

– J'accepte ce qui coule dans mon sang, Amanda. Et tu dois l'accepter aussi. Il est des époques où il est nécessaire de gouverner par le fer et le feu. Viens avec moi.

Il était redevenu le faucon impitoyable et je frémis intérieurement. Je n'aurais pas aimé provoquer la colère de mon grand-père.

Il se dirigea vers une porte que j'avais d'abord prise pour un placard et l'ouvrit. Un escalier de pierre s'enfonçait dans l'obscurité et j'aperçus, tout au fond, une faible lueur.

– Un escalier secret? demandai-je, amusée.

Sa voix était grave.

– Je n'aime pas les pièces qui n'ont qu'une seule sortie. C'était d'ailleurs l'avis de ceux qui ont construit cette maison. Fais attention en descendant. On n'y voit guère.

Il me précéda d'un pas sûr, effleurant les murs qui bordaient l'étroit passage. Il n'avait pas besoin de ses yeux ici et connaissait le chemin par cœur. Je le suivis avec précaution, tâtant chaque marche du pied. Elles cessèrent bientôt, faisant place à un couloir éclairé à son extrémité par une petite ampoule. Juan Cordova s'arrêta devant une seconde porte. Avant de l'ouvrir, il appuya son oreille contre le chêne et écouta.

– Je crois qu'il n'y a personne.

La porte s'ouvrit sans bruit sous sa main et je le suivis dans une cour faiblement éclairée. Le passage conduisait directement au patio.

Je lui offris mon bras mais il préféra utiliser sa canne et traversa le patio d'un pas ferme. Je marchais à ses côtés. Plus bas se dressait la petite construction d'adobe avec son toit rouge et pointu qui abritait la collection Cordova. Je savais à présent où nous allions mais je ne comprenais toujours pas pourquoi il avait tenu à garder notre visite secrète.

La lampe suspendue à l'entrée du patio éclairait à peine notre chemin. Le pavillon était une ombre parmi les autres et d'épais rideaux obstruaient ses fenêtres. Je me sentais de plus en plus tendue en approchant de la porte – comme si je me trouvais au bord de quelque effrayante découverte – et l'attitude de mon grand-père qui rappelait un rite mystique et sanguinaire accentuait encore cette impression.

Il sortit le trousseau de clés qu'il avait apporté avec lui et je le sentis soudain se raidir tandis que ses mains effleuraient une boîte de métal carrée placée près de la porte.

– On a coupé le signal d'alarme!

Au bruit de sa voix, une ombre se détacha d'un bosquet voisin et s'avança vers nous.

– Clarita, que fais-tu ici?

Juan paraissait furieux. Clarita émergea à la faible lumière, vêtue de la robe noire qu'elle portait au dîner, le visage pâle à la lueur des étoiles.

– Je montais la garde. Je le surveillais, lui.

Elle pointa un doigt en direction de la maisonnette.

– Vous n'avez pas besoin de clé. Il est à l'intérieur.

Juan poussa une exclamation de colère et ouvrit largement la porte.

– Qui est là? demanda-t-il vivement.

Une ombre bougea à l'extrémité de l'aile jouxtant la pièce centrale, et Gavin Brand apparut.

– Que fais-tu ici ? demanda Juan d'un ton soup-
çonneux.

– Vous savez que j'ai des clés. J'ai aperçu quelqu'un qui rôdait dehors il y a un moment. Je n'ai
pas été assez rapide pour l'attraper. Il s'est enfui...

– Enfui ? rétorqua Juan, sceptique. Et comment ?

– Je l'ignore, fit sèchement Gavin. Peut-être par la
porte de derrière, quoique je n'aie vu personne sur
la colline.

Ou peut-être par la porte du jardin des Stewart,
me dis-je, mais je me tus. Un tel soupçon n'avait
aucun fondement, et je me demandai pourquoi il
m'avait traversé l'esprit.

Clarita nous suivit dans la pièce.

– Peut-être est-ce vous que j'ai entendu. J'étais ici
depuis un moment. Je vous surveillais.

– Je suis venu vérifier si tout était en ordre, dit
Gavin sans lui accorder un regard. Autant que j'ai
pu le constater, la collection est intacte.

Je restai un peu à l'écart de la conversation et
regardai autour de moi. L'endroit ressemblait étrangement à une église, avec son haut plafond et son
clocher, impression encore renforcée par le silence
qui envahit la pièce quand la conversation s'arrêta.
On éprouvait ce sentiment de respect réservé aux
lieux du culte. Peut-être d'ailleurs en était-ce un,
celui que Juan Cordova rendait à la Beauté créée
par la main de l'homme.

Les paroles de Sylvia me revinrent en mémoire :
Juan collectionnait les œuvres d'art pour son propre plaisir et n'aimait guère le faire partager.

Sur des étagères se trouvaient des sculptures de
Mexico, d'Amérique du Centre et du Sud ainsi que
d'anciennes poteries indiennes provenant de toutes
les régions de l'Amérique. Mais il y avait surtout des

peintures espagnoles dont plusieurs étaient modernes.

Je reconnus un Picasso de la période bleue – un homme et une femme assis sur une plage, au bord de l'eau. L'océan et le ciel, d'un gris bleu, se reflétaient sur le sable et jusque dans les vêtements des personnages. Il y avait un portrait de gitane d'Isodore Nonell qui avait influencé Picasso dans sa jeunesse – une jeune fille à la peau brune sur un fond vert d'eau. L'impressionniste Soralla avait joué de tous les effets de la lumière dans une toile représentant une femme, la tête recouverte d'un fichu, marchant parmi les fleurs dans un parc ensoleillé.

En dépit de sa vision affaiblie, Juan Cordova connaissait par cœur l'emplacement exact de chaque pièce ainsi que son histoire et me raconta longuement comment il les avait acquises au fil des années. Manifestement, la présence de Gavin et de Clarita lui déplaisait. Pour une raison que j'ignorais, il aurait préféré faire cette visite seul avec moi et sans que la famille fût au courant. Mais il fit contre mauvaise fortune bon cœur et se donna tout entier à son rôle de guide.

Un simple regard échangé avec Gavin m'apprit qu'il était sur ses gardes. Je ne retrouvais plus l'homme courtois et prévenant que j'avais rencontré l'après-midi et qui m'avait conduite au *rancho*. Ma présence ici lui déplaisait, et je me demandai pourquoi.

– J'ai réfléchi, dit Juan, les yeux fixés sur les toiles suspendues au mur, comme s'il avait de la peine à les distinguer. Le moment est venu où je dois songer à faire connaître au monde certains de mes trésors. De la manière que j'estimerai la bonne.

Gavin se taisait, attendant la suite. Je le sentais

tendu. Clarita semblait suspendue aux lèvres de son père.

Juan poursuivit :

– J'ai décidé de sélectionner cinq ou six maîtres espagnols pour les exposer au magasin. Gavin, tu feras dégager un grand espace de mur. Je veux qu'ils soient bien en vue.

– Les frais d'assurance vont être énormes, dit nettement Gavin. Et il n'y a pas assez de place au magasin.

– Eh bien, tu n'as qu'à décrocher les tapisseries, les nattes et les tissus.

– Nous ne sommes pas un musée.

Gavin était furieux mais gardait son calme.

– Les artisans vivent de nos ventes. Si vous voulez exposer vos tableaux, prêtez-les à un musée.

– Ils doivent paraître sous le nom de Cordova, répliqua durement Juan.

– Des objets ont disparu du magasin, récemment, intervint Clarita. Il serait peut-être plus sage de ne pas y exposer des œuvres précieuses.

Juan l'ignora et s'engagea dans l'allée.

– Nous parlerons de cette affaire plus tard, Gavin. Viens, Amanda, il te reste encore beaucoup à voir.

Je ne pouvais faire autrement que de lui obéir, quoique toute ma sympathie allât à Gavin.

Arrivé devant un portrait, à mi-chemin de l'allée, mon grand-père s'arrêta et me toucha légèrement le bras.

– Regarde bien ce portrait. C'est Doña Emanuella. L'œuvre n'est pas d'un grand artiste malheureusement mais elle est soignée, fidèle : elle rend parfaitement le visage et la personnalité du modèle.

Le portrait avait été exécuté à la manière de

Vélasquez, bien que l'artiste fût loin d'égaler la virtuosité du maître. Le modèle était une jeune fille brune, coiffée d'une mantille de dentelle noire. Un bouquet de roses relevait le décolleté arrondi de sa robe de cour en satin jaune. Le tissu épousait admirablement les contours délicats de la taille qu'amincissaient encore les jupes raides et largement écartées selon la mode en vogue à la cour de Philippe IV, roi d'Espagne.

Elle était à demi tournée vers le spectateur et, une grosse rose jaune à la main, semblait lui faire signe. Sa bouche avait une expression boudeuse, mais ses yeux étaient gais. J'avais l'impression de me retrouver en face de Doroteo Cordova — et peut-être, en moins belle et avec un peu d'imagination, de ma propre personne.

— Vois-tu la ressemblance avec Doroteo? me demanda Juan.

— Oui, ou du moins, je suppose.

— Et ne trouves-tu pas qu'elle te ressemble aussi?

Je me tus et fus surprise d'entendre Gavin répondre à ma place.

— C'est exact. Elle ressemble à Amanda. Je l'ai constaté la première fois que je l'ai vue.

Cela expliquait-il en partie cette impression de familiarité qui nous avait brusquement unis lors de notre première rencontre? Etait-ce parce qu'il avait d'abord vu en moi Emanuella et Doroteo? Je me sentis soudain déçue, sans savoir pourquoi.

— Il y avait de la passion chez Emanuella, dit Juan. Du courage. Du feu.

— Je n'ai malheureusement aucune de ces qualités, me hâtai-je de dire, désireuse d'affirmer ma propre personnalité.

— En êtes-vous si sûre? demanda Gavin. Peut-être les possédez-vous sans vouloir l'admettre. Je ne veux pas dire par là qu'elles vous viennent d'Emanuella.

Je le regardai, surprise. Ses yeux avaient perdu leur expression méfiante et retrouvé cette chaleur que j'avais brièvement ressentie, cet après-midi au *rancho*. Son regard me troubla et je me détournai car je n'étais que trop prête à y répondre. Le danger était là et je voulais l'éviter.

Juan n'avait pas prêté attention à nos propos, perdu dans sa contemplation, mais j'entendis Clarita renifler légèrement comme pour marquer sa désapprobation. Elle me fixait avec défi, les joues enflammées. Je lui rendis son regard et elle fut la première à détourner les yeux avec un air de dédain suprême.

– Emanuella était une véritable beauté, reprit Juan. Elle se maria très jeune et eut plusieurs enfants. Je n'ai jamais cru à sa réputation d'immoralité. Elle était un peu fantasque mais certainement pas débauchée.

– Paul Stewart ne semble pas de cet avis, dit Gavin.

– Stewart! (La voix de Juan se teinta de dégoût.) Il est tombé amoureux de son portrait et, en bon écrivain, l'a décrite telle qu'il voulait qu'elle soit. Il a refait exactement la même chose avec Doroteo.

– Il n'a jamais trouvé une femme digne de lui, intervint brusquement Clarita.

Je la regardai, stupéfaite. Clarita... Paul? Etait-ce l'homme auquel Katy avait fait allusion?

– Il prétend avoir fait beaucoup de recherches sur Emanuella, en Espagne, dit Gavin.

– Des recherches! fit Juan avec véhémence. Il a travesti les faits. Il a peint une Emanuella qui n'a jamais existé. C'était une femme exceptionnelle et tu peux être fière du sang qu'elle t'a légué, Amanda.

192

Cette prétendue hérédité lui tenait vraiment à cœur.

Je contemplai ce ravissant visage aux lèvres pleines, boudeuses, aux joues roses, à la chevelure sombre et lisse devinée sous la mantille. Un bref instant, je crus voir ma mère. Puis cette impression s'évanouit et je n'eus plus devant moi que le charmant portrait d'une étrangère. L'idée que j'avais hérité de cette créature si séduisante était fort romanesque mais je n'arrivais pas à m'en persuader. Elle appartenait à un autre monde, à une époque à jamais révolue.

— Puisqu'il est question d'hérédité, n'oubliez pas le second portrait, dit Clarita d'un ton aigre. Inès, comme Emanuella, était une aïeule des Cordova.

— Je n'avais pas l'intention de l'oublier, répliqua Juan.

Il me fit signe et nous continuâmes la visite.

Nous nous arrêtâmes d'abord devant un portrait de Cervantès. Une étrange lumière vert-jaune baignait le paysage en arrière-plan, effleurant le long visage maigre et la fraise qui ornait son cou. Venait ensuite une scène de corrida : un matador tombé à terre répandant son sang sur le sable de l'arène. Puis l'une des scènes de supplices et de martyre de Spagnoletta. Elle aurait fort bien tenu compagnie à celle de l'Inquisition accrochée dans la chambre de Juan. Je préférai le tableau suivant : une rue d'Espagne par une nuit de brouillard et de pluie, avec ses lampadaires auréolés d'un halo de brume. Je m'arrêtai un long moment devant cette dernière toile, admirant la technique consommée de l'artiste.

D'autres tableaux nous attendaient encore mais Juan s'impatientait.

— Cela suffit! Une autre fois, tu reviendras étudier

toutes ces toiles à loisir, Amanda. A présent allons voir le chef-d'œuvre.

Curieusement, Gavin parut hésiter.

– Doit-elle absolument le voir?

– Mais bien sûr. Il fera peut-être partie de son héritage un jour.

Clarita renifla de nouveau avec dépit et Gavin me regarda avec sympathie.

– J'espère qu'il ne vous donnera pas de cauchemars cette nuit.

Intriguée, j'emboîtai le pas à Juan.

Le portrait, accroché dans une petite alcôve, justifiait à lui seul la visite. Enchâssé dans un cadre doré, il était presque grandeur nature. L'artiste, dont j'avais admiré les œuvres dans les musées et sur des reproductions, avait admirablement rendu l'aspect dramatique du personnage : une femme, vêtue d'une robe vert sombre à rayures blanches. Comme dans le portrait précédent, la jupe s'élargissait en plis raides de chaque côté, mais, cette fois, la taille était épaisse, les formes rabougries et chétives. La taille du petit chien allongé à ses pieds, les oreilles dressées, donnait une idée des véritables proportions du modèle. C'était une naine à la sombre chevelure répandue sur les épaules, aux traits aplatis. Le visage respirait une étrange sérénité qui contrastait avec l'expression un peu effrayante des yeux fixés sur le spectateur.

– La naine, murmurai-je.

J'étais ébranlée, comme sous un choc brutal. Je me rassurai en songeant que, comme me l'avaient dit Gavin et Eleanor, ses liens de parenté avec Juan n'étaient qu'une légende.

– Oui, dit mon grand-père. Doña Inès. Elle était cousine d'Emanuella et fille de l'infante Marie-Thérèse.

194

– Vélasquez, dis-je. Nul autre que lui n'aurait pu peindre ce portrait.

Juan Cordova parut satisfait.

– Je suis heureux que tu reconnaisses un chef-d'œuvre. Oui, c'est Vélasquez qui l'a exécuté. C'est ce fameux tableau disparu, qui faisait partie des naines peintes pendant son séjour à la cour du roi Philippe.

– Mais comment?...

– L'ai-je acquis? poursuivit Juan avec un petit rire rusé et méchant. Nous n'entrerons pas dans ces détails aujourd'hui. Disons qu'il a pas mal voyagé avant d'arriver entre mes mains. Il finira un jour par réintégrer l'Espagne, mais c'est le portrait d'une ancêtre et j'y tiens pour bien des raisons.

– Qui ne sont pas toutes plaisantes, intervint Gavin. Peut-être feriez-vous mieux de lui raconter toute l'histoire puisque vous en avez déjà tant dit.

Si un différend les avait opposés quelques instants plus tôt, Juan semblait n'y plus penser. Mais je savais qu'il n'avait rien oublié.

– Inès était une femme violente et passionnée. Elle paraissait adorer cette cousine, à laquelle elle ressemblait si peu. Elle assassina l'un des amants de celle-ci – ou du moins un gentilhomme qu'elle soupçonnait d'être son amant. Elle le poignarda une nuit, dans son lit. Elle fut arrêtée par l'un des serviteurs et envoyée en prison. Mais elle ne fut jamais exécutée car elle était devenue complètement folle. Tu connais à présent l'histoire de cette fameuse naine. Elle aussi nous a légué de son sang.

Je contemplai ce visage étrangement serein, ces yeux fixes où se lisait la folie et je ne pus m'empêcher de frissonner. Je me souvenais des paroles de mon père : « Cette maudite naine ! »

– Une telle hérédité – si elle a jamais existé – doit

s'être éteinte depuis longtemps, dit Gavin. Ne craignez rien, Amanda.

– Elle existe, rétorqua froidement Juan Cordova. La passion, la violence, le refus de toute contrainte. Tous ces traits, nous les possédons. Moi, Doroteo, Eleanor. Et même toi Clarita. Pour ce qui est d'Amanda, je l'ignore.

Ne sachant que penser, je regardai le portrait. Gavin avait certainement raison. Pourtant, je me souvenais de la façon dont mon père m'observait quand j'étais petite, épiant en moi les moindres signes de violence.

– Je ne suis pas comme cela, dis-je.

Gavin pressa sur le commutateur qui éclairait le tableau.

– Je reconnais qu'il est impressionnant. Mais ne craignez rien, vous l'oublierez dès que vous aurez tourné le dos, Amanda. Votre grand-père est trop obsédé par vos prétendus ancêtres.

– J'en suis fier, répliqua Juan.

Aussi curieux que cela puisse paraître, il ne mentait pas et s'enorgueillissait de cette trouble hérédité qu'il s'imaginait reconnaître en lui et chez ceux de sa famille.

Clarita dévorait le portrait de ses yeux sombres et je me dis que, là encore, elle prenait modèle sur son père en apportant sa contribution au culte de la naine.

– N'encouragez-vous pas cette prétendue folie? dis-je à Juan. Si vos enfants sont élevés dans la hantise de son portrait et de son histoire, ils risquent fort de s'effrayer du moindre accès de colère. Ou, au contraire, de s'y complaire.

– Exactement, fit Gavin. C'est le cas pour Eleanor. Juan a encouragé ses bizarreries. Il était fier de penser qu'elles lui venaient de ses ancêtres.

– Cette hérédité existe! dit Clarita, faisant écho à son père. Nous ne pouvons y échapper.

A la lueur dure des projecteurs placés au-dessus des tableaux, son visage me parut figé, comme décoloré. Elle faisait elle-même penser à un portrait en noir et blanc, où seuls les yeux vivaient.

Le vieil homme ne lui accorda même pas un regard.

– C'est faux, dit-il, répondant à Gavin. Il est impossible d'encourager quelque chose qui n'existe pas. L'hérédité se retrouve chez tous les Cordova. Mais chez Eleanor, je ne vois que l'impétuosité de la jeunesse.

– Dans ce cas, il serait temps qu'elle grandisse, fit Gavin.

Sa voix était redevenue dure et cassante. C'était un aspect de lui que je n'aimais pas. Il se montrait tendre et encourageant, jusqu'au moment où la femme revendiquait ses droits. Alors, il devenait aussi dominateur que mon grand-père. Mes sentiments à son égard étaient ambivalents et je passais facilement d'un bord à l'autre.

Je me détournai du portrait de la naine Inès, à présent plongé dans l'obscurité, et commençai à remonter l'allée. Mes pas résonnaient sur les dalles, mais Juan Cordova, bien qu'il dût m'entendre, poursuivit sa discussion animée avec Gavin. Clarita était restée avec eux. Je n'avais aucune envie de me mêler à leurs débats et revins me poster devant le tableau de Doña Emanuella. Avec soulagement, je plongeai mon regard dans ces yeux gais et provocants. Aucune trace de folie ne s'y lisait. Des éclats de voix me parvenaient du fond de la salle mais je n'y prêtai pas attention.

Qu'avait éprouvé Emanuella envers sa cousine, la naine? L'aimait-elle, se montrait-elle bonne à son égard? Ou avait-elle souffert à cause d'elle? Qu'avait appris Paul Stewart au cours de ses recherches en Espagne? J'eus envie de me plonger dans son livre et dans l'histoire de ces deux femmes, mes si lointains ancêtres.

Le ton de la discussion avait monté, et je compris qu'il était question d'Eleanor. Tournant les yeux dans leur direction, j'aperçus les deux hommes qui se tenaient en plein devant moi. Ils m'avaient oubliée, mais ce n'était pas le cas de Clarita. Elle était restée un peu à l'écart, le regard fixé dans ma direction comme pour m'ordonner de m'en aller, de ne pas écouter davantage.

– Nous ne pouvons pas continuer à vivre ensemble. C'est impossible. Eleanor ne le souhaite pas et moi non plus!

– Eleanor ne sait pas ce qu'elle veut, protesta Juan.

– Croyez-vous qu'il en soit de même pour moi?

– Je crois que tu es responsable d'elle.

– Plus maintenant. Eleanor n'a qu'un désir : se libérer de toute contrainte. Elle ne veut pas de la pension que vous lui avancez sur son futur héritage. Elle veut l'argent tout de suite, à sa disposition. Mais si vous le lui donnez...

– Je ne le lui donnerai pas. Et si vous vous séparez, je changerai mon testament et tout ira à ma seconde petite-fille, Amanda.

Sa voix était forte et assurée. Elle portait loin... jusqu'à l'entrée du pavillon où Eleanor apparut soudain, le visage blême, les yeux étincelants. Elle avait tout entendu, et je me dis soudain – ou peut-être était-ce mon imagination qui me jouait des tours – qu'elle ressemblait, en dépit de toute sa blondeur et sa beauté, à la naine noiraude et contrefaite du tableau.

J'ignore si elle m'aperçut mais elle passa devant moi comme une flèche et, traversant la grande pièce, se planta avec défi devant Juan Cordova, longue silhouette élancée, les cheveux répandus sur les épaules.

Je pris soudain conscience du regard de Gavin, fixé sur moi et non sur Eleanor. Un regard chargé de défi et d'attente dans un visage soudain glacé. Je n'eus pas le temps de m'interroger sur ce qu'il attendait de moi : Eleanor occupait le centre de la scène.

– Vous ne pouvez faire cela, grand-père! Je ne resterai pas avec Gavin. Je le hais! C'est à moi que vous devriez penser, pas à Amanda! C'est mon avenir que vous devez assurer.

Juan la regarda. Son expression était hautaine et implacable.

– Ton avenir sera toujours assuré – modestement. Mais si tu quittes Gavin, tout ira à Amanda.

Elle se jeta contre lui, lui martelant la poitrine de ses poings. Un instant, il chancela sous le choc. Puis il reprit son équilibre, la serra contre lui et, immobilisant ses mains, la berça jusqu'à ce qu'elle se calme. La violence de cette scène m'avait paralysée. Devant un tel spectacle, les mots auraient été vains. Immobile et muette, j'attendais la suite.

– Vous n'avez peut-être plus longtemps à vivre, gémit Eleanor en se cramponnant à lui avec un désespoir d'enfant auquel je ne parvenais pas à croire. Et quand vous serez parti, que me restera-t-il? Seulement ce que vous m'aurez laissé.

Il lui répondit en espagnol d'une voix douce mais, malgré l'intonation caressante de ses paroles, j'étais certaine qu'il ne lui promettait rien. Gavin passa devant elle, le visage fermé, et se dirigea vers moi. Il n'avait plus rien de gentil à présent.

– Pourquoi ne faites-vous pas cesser cela? Vous vous prétendiez être la seule à ne rien vouloir de lui. Mais vous préférez rester à l'écart sans vous mêler de rien, en pensant qu'ainsi tout finira par vous revenir, n'est-ce pas? Le magasin, l'argent, tout ce que représente CORDOVA.

J'étais indignée et aussi, sans pourtant vouloir l'admettre, profondément blessée. Pas un instant, je n'avais songé à être utilisée de cette façon par mon grand-père : Gavin se montrait terriblement injuste. Mais je n'allais pas me laisser détourner de mon but véritable à cause de ses propos ou des sombres machinations de Juan Cordova.

– Allez-vous-en, Amanda! dit Gavin avec une fureur contenue. Quittez Santa Fe!

Avec une satisfaction amère, je me rappelai m'être un jour demandé si la colère ne le rendrait pas plus humain. Celle qu'il manifestait à présent était glacée, elle le rendait plus inhumain encore.

Toutefois, je lui tins tête :

– Si j'avais su qu'on devait se servir de moi, je ne serais jamais venue ici. Mais maintenant que j'y suis, je n'accepterai pas qu'on me chasse.

Mes paroles tombèrent dans un silence soudain. Pendant un moment personne ne parla et l'on aurait pu se croire dans une chapelle. Dans son cadre doré, Doña Emanuella semblait nous observer d'un œil ironique. Puis, Gavin se dirigea vers la sortie après m'avoir jeté un regard furieux. Quand il eut disparu, Juan se détacha d'Eleanor et marcha rapidement vers moi, sa canne frappant les dalles. L'émotion lui avait rendu toutes ses forces.

– Bien sûr que tu ne partiras pas, Amanda. Tu es la seule en qui j'ai confiance. Je n'ai guère de temps à vivre et tu dois rester avec moi.

Il m'était impossible de lui répondre avec chaleur. Ce qu'il avait fait était impardonnable.

– Je vous ai dit pourquoi je voulais rester. Je ne partirai pas avant d'avoir découvert la vérité sur ma mère. J'ai l'impression que ma mémoire se réveille et, pour l'instant, c'est tout ce que je demande.

Il m'étudia pendant un long moment et hocha gravement la tête. Puis, il passa devant moi et sortit. Beaucoup de choses restaient à dire mais le moment était mal choisi.

Eleanor arriva en courant du fond de la galerie mais ne suivit pas tout de suite Juan Cordova. Elle s'arrêta à ma hauteur et contempla le tableau suspendu derrière moi.

– Celle-là ne me ressemble pas, dit-elle. C'est tout à fait vous... et votre mère. C'est de l'autre que je descends. De la sauvage, de la folle. Vous feriez bien de vous en souvenir.

Elle sortit à son tour, et le silence se fit. La galerie illuminée était calme à présent, mais le climat de respect, de vénération que Juan Cordova cultivait avec amour s'était dissipé, et l'air vibrait encore de toutes les émotions qui avaient accompagné le passage d'Eleanor. La violence déchaînée ici ce soir ne se laisserait pas facilement dompter. Elle nous avait tous effleurés de son aile, et j'en demeurais encore ébranlée et inquiète.

J'avais oublié Clarita quand celle-ci se dirigea vers moi, calme et hautaine.

– Elle a recommencé, fit-elle. Je l'attendais, et je l'ai entendue.

– Qu'est-ce qui a recommencé ?

Ses yeux semblaient curieusement fixes.

– La marche de la mort. Si vous écoutez bien, vous entendrez des pas. Ce sont ceux d'Inès qui vient vers nous du fond des siècles. Je les ai déjà entendus.

Elle se rapprocha.

– Je les ai entendus sur la colline, quand votre mère est morte. Prenez garde, Amanda.

Elle était un peu folle, elle aussi – comme tous les autres. Je reculai vivement.

– Rentrez à la maison. Rentrez vite. Je fermerai le pavillon.

Je n'avais aucune envie de m'attarder en sa compagnie et sortis dans la nuit fraîche. Le ciel était tout brillant d'étoiles. Devant moi, j'apercevais la maison et ses lumières. Je hâtai le pas. Par une telle nuit, mieux valait éviter les ombres et regagner au plus vite la chaleur des murs, la chaude ambiance des lampes allumées.

Quand j'entrai, la salle de séjour était vide. Seule la voix d'Eleanor me parvenait du bureau de mon grand-père. Ce qu'ils pouvaient se raconter me laissait indifférente. Les plans de mon grand-père ne me concernaient pas et, quoi qu'en dît Gavin, je les jugeais inacceptables. En me rappelant ses accusations, je sentis la même tristesse m'envahir et refusai, cette fois encore, de m'y laisser aller. Cette fois, il ne me prendrait plus au piège. Il était aisé de le haïr, mais plus encore de l'aimer. De l'aimer ? Cette pensée me rendit furieuse contre moi-même et je l'écartai aussitôt. Je n'étais pas une femmelette.

Une fois dans ma chambre, j'allumai la lampe près du fauteuil fatigué, pris le livre de Paul Stewart et m'installai pour lire. Il me tardait de connaître l'histoire d'Emanuella. Et de Doña Inès.

12

Emanuella était présentée comme un « roman historique », de sorte qu'on ne pouvait distinguer la réalité de la fiction. Toutefois, je me plongeai avidement dans ce récit, sans pouvoir m'empêcher parfois de m'imaginer que j'étais en train de lire l'histoire de ma mère.

Paul Stewart avait habilement reconstitué le décor et les personnages. Emanuella était une créature de feu, terriblement vivante et pourtant féminine. Chacun paraissait l'adorer et elle vivait de cette adoration. Quelle était la part de la vérité dans ce portrait et l'image que Paul se faisait de Doroteo ? Je l'ignorais.

Pourtant, au fil du récit, une exquise perversité se faisait jour. « Exquise » parce que vivante, séduisante, spectaculaire. On devinait que l'auteur, amoureux peut-être d'Emanuella-Doroteo, la voyait en démon provocant. Ma mère était-elle ainsi ? Je ne pouvais le croire. Je compris pourquoi le livre avait irrité Juan et pourquoi il refusait que Paul attaquât de nouveau ce sujet.

Je poursuivis ma lecture en essayant de chasser l'image de ma mère. Le récit offrait une vision colorée de la cour de Philippe d'Espagne, avec une atmosphère de mystère et d'horreur quand Inès entrait en scène.

Une fantaisie du roi Philippe l'avait poussé à faire venir de l'étranger tous les nains et les naines qu'on pouvait trouver pour sa distraction. C'étaient souvent des jongleurs, des acrobates et des bouffons – une compagnie amusante et bigarrée. Le jeune Vélasquez, nouveau venu à la cour et patronné par le roi, avait trouvé en eux d'intéressants sujets pour ses premières œuvres. L'une des naines, toutefois, n'appartenait pas à la troupe : Doña Inès, cousine d'une dame de la cour, fille d'un noble gentil-homme, crainte mais respectée, dame d'honneur de l'infante Maria-Teresa, qui l'aimait et en avait fait sa compagne de jeux et sa confidente. En fait, elle remplissait plutôt le rôle de gouvernante. En dépit de sa taille, c'était une femme pleine de dignité et qui savait se faire obéir. Paul, toutefois, laissait entendre qu'elle était méchante, et je frissonnais en lisant la description de l'attachement passionné et jaloux qu'elle portait à sa cousine qui représentait tout ce qu'elle n'était pas.

L'heure avançait, mais je poursuivis ma lecture. Le silence enveloppait la maison. De mon fauteuil, j'apercevais les lumières de Los Alamos et, de l'autre côté, la chaîne des Sangre de Cristo, baignée par la lueur stellaire. La ville dormait pendant que je veillais. Posant mon livre, j'allai à la fenêtre et regardai en direction de la maison des Stewart. Elle était éclairée, et on entendait un faible bruit de voix. Paul Stewart et Sylvia n'étaient pas encore couchés. La voix de la femme me parvenait dans le silence, inquiète, comme implorante.

Je retournai à ma lecture. Emanuella avait épousé un noble gentilhomme de Madrid, et ses enfants étaient beaux et pleins de santé. Pourtant, elle paraissait inquiète, insatisfaite. L'adoration de son mari ne lui suffisait plus. Quand un jeune homme, nouveau venu à la cour de Philippe, commença à lui témoigner un intérêt non dissimulé, elle répondit à ses avances. Il était beau, riche et amateur de jolies femmes. Emanuella en tomba amoureuse, et Inès, toujours aux aguets, devina l'issue prochaine. Sa cousine bien-aimée risquait fort de compromettre son mariage, faire le malheur de ses enfants qu'Inès adorait, et d'un mari qui ne vivait que pour elle. Elle essaya de détourner Emanuella du jeune don Juan, mais sans succès.

Tout au long du récit, Paul soulignait le tempérament fougueux, sauvage des deux cousines. Une tare héréditaire, peut-être exploitée pour les besoins de la cause. Emanuella était extrêmement émotive et facilement coléreuse. Assez curieusement, Inès montrait plus de dignité et de maîtrise d'elle-même. Elle s'emportait rarement, mais alors ses colères effrayaient beaucoup plus son entourage que celles d'Emanuella.

Face à la menace, Doña Inès n'hésita pas. Profitant du sommeil de l'un des gardes du palais, elle lui subtilisa son poignard. Ses mains, bien que petites, avaient de la force, et elle savait manier une arme. Elle se glissa dans la chambre du jeune homme et le poignarda dans son lit. C'est alors qu'elle perdit son sang-froid et se mit à crier.

Un serviteur se précipita dans la chambre et la trouva près du lit, hurlante et couverte de sang... elle avait perdu la raison. Vélasquez fit son portrait alors qu'elle se trouvait en prison. Elle avait retrouvé sa sérénité, sans doute parce qu'elle ne savait plus qui elle était, ni ce qu'elle avait fait. Ce qui expliquait le calme de ce visage aplati alors que l'expression des yeux était celle d'une folle.

Je restai un moment, le livre ouvert sur les genoux, hantée par cet effrayant récit que Paul avait si habilement rendu. Il me touchait de trop près. J'avais voulu en apprendre davantage sur mon caractère et mes origines, mais je me refusai à croire que ma mère ressemblât à Emanuella ou que le sang d'Inès coulât encore dans les veines des Cordova – comme mon grand-père voulait le croire. Si l'on remontait assez loin, on trouvait de tout dans chaque famille : la folie comme le bon sens, le bien comme le mal. La tragédie racontée par Paul Stewart ne me concernait pas.

Pourtant, une image se formait malgré moi dans mon esprit, celle de Doroteo, armée d'un fusil, allant retrouver Kirk Landers. Si elle avait survécu, serait-elle devenue folle, comme Inès?

Je refermai brusquement le livre et le bruit me surprit dans le silence de la chambre. Cette histoire exerçait sur moi une influence néfaste. Devais-je croire après tout qu'un crime avait été commis quelques années auparavant? En tout cas, je me refusais à admettre la culpabilité de la « meurtrière », ainsi que les autres l'appelaient.

Soudain, tel un éclair, un détail m'apparut, qui prouvait nettement l'innocence de Doroteo : une femme qui sortait, un fusil à la main, décidée à commettre un meurtre, n'emmenait pas son enfant avec elle. Tous mes doutes s'évanouirent d'un coup. Comme la réponse était claire et simple! Mon chemin à présent était tout tracé.

Quelqu'un savait la vérité. Il me fallait trouver cette personne, l'obliger à parler. Que le châtiment frappe ou non le vrai coupable après tant d'années, je ne m'en souciais guère. Mais j'étais la fille de Doroteo et je devais la justifier aux yeux de ma famille.

Le livre de Paul ne pouvait plus rien m'apprendre. Je pris mon carnet de croquis et un crayon et laissai parler mon imagination. Je dessinai l'arbre encore une fois, non plus celui de mon rêve, mais l'arbre réel que j'avais vu l'après-midi même. Les branches n'étaient plus tourmentées ni monstrueuses mais simplement très vieilles. Les feuilles poussiéreuses et desséchées par le brûlant soleil ne ressemblaient plus à ces doigts crochus et menaçants. Je retrouvai mon assurance au fur et à mesure que le croquis prenait forme et, lorsqu'il fut terminé, je n'eus plus devant les yeux l'incarnation du mal mais seulement un arbre tordu par l'âge. Mon dessin m'apaisa à tel point que je commençai à sentir le sommeil me gagner. Je n'allais pas tarder à me coucher mais, avant, je voulais comparer ma nouvelle esquisse à celle exécutée dans la clairière.

Aussitôt, je compris que c'était une erreur. Un frisson d'épouvante me parcourut. Mes paupières s'alourdirent, le croquis se mit à danser devant mes yeux et les lumières parurent palpiter dans la pièce. Je me débattais dans un rêve empli de brouillard, cherchant une réponse, essayant de voir avec mes yeux d'enfant, de retrouver ce terrible passé que l'arbre incarnait. Des images floues s'agitaient devant mes yeux et, à travers un brouillard, je distinguai trois silhouettes.

Le brouillard se mit à tourbillonner en volutes épaisses, puis des éclairs zigzaguèrent – et je revins brusquement à la réalité. La chambre était calme, silencieuse. Le dessin reposait sur mes genoux devant moi, simple esquisse inoffensive.

Pourtant, je m'étais souvenue de quelque chose. Trois. J'avais vu trois silhouettes. Mais pouvais-je me fier à ce rêve? Je l'ignorais mais j'éprouvais soudain la conviction que j'étais sur la bonne voie. J'avais vu ma mère et Kirk, mais aussi une troisième personne. Peut-être était-ce elle qui avait tiré. Elle qui était arrivée sans être vue et repartie de même. Clarita avait menti.

Il m'était impossible de supporter cette vision davantage. Je devais faire le vide dans mon esprit, penser à autre chose, à n'importe quoi. J'ajoutai distraitement quelques ombres au feuillage puis, tournant la page, laissai courir mon crayon sur le papier. J'avais à peine pris conscience de ce que je dessinais quand le visage de Gavin commença à apparaître sur la feuille. Je m'arrêtai aussitôt mais je ne pus stopper le flot de pensées insidieuses qui m'envahissaient. Ce visage était celui qu'il m'avait montré cet après-midi même, assis près de moi sur le banc, quand il me tenait tendrement la main comme il l'avait fait quand j'étais petite. C'était un visage menteur. Il défendrait Eleanor contre mon grand-père et il m'exclurait, me condamnerait sous prétexte d'intentions qui n'étaient pas les miennes. Je barrai mon esquisse à gros traits et refermai le carnet.

Je me déshabillai et fis ma toilette de nuit. Je me sentais vidée de toute émotion. Mes pensées étaient confuses et je ne savais plus quelle décision prendre pour le lendemain. Je n'avais personne vers qui me tourner, à qui demander conseil. Si je parlais de mon rêve, j'aurais tout le monde contre moi. Même Sylvia. Paul seul prêterait une oreille attentive à mes révélations. Il en utiliserait chaque miette mais ne me donnerait aucun conseil. Peut-être même me pousserait-il dans une fausse direction. Que devais-je faire ?

J'éteignis la lumière et me glissai dans les draps. L'air de la montagne était frais et les nuits de Santa Fe propices au sommeil. Mais je n'arrivais pas à dormir. J'épiais les bruits de la maison. Je n'entendais aucun craquement comme il arrive souvent dans les anciennes maisons en bois, mais plutôt une sorte de murmure étouffé comme si on bougeait à l'extérieur. Les chambres du bas avaient été ajoutées au fil des années au bâtiment principal, et seules la mienne et celle de mon grand-père étaient isolées des autres.

Un instant, je crus percevoir un bruit de pas dans l'étroit escalier qui conduisait à ma chambre. Dressée sur un coude, j'écoutai, l'oreille tendue dans l'obscurité. Mais je n'entendis plus rien. Ou les marches avaient craqué d'elles-mêmes à cause du changement de température ou la personne qui montait s'était assise sur l'escalier, attendant patiemment que je m'endorme. Ou encore que, poussée par la curiosité, je me lève et aille ouvrir. Que se passerait-il alors?

Une telle incertitude m'était insupportable. Après un moment je me levai et, allant à la porte, l'ouvris sans bruit. Du haut de l'escalier, je plongeais dans la pièce qui prolongeait la salle de séjour. Le clair de lune entrant par les fenêtres effleurait les taches vives des nattes indiennes sur le parquet, laissant les meubles dans une obscurité complète. Il éclairait également les escaliers. Personne ne s'y trouvait. Soudain, je perçus un mouvement.

Une ombre bougeait dans la pièce du rez-de-chaussée. Elle avançait lentement, avec la plus grande précaution. Le haut de l'escalier était noyé dans l'obscurité et la silhouette furtive ne parut pas s'apercevoir de ma présence. Je n'éprouvais pas la moindre envie de bouger, de demander qui c'était. J'étais dévorée de curiosité. Il fallait que je sache.

Un nuage vint cacher la lune et tout retomba dans l'obscurité. Je ne perçus plus qu'un léger glissement, comme si quelque chose ou quelqu'un traversait la pièce. Puis j'entendis gémir une porte et compris que le visiteur nocturne cherchait le patio.

Je revins rapidement dans ma chambre et courus à l'une des fenêtres. Grimpée dans l'embrasure profonde, je donnais directement sur le patio. La lune était toujours cachée mais à la lueur des étoiles et de l'unique lampe, je pus tout juste distinguer la silhouette qui, à présent, descendait le sentier conduisant à la petite construction pointue, à l'extrémité du jardin. Les lumières étaient éteintes chez les Stewart. Ils ne verraient donc rien. Mais si l'on touchait à la serrure, le signal d'alarme se déclencherait. A moins que la personne qui se dirigeait à présent vers la précieuse collection de Juan Cordova possédât une clé. Elle était partie de la maison, ce qui renforçait ma déduction.

Je devais donner l'alerte. Qui sait s'il ne s'agissait pas encore d'un mauvais coup qu'on préparait à Gavin, comme celui de la tête de pierre. Il fallait démasquer le voleur. Une fois entré dans la maisonnette, il serait pris au piège.

J'enfilai une robe de chambre et descendis l'escalier pieds nus pour ne pas faire de bruit. La porte qui conduisait aux chambres était ouverte et une petite lampe brûlait sur une table, éclairant le long couloir et ses rangées de portes closes.

Le temps pressait. La chambre de Clarita était la plus proche et je tournai doucement la poignée. Je ne voulais pas risquer d'ameuter toute la maison et alerter ainsi notre voleur, si c'en était un. Je poussai le panneau et mes yeux plongèrent dans l'obscurité. La petite lampe du couloir n'éclairait pas suffisamment. Je parvenais à peine à distinguer les contours du lit, au fond de la pièce. Toutefois, je ne perçus aucun bruit de respiration.

Rassemblant mon courage, je traversai la chambre en courant. Clarita n'était pas dans son lit. C'était donc elle qu'il me fallait suivre. Pour cela, je n'avais besoin de l'aide de personne.

J'abandonnai le couloir et ses habitants et, traversant la salle de séjour, sortis par la porte donnant sur le patio. Celui-ci était toujours plongé dans l'ombre sous la lune voilée. Le lampadaire était éteint. Rien ne bougeait, la petite allée était déserte et les environs de la maisonnette semblaient tranquilles. Quelqu'un pourtant était venu là. Peu à peu, l'inquiétude me gagnait. Ce silence même cachait une menace...

Je commençai à descendre l'allée, sentant sous mes pieds le froid de la brique. Soudain, je perçus derrière moi un léger déplacement d'air, semblable à une brise nocturne. Je n'eus pas le temps de me retourner pour m'en assurer ou me défendre. Un coup violent m'atteignit entre les deux épaules, auquel d'autres succédèrent, sans relâche. Je chancelai et tombai sur les genoux, à demi étourdie par le choc et la douleur, essayant vainement d'échapper au fouet qui me lacérait. Mon hurlement déchira la nuit.

Les coups cessèrent aussi brusquement qu'ils avaient commencé et je perçus une exclamation au bout de l'allée, suivie d'un bruit de chute. Je restai à genoux, la tête vague, ne ressentant qu'une douleur cuisante. Des lumières s'étaient allumées dans la maison. J'eus l'impression qu'une éternité s'était écoulée avant que Gavin apparût en courant dans l'allée. Il s'arrêta près de moi et je lui fis signe de continuer.

– Plus loin, en bas. Quelqu'un est tombé!

Il disparut en trombe et j'entendis Juan qui gémissait d'une voix étranglée :

– Le fouet! C'était la *disciplina!*

Je réussis à me redresser et m'approchai de l'endroit où Gavin se tenait agenouillé, près de mon grand-père. J'avais à peine fait trois pas quand j'aperçus un objet par terre, la *disciplina*, ses trois lanières de cuir mollement étalées sur les dalles.

Eleanor arrivait en courant. Elle se jeta sur le vieil homme avec des cris de désespoir. Où était donc Clarita? Je l'aperçus enfin, sa haute silhouette découpée à contre-jour sur le seuil. Elle attendit, immobile, muette, pendant qu'Eleanor et Gavin aidaient son père à marcher jusqu'à la maison. Puis sa voix me parvint, claire et distincte, dénuée d'émotion :

– Va téléphoner au médecin, Eleanor.

Gavin et Eleanor passèrent devant moi, soutenant Juan qui chancelait. Je m'aperçus qu'il était habillé et portait une lourde veste de cuir. Peut-être lui avait-elle épargné ce que j'avais souffert. Clarita les laissa entrer et se dirigea vers moi. Je devançai ses questions.

– Je suis allée dans votre chambre, tout à l'heure. Votre lit était vide.

Elle ne daigna pas me répondre.

– Etes-vous blessée?

– Légèrement.

– Alors, rentrez, m'ordonna-t-elle et, me tournant le dos, elle se dirigea vers la maison.

J'essayai maladroitement d'effleurer mes épaules douloureuses. Comme j'emboîtais le pas à Clarita, une voix sortit de l'ombre, derrière moi. La voix de Paul.

– Puis-je faire quelque chose, Amanda? Qu'est-il arrivé?

Avec répugnance, je me baissai et ramassai la *disciplina* à mes pieds. Les cruelles lanières qui m'avaient frappée un instant plus tôt reposaient, inertes, dans ma main.

– Ceci vous appartient, dis-je avec défi.

Il s'avança et prit le fouet d'un air surpris.

– C'est exact. Un autre vol s'est produit aujourd'hui au magasin. Ma collection de Pénitents a été dévalisée. On a emporté ce fouet ainsi que Doña Sebastiana. Mais comment est-il arrivé ici?

– C'est ce que j'aimerais savoir. Quelqu'un s'en est servi pour nous frapper, mon grand-père et moi, si fort qu'il s'est écroulé dans le sentier. Quelle cruauté inimaginable!

Sylvia arriva en courant, un manteau jeté sur sa chemise de nuit.

– Paul... que se passe-t-il ? J'ai entendu des voix... quelqu'un qui criait.

– Rentre te coucher, Sylvia. Je te rejoins dans un instant.

Il caressait doucement les lanières du fouet et, quand la lune émergea des nuages, je vis que ses yeux étaient fixés sur moi, brillants de curiosité. Sous cette lueur fantasmagorique, il ne lui manquait plus que des sabots et des cornes pour évoquer le diable.

– Qui a fait cela, Amanda ? Avez-vous une idée ?

– Aucune, fis-je d'un ton morne.

J'étais décidée à ne rien lui dire de l'absence de Clarita, ni des bruits que j'avais surpris dans la salle de séjour. Je n'avais d'ailleurs aucune envie de lui parler. Je pris le chemin de la maison sans qu'il fît un geste pour m'arrêter et ne me retournai pas avant d'avoir atteint la porte. Je regardai alors autour de moi : Paul et Sylvia avaient disparu, et le fouet avec eux.

Dans la salle de séjour, Juan Cordova était étendu sur le divan de cuir. Clarita essayait de lui faire boire un peu de vin. Eleanor se tenait près d'eux, les yeux brillants d'excitation plus que d'inquiétude. Elle m'aperçut et m'adressa un sourire plein de malice.

– Que s'est-il passé, Amanda ? Avez-vous été fouettée vous aussi ? Vous voyez ce qui risque de vous arriver si vous ne quittez pas Santa Fe ?

Gavin, qui était agenouillé près de Juan et lui parlait doucement, leva les yeux vers Eleanor.

– Es-tu mêlée à cette histoire ?

– Moi ? fit-elle avec une stupéfaction feinte. Crois-tu que je toucherais à un seul cheveu de grand-père ?

Le vieil homme se redressa, repoussant le verre de Clarita.

– Ce n'était pas Eleanor. Elle n'a rien à voir là-dedans. Amanda, tu as été attaquée la première. As-tu vu ton agresseur? Je venais de sortir du couloir secret qui conduit à ma chambre quand je t'ai entendue crier. C'est alors qu'on m'a attaqué. Mais il faisait trop sombre. Je n'ai rien vu.

– Moi non plus, dis-je en m'approchant du divan. J'ai entendu un bruit mais je n'ai pas eu le temps de me retourner. Au premier coup de fouet, je suis tombée sur les genoux et je ne me souviens plus très bien de la suite. Je crois que quelqu'un est passé devant moi en courant, mais j'étais encore étourdie.

Il soupira et ferma les yeux.

– Celui qui s'est servi de ce fouet, homme ou femme, était vigoureux. J'ai des ennemis, beaucoup d'ennemis.

– Allez-vous appeler la police? demandai-je.

Gavin excepté, tous me regardèrent comme si j'avais proféré une obscénité.

– Il n'y aura pas de police, fit durement Juan Cordova et Clarita acquiesça sombrement de la tête.

Eleanor éclata de rire.

– Nous ne faisons jamais appel à la police, chère Amanda. Nous avons trop de choses à nous reprocher dans la famille. Qui sait ce qu'un policier pourrait découvrir?

– Ça n'est pas la raison, répliqua froidement Juan. Les journaux s'intéresseraient trop à un scandale Cordova. Cela nuirait au magasin. De toute façon, que pourrait faire la police? Le coupable s'est enfui. Nous réglerons cette affaire nous-mêmes.

Mon regard rencontra celui de Clarita et elle me fixa hardiment, dédaigneusement, comme si elle faisait fi de mes soupçons. Où se trouvait-elle quelques instants plus tôt et pourquoi Juan Cordova était-il sorti? J'hésitais devant de telles questions mais Gavin ne s'embarrassa pas de scrupules.

– Pourquoi vous trouviez-vous dans le patio, à cette heure de la nuit? demanda-t-il à Juan.

Le vieil homme ne se fit pas prier pour répondre.

– Je n'arrivais pas à dormir. Comme je regardais par la fenêtre, j'ai aperçu quelqu'un en bas. Il y avait déjà eu des vols et je craignais pour ma collection. Quand je suis arrivé dehors, quelqu'un avait éteint le lampadaire de l'entrée. J'étais en train de descendre l'allée quand j'ai entendu Amanda crier.

Il s'arrêta et rassembla sa dignité. Il refusait d'apparaître comme un vieillard, faible et à demi aveugle.

– Je serais venu à son aide. *Naturalmente*. Mais c'est alors qu'on m'a frappé moi aussi.

Eleanor, la voix rauque, posa alors une question surprenante :

– Vous savez fort bien qui s'est servi de ce fouet, n'est-ce pas, grand-père?

Le vieil homme laissa échapper une exclamation étouffée et Clarita se précipita.

– Laisse-le tranquille, Eleanor. Tes taquineries sont déplacées en ce moment.

La sonnette de la porte retentit et Gavin alla ouvrir. C'était le médecin. Clarita se redressa pour l'accueillir et, passant devant moi avec une dignité tranquille, me lança dans un murmure : « *Cuidado* ».

Elle débarrassa le médecin de son manteau et l'invita à entrer. Le Dr Morrisby était un petit homme grisonnant d'une cinquantaine d'années. Il s'approcha de Juan en hochant la tête et l'admonesta gentiment.

– Encore des ennuis! Ne pouvez-vous pas garder mon patient au calme, Clarita?

Personne ne lui répondit. Gavin expliqua de façon succincte qu'un voleur s'était introduit dans la maison. Quand le médecin se fut assuré que Juan, protégé par sa veste, n'avait subi aucune blessure sérieuse, Gavin lui demanda de m'examiner.

Je l'accompagnai jusqu'à ma chambre et fis glisser ma robe de chambre sur mes épaules.

– Sale histoire, dit-il. On dirait que les Cordova ont une prédilection pour la violence. Je soignais votre mère peu avant sa mort.

Ma robe de chambre, en tissu léger, ne m'avait guère protégée. De longues éraflures sillonnaient mes épaules et la partie supérieure de mon dos. Mais ses paroles me firent oublier mes blessures.

– Croyez-vous vraiment qu'elle se soit suicidée? demandai-je à brûle-pourpoint.

Il remonta doucement ma robe de chambre sur mes épaules et se détourna pour écrire une ordonnance. Il dut d'abord chausser ses lunettes, puis les ôter – autant de manœuvres destinées, soupçonnai-je, à retarder l'échéance – avant qu'il se décidât à me répondre. Sa voix était douce, songeuse.

– Je soignais Doro depuis son plus jeune âge. C'était un être doué pour le bonheur. Quand elle aimait, c'était de tout son cœur et ses désespoirs étaient à la mesure de ses amours. Mais je doute qu'elle ait jamais connu la haine et elle finissait toujours par surmonter ses chagrins. Je crois qu'elle aimait votre père de façon beaucoup plus adulte qu'elle n'a jamais aimé ce garçon qui est mort, et qu'elle a été heureuse avec lui. J'ai eu du mal à comprendre son geste et à croire à son suicide.

Je le remerciai chaleureusement et lus de la compassion dans ses yeux.

– Je vais remettre l'ordonnance à Clarita pour

216

qu'elle envoie chercher les médicaments, me dit-il avant de s'en aller.

Restée seule, je m'assis sur le lit, méditant les dernières paroles du médecin et l'avertissement chuchoté par Clarita : *Cuidado*! Contrairement à Juan, je ne pensais pas que l'attaque fût dirigée contre lui. C'était moi qu'on voulait effrayer. Les coups l'avaient soi-disant empêché d'identifier mon agresseur. Mais Eleanor, qui lisait dans son grand-père avec un œil froid et lucide, était certaine du contraire.

Quelqu'un avait monté les marches de mon escalier. Les bruits étaient calculés, c'était l'appât destiné à éveiller ma curiosité et à m'attirer dans le patio. Ce ne pouvait être Juan : s'il voulait sortir sans être vu, il avait le moyen de passer directement de son couloir particulier au patio.

Quelqu'un avait peur. Quelqu'un voulait me faire quitter Santa Fe avant que mes souvenirs se précisent. S'agissait-il de ce mystérieux numéro trois surgi dans les brumes de ma mémoire et qui refusait de se faire connaître? Qu'avait dit Clarita, quelques heures plus tôt, au sujet de cette marche funèbre? Mais Clarita avait tendance à jouer l'oiseau de malheur.

De toute façon, je ne gagnerais rien à m'interroger plus longtemps sur cette énigme. J'ôtai ma robe de chambre et me glissai avec précaution dans le lit. Des questions tourbillonnaient dans ma tête.

Gavin était redevenu gentil, il s'était inquiété de mes blessures. Mais cette gentillesse était impersonnelle, il l'aurait témoignée à n'importe qui dans mon cas. Elle ne signifiait pas qu'il avait modifié son opinion à mon égard ou qu'il était prêt à retirer les dures paroles qu'il m'avait lancées quelques heures plus tôt.

Des larmes coulaient sur mes joues, que je refoulais avec rage. Je m'aperçus que je claquais des dents, réaction normale après le choc que je venais de subir. Je revis le fouet qui s'abattait sur mes épaules, méchamment, comme si on voulait m'avertir. Que risquait-il de m'arriver si je ne quittais pas Santa Fe ?

J'étais tellement seule. Je n'avais personne vers qui me tourner. Le fétiche avait été le premier avertissement. Le second était pire. Et je devais me taire de crainte d'effrayer mon agresseur et de le pousser à un geste plus dangereux encore. Mon agresseur ? Il ou elle ? Clarita ? Eleanor ? Elle n'avait que dix ans à la mort de ma mère.

J'essayai de penser à la main de Gavin, réconfortante sur la mienne. Je pouvais encore sentir ses doigts emprisonnant les miens et c'était tout ce que je désirais. Peu m'importait qu'il aimât Eleanor, s'il acceptait de m'offrir quelque temps son amitié.

Le sommeil me surprit tandis que je m'accrochais à ce souvenir, et aussitôt je refis le rêve de l'arbre. Mais cette fois, je fus assez forte pour me redresser et repousser le cauchemar. Quand je me rendormis, épuisée et les membres douloureux, ce fut d'un sommeil sans rêves qui dura jusqu'au lendemain matin.

Je sortis du lit, le dos et les épaules encore raides. Dans la glace de la salle de bains, je m'aperçus que les sillons laissés par le fouet avaient pâli. Si je restais, j'aurais encore suffisamment de force pour affronter une nouvelle agression, me dis-je avec amertume. *Si* je restais. Le risque en valait-il la peine ? Ce matin, Doroteo Cordova Austin n'était plus qu'une étrangère bien lointaine. Et moi, sa fille, je me sentais effrayée et terriblement incertaine.

Quand je descendis prendre mon petit déjeuner, la salle à manger était vide. Je n'avais pas faim et mangeai à peine. Le café, toutefois, était délicieux et, réchauffée, je commençai à dresser des plans pour la matinée. Je ne voulais pas décider tout de suite de mon départ. Je devais prendre le temps de réfléchir. Quoi qu'il arrivât, je ne voulais pas céder à la panique et supporter le reste de ma vie les conséquences de ma lâcheté. Je me promènerais dans les rues, trouverais une scène qui me plairait et m'attacherais à la reproduire sur toile.

Cette décision me donna du courage. Je quittai la table et pris le chemin de ma chambre, momentanément apaisée. Sous la direction de Clarita, Rosa s'affairait dans la pièce de séjour et remettait de l'ordre dans les petits coussins marron éparpillés sur le divan.

Clarita leva les yeux et, m'apercevant en haut de mon escalier, m'adressa un petit signe de tête indifférent.

– Comment va grand-père aujourd'hui? demandai-je.

– Il est nerveux, dit-elle avec un hochement de tête désapprobateur. Il veut descendre et s'allonger ici pendant un moment. Il désire également vous voir.

Je ne bougeai pas, attendant la suite. Après quelques instants, elle congédia Rosa et vint vers moi.

– Et vous? Avez-vous dormi? Comment vous sentez-vous ce matin?

– Un peu courbatue, fis-je. Quelqu'un sait-il ce qui s'est réellement passé?

– Mon père croit qu'il a des ennemis. Selon lui, quelqu'un a pénétré dans le patio la nuit dernière pendant qu'il y était. Vous vous trouviez sur son chemin.

– Et comment! Mais vous, vous n'étiez pas couchée?

La brutalité de ma question la fit reculer. Elle

tenta de me faire baisser les yeux et, n'y parvenant pas, se remit à arranger les coussins.

– Je savais que mon père n'était pas couché et qu'il s'agitait dans sa chambre, finit-elle par dire, et sa réponse me surprit. J'étais inquiète à son sujet.

J'ignorais si elle disait la vérité ou non. Elle n'était pas sortie tout de suite de la maison, comme Juan et Eleanor.

– Je vais en ville pour peindre. Croyez-vous que mon grand-père ait conservé un vieux chevalet que je pourrais utiliser? Je n'ai pas apporté le mien.

– Il y en a un dans l'office. Je vais vous le chercher.

– Merci. Je vais rassembler mes affaires. Je descendrai ensuite dire bonjour à grand-père.

Elle inclina la tête avec raideur.

– J'ai l'onguent que le Dr Morrisby a prescrit. Je vais vous l'appliquer. Vous n'y arriverez pas toute seule.

Elle insista pour m'accompagner dans ma chambre, me fit allonger et me massa le dos avec compétence. Son geste n'impliquait aucune sympathie. Elle s'acquittait simplement de son devoir envers une invitée.

Après son départ, j'enfilai un pantalon et un chandail et pris mon carnet à dessin. Quand j'arrivai dans la salle de séjour, Juan était déjà étendu, tel un empereur, sur son divan de cuir. Clarita avait disparu. Toutefois, elle n'avait pas oublié le chevalet qui m'attendait à côté de la porte, appuyé contre le mur.

13

Rosa, agenouillée devant la cheminée, préparait un feu de bois de pin. La senteur résinée emplissait la pièce et je reconnus le parfum de mon enfance – celui de Santa Fe, du Nouveau-Mexique, du Sud-Ouest.

Juan Cordova paraissait d'une humeur étrangement douce, eu égard à notre mésaventure de la nuit précédente.

– Comment vous sentez-vous? demandai-je, en attirant un fauteuil près du divan.

Il écarta ma question d'un geste négligent, peut-être à cause de la présence de Rosa.

– Voilà ce qui m'a fait descendre ce matin, Amanda : ce feu de bois. Pas seulement sa chaleur mais son parfum. Il me rappelle toute mon enfance, là-bas, au *rancho*.

– Moi aussi, dis-je. C'est un parfum inoubliable.

– Les odeurs sont propices aux souvenirs. Tu commences à te souvenir de cette pièce?

Hélas, non. Rien ne me rappelait que la petite Amanda ait jamais vécu ici.

Il reprit, sur le ton de la conversation :

– Sais-tu que, jadis, c'était les femmes qui construisaient les cheminées d'adobe dans les maisons? Elles les astiquaient avec des peaux de chamois pour les faire reluire.

Rosa se redressa et, d'un geste rapide, effleura le bord de la corniche. Elle considéra ses doigts maculés en hochant la tête : il y avait toujours de la poussière à Santa Fe.

– Je n'ai plus besoin de toi, lui dit Juan.

Elle nous adressa un petit sourire et sortit en courant vers une autre partie de la maison.

– Je suis trop dur avec eux, grommela Juan. Ils attendent tous que je meure. Peut-être essaient-ils de hâter les choses. Mais je ne m'avoue pas vaincu : je suis toujours en vie. Et toi, Amanda? Je m'inquiète à ton sujet. Tu te trouves mêlée à nos ennuis, bien que tu n'y sois pour rien.

– Je vais très bien. Mais je ne comprends rien de ce qui est arrivé.

Même allongé, il conservait son aspect féroce et intimidant.

– Il n'est pas nécessaire que tu comprennes, Amanda, mais je crois que tu ferais mieux de nous quitter.

– Ce n'est pas ce que vous disiez hier. Je n'ai pas oublié la façon dont vous vous êtes servi de moi contre Eleanor et Gavin. Ils sont furieux à présent et je n'y suis pour rien.

Il se mit à rire doucement et je me dis qu'il s'amusait peut-être de la façon dont il nous avait tous déconcertés. Puis, voyant l'expression de mon visage, il s'arrêta comme un enfant pris en faute. Mais il n'y avait rien d'enfantin chez lui et je ne goûtais guère son jeu. Plus que jamais, j'étais sur mes gardes.

– Il faut que tu partes, Amanda. Tu n'es plus en sécurité ici. Tu es mêlée à quelque chose qui te dépasse.

– Parce que je commence à me souvenir?

Il écarta mon objection d'un geste.

– Nous avons longuement parlé de tout cela. Tes souvenirs n'aideront pas ta mère. J'ai essayé de le croire pendant quelque temps. Mais c'est inutile. J'ai dû accepter la réalité il y a bien longtemps et tu dois l'accepter aussi. De plus, il faut que tu partes. Tu cours un danger en restant ici.

– Mais si mes souvenirs n'ont aucune importance, pourquoi serais-je en danger? Vous vous contredisez.

– Non. Le danger – s'il y en a un – existe dans le présent. Il est lié à ma décision concernant mon testament. Il est lié à... Doña Inès.

– C'est absurde. De qui viendrait-il? D'Eleanor, de Gavin... de Clarita?

Il rougit de colère devant mon impertinence mais ne la releva pas.

– Tu n'entends rien à ces problèmes. J'ai craint un moment de te faire courir un danger mais je ne pensais pas que la réaction serait aussi rapide... et violente. A présent, il faut que tu t'en ailles.

– Vous pensez donc que c'était moi et non vous qui étais visée la nuit dernière?

Il répéta avec obstination.

– Tu dois partir.

Mais je lui résistai avec le même entêtement.

– Pas encore. Vous pouvez me mettre à la porte évidemment, mais j'aimerais rester encore un peu. C'est vous qui m'avez appelée et vous devez me garder. Je crois que je suis sur la bonne voie.

– J'ignorais que c'était une vraie Cordova que j'avais fait venir ici, dit-il avec une douceur inattendue.

Je ne pus m'empêcher de lui sourire et il me tendit la main.

– Voilà qui est mieux. La contrariété ne te sied pas. J'aime à te voir sourire. Tu me rappelles le portrait d'Emanuella.

Il déployait tout son charme mais son regard aigu de faucon démentait la douceur de sa voix. Je commençai à rassembler mes affaires.

– Attends. Si tu ne veux pas partir tout de suite, j'aimerais que tu fasses quelque chose pour moi ce soir.

– Si c'est possible, fis-je, aussitôt sur mes gardes.

– La nuit dernière, pendant que j'essayais de dormir, quelqu'un est entré et s'est approché de mon lit. Quand j'ai allumé la lampe, il n'y avait plus personne.

– C'était peut-être Clarita. Elle s'inquiétait à votre sujet la nuit dernière.

– Clarita s'annonce quand elle vient me voir. Elle sait que je n'accepterais pas d'être surveillé sans que je m'en doute. Et puis, il y a eu cette agression, un peu plus tard, dans le patio, quand j'étais sorti pour aller voir ma collection. On complote contre moi, Amanda. Mais j'ignore le visage de mes ennemis.

Tout cela me paraissait un peu fantaisiste. Personne n'avait la possibilité de l'approcher, excepté les membres de sa famille et parmi eux je ne voyais pas qui aurait songé à lui faire du mal. Il était fort capable d'échafauder des hypothèses imaginaires pour s'attirer ma sympathie.

– Que voulez-vous que je fasse?

– Je ne suis plus capable de conduire. Je dois être accompagné partout. Je ne peux donc agir seul. Tu iras au magasin ce soir.

– Au magasin? répétai-je. Au magasin... la nuit?

Il poursuivit d'une voix calme.

– En plein jour, on te verrait. On saurait ce que tu vas faire. Je veux jouer sur la surprise. Sors sans bruit de la maison. Je demanderai un taxi pour 9 heures. Il t'attendra à l'embranchement du Camino del Monte del Sol. Je vais te donner la clé. Les clés.

Il fouilla dans la poche de sa robe de chambre et me tendit le trousseau que je pris à contrecœur.

– L'une est pour la porte de derrière. Elle sert également à débrancher le signal d'alarme. Monte au premier et va jusqu'à la vitrine des épées de Tolède. La deuxième clé l'ouvrira. Tu trouveras un coffret en bois sculpté. Apporte-le-moi. Et ne dis rien à personne.

Les clés étaient froides dans ma main et leur contact déplaisant. Autant que la perspective de me rendre la nuit dans le magasin désert. Il était suffisamment sinistre en plein jour et, avec l'accident dont je venais d'être victime...

– Tu n'as pas peur d'aller au magasin la nuit, j'espère?

Sa voix me mettait au défi.

– Bien sûr que si. Après ce qui m'est arrivé la nuit dernière, je me méfie des endroits sombres et déserts. Pourquoi ne pas envoyer Gavin?

– Puis-je avoir confiance en Gavin? Ou en ceux qui travaillent contre moi? Avec toi, c'est différent. Je sais que tu n'attends rien de moi. Tu dois me rendre ce service, Amanda. D'ailleurs, il ne fera pas complètement noir dans le magasin. Certains éclairages fonctionnent toute la nuit. Et personne ne saura que tu t'es rendue là-bas.

Comme toujours, sa volonté faisait plier la mienne, m'entraînait. Il n'y avait pas d'affection entre nous, mais peut-être un certain respect.

– Très bien. Je vous obéirai.

Ses lèvres minces esquissèrent un léger sourire. Une fois de plus, il goûtait sa victoire.

– *Gracias, querida, gracias.*

– Qu'est-ce que contient cette boîte?

– Je te le dirai peut-être quand tu me l'auras apportée. Mais c'est la boîte de Pandore : tu ne dois pas l'ouvrir. Promets-le-moi.

– Je vous le promets.

– Bien. A présent, tu peux aller où il te plaît. Je vais rester encore un peu ici pour réchauffer mes vieux os.

– Je vais peindre dans la rue. Clarita m'a trouvé un vieux chevalet. Je déjeunerai d'un sandwich. Aussi ne m'attendez pas.

Il acquiesça distraitement comme si ses pensées l'emportaient déjà loin de moi, dans un univers peuplé de craintes et d'inquiétudes. Mais que craignait-il?

Dehors, le soleil brillait. Je poussai le portillon turquoise et m'engageai sur la petite route poussiéreuse, contemplant les murs d'adobe arrondis et les maisons basses qu'ils abritaient. Les collines se dressaient, toutes proches, dominées par les pics neigeux des Sangre de Cristo. Je me demandai ce qu'on devait éprouver tout là-haut, dans la neige, bien au-dessus des forêts de pins.

Il n'y avait guère de circulation dans ma petite impasse et je découvris, à l'ombre d'un peuplier, un endroit abrité où ma toile serait protégée du soleil. J'y plantai mon chevalet. J'avais apporté plusieurs petites toiles et, après en avoir installé une, j'isolai, en me servant de mes mains comme lunette, le paysage que je voulais dessiner.

Un tronçon de route longé par un mur d'adobe, une barrière ouverte devant une maison basse, un peuplier devant la porte, telle était ma composition qui reflétait parfaitement, à mon avis, ce quartier de Santa Fe. Je pourrais même ajouter une petite colline à l'arrière-plan. Avec ce sentiment d'espoir mêlé d'incertitude qui m'accompagnait souvent quand je commençais un tableau, j'écrasai divers tubes de couleur sur ma palette rectangulaire. Je voulais saisir l'effet du soleil sur l'adobe. Ce ne serait pas tâche facile. Pour rendre le soleil, il ne fallait pas le peindre lui-même mais le suggérer. Je devais donc accentuer le contraste des couleurs et mettre en valeur les centres de lumière par un judicieux usage du blanc. J'aimais l'huile dans ce cas parce que le jour s'y reflétait et donnait à la surface de la toile un effet lumineux, comme si l'on avait mélangé le soleil lui-même aux couleurs.

Après une esquisse rapide au crayon, je me mis au travail et cessai aussitôt de m'intéresser à tout ce qui n'était pas mon paysage. Je réussis à oublier Gavin et jusqu'à cette minute, la nuit précédente, où j'avais senti le fouet s'abattre sur mes épaules. Rien ne comptait plus que le reflet du soleil sur ma toile, et les heures passaient, légères.

Je respirais l'odeur familière de la térébenthine et des couleurs mêlée au parfum de l'adobe chauffé par le soleil et qui rappelait celui des aiguilles de pin. L'air était frais, vivifiant. Toute mon attention et mes sens concentrés, je m'absorbais dans la joie tranquille d'une tâche que je préférais à tout. Peu à peu, mon paysage s'animait. Je me dis qu'il ne serait pas trop mauvais. Je n'étais pas certaine d'avoir rendu les coloris exacts de l'adobe mais l'effet du soleil était là. J'avais eu raison d'employer une touche de vert pour l'ombre des maisons. La terre de Sienne brûlée était parfaite pour l'herbe sèche et le rouge léger pour l'ombre portée du feuillage, au pied d'un peuplier.

J'étais tellement absorbée par mon travail que je sursautai quand j'entendis une voix douce, derrière moi.

Fâchée de ce brusque rappel à la réalité, je pris soudain conscience de ma nuque raide et du poids de ma palette. Je me retournai et aperçus Eleanor. Je l'avais vue écumante et furieuse, la veille, dans la galerie. A présent, elle se tenait devant moi, élancée dans ses jeans et sa blouse blanche, une ceinture de *concho* à médaillons d'argent posée sur ses hanches, aussi souriante que si rien ne s'était passé. Elle ne m'inspirait aucune confiance, mais je décidai de m'accommoder de cette curieuse amabilité et de découvrir ce qu'elle cachait.

– Comment vous sentez-vous, Amanda?

Je remuai les épaules avec précaution.

– Bien, merci.

Elle me dévisagea avec attention.

– Qui s'est servi de ce fouet, à votre avis?

– Je n'ai pas d'idée là-dessus, dis-je. Et vous, le savez-vous?

– Non, mais j'ai peut-être une idée, moi.

– Dans ce cas, vous feriez mieux d'en parler à votre grand-père.

Elle changea brusquement de sujet et se pencha sur ma toile.

– J'aimerais pouvoir peindre, moi aussi.

– Tout le monde peut peindre, fis-je, lui offrant le cliché habituel.

– Eleanor recula de quelques pas pour mieux examiner le tableau.

– Je ne crois pas que cela soit vrai. En tout cas, pas aussi bien que vous. Ou que ces artistes qui ont exécuté les toiles de la collection de Juan.

Je me mis à rire et ajoutai une pointe de jaune à mon mur d'adobe.

– Ne me comparez pas à eux! Je n'ai malheureusement pas leur classe.

– Ne soyez pas aussi modeste! Je ne sais pas peindre mais, grâce à Juan, je suis familiarisée avec les tableaux depuis mon enfance. Je ne pensais pas que vous peigniez aussi bien.

Mon pinceau en l'air, je me retournai, surprise, et la regardai. Ses cheveux blonds étaient noués sur la nuque à l'aide d'un ruban bleu tout déchiré, ses boucles pâles étaient en désordre et son visage, dépouillé de tout maquillage, était innocent et étonnamment jeune. Je ne l'avais jamais vue ainsi et, d'instinct, je fus sur mes gardes. Les Cordova n'étaient que trop convaincants lorsqu'ils décidaient de déposer les armes.

– Puis-je vous regarder peindre? demanda-t-elle et sans attendre ma réponse elle se laissa tomber sur une touffe d'herbe sèche qui bordait la route.

Je me remis au travail, espérant qu'elle s'ennuierait vite et qu'elle partirait. Mais elle paraissait d'humeur causante et, malgré mon manque d'encouragements, amorça une conversation aimable comme si nous étions les meilleures amies du monde.

– Il paraît que vous êtes allée au *rancho*, hier. Gavin vous a-t-il raconté son histoire?

– Un peu.

– Il appartenait au père de Juan, Antonio Cordova, notre arrière-grand-père. C'était un vrai seigneur espagnol. Il disait souvent que l'Espagne était notre mère et que Séville, non Madrid, était la capitale historique des Amériques. C'est de Séville que partirent les explorateurs et les pères missionnaires.

C'était la première fois qu'on évoquait cet aïeul devant moi.

– Vous connaissiez Antonio Cordova?

– Il est mort avant ma naissance. Mais j'en ai toujours entendu parler, surtout par Clarita qui me racontait des anecdotes. Il a été furieux quand son fils a épousé une Anglo-Saxonne – notre grand-mère Katy – et qu'il s'est installé à Santa Fe pour ouvrir un magasin. Selon Clarita, Juan a dû multiplier les efforts pour montrer à son père qu'il pouvait réussir. Dommage qu'Antonio soit mort avant que CORDOVA ait acquis le renom qu'il a aujourd'hui. Vous avez aussi visité le magasin, n'est-ce pas?

– Oui... il est impressionnant.

J'essayai de me concentrer sur ma toile. Le paysage commençait à prendre tournure en dépit de l'interruption d'Eleanor.

– Un jour CORDOVA m'appartiendra, dit-elle, et je sentis une nuance de provocation dans ses paroles, comme si elle me mettait au défi de la contredire. Mais je ne mordis pas à l'hameçon.

– Ce sera une lourde responsabilité. Heureusement que vous avez Gavin pour le diriger et s'occuper des achats.

Elle se releva d'un bond, fit quelques pas puis revint vers moi en secouant ses pieds pour en faire tomber la poussière.

– Ne parlons pas de Gavin.

Je haussai les épaules et continuai à peindre.

Après quelques instants de silence, elle attaqua de nouveau.

– Clarita m'a dit que vous aviez trouvé ce vieux masque turquoise au *rancho*. Vous l'avez rapporté à la maison. Pourquoi?

– Parce qu'il évoque certains souvenirs. Il est lié dans mon esprit à... à ce qui est arrivé.

Eleanor était tout excitée.

– Mais c'est merveilleux! Paul va être passionné. Que vous rappelle-t-il exactement?

– Rien. Sinon que j'avais peur. Sylvia m'a dit que lorsqu'ils étaient enfants, ils jouaient souvent à colin-maillard avec, au *rancho*.

– Oui. Clarita m'a raconté la même chose. Un jour que Kirk portait le masque, il a attrapé Doro et l'a embrassée. Clarita les a vus et elle était encore furieuse en me racontant l'histoire. Elle était amoureuse de Kirk à l'époque et elle souffrait de ce qu'il lui préférât Doro. Cela lui a passé plus tard, évidemment. Il n'était pas l'homme de sa vie.

– Et qui l'était?

– Vous ne le savez pas? demanda-t-elle d'un air sournois.

Je n'étais pas disposée à jouer aux devinettes.

– De toute façon, ma mère est tombée amoureuse de William Austin, lui dis-je.

– Ce n'est pas ainsi que Clarita voit les choses. Elle pense que Doro était toujours amoureuse de Kirk quand celui-ci est revenu, bien des années plus tard.

Je ne répondis rien. Je n'avais aucune envie de discuter de ce sujet avec Eleanor et je me demandais pourquoi elle l'abordait.

– Quand Gavin vous a conduite au *rancho*, êtes-vous passés par Madrid? demanda-t-elle en mettant l'accent sur la première syllabe du nom, à la manière locale.

– Je ne sais pas. Pourquoi?

– Il a peut-être pris l'autre route. Si vous aviez traversé Madrid, vous vous en souviendriez. C'est une ville fantôme à présent, mais autrefois, c'était un centre minier florissant. Les Cordova ont des racines là-bas et l'endroit est pittoresque pour un peintre. Je vous y conduirai un jour, si vous voulez.

– Merci, dis-je.

Je la regardai droit dans les yeux.

– Vous avez changé de sentiment depuis hier? Vous étiez plutôt furieuse contre moi.

– Comme vous êtes méfiante, Amanda!

Ses grands yeux violets me regardaient avec une innocence qui ne me trompa pas.

– Nous sommes cousines, n'est-ce pas? Ne serait-il pas temps que nous fassions connaissance?

– A votre avis, qui s'est servi du fouet la nuit dernière, dans le patio? lui dis-je, lui retournant sa question, avec une brutalité qui la fit ciller.

Elle me fixa un moment sans rien dire.

– Paul dit que plusieurs objets de sa collection ont disparu, poursuivis-je.

– Je sais. Il m'en a parlé. On n'a toujours pas

retrouvé Doña Sebastiana. Mais j'ignore pourquoi on voudrait s'en prendre à grand-père.

– Je ne le crois pas. Je pense que c'est moi qu'on visait. L'agresseur l'a simplement frappé pour pouvoir s'enfuir.

Elle me considéra d'un œil froid, scrutateur, toute trace d'amabilité disparue.

– Alors, j'aurais peur à votre place, Amanda.

– Pourquoi? Parce que j'ai peut-être découvert quelque chose?

– N'est-ce pas le cas?

Je lui parlai alors de mon rêve, des trois silhouettes que j'avais vues se battre – et non des deux comme le prétendait Clarita – le jour où ma mère était allée à la rencontre de Kirk.

Eleanor m'écoutait avec une attention passionnée qui m'effrayait un peu. Pourtant je sentais qu'il fallait que je lui parle de ma découverte. Elle la répandrait, certainement. Elle en parlerait à Paul et, qui sait? à Clarita. Peut-être même irait-elle trouver grand-père. Et alors je serais plus que jamais en danger. Mais c'était le seul moyen de faire sortir de l'ombre ce troisième personnage mystérieux et le forcer à se découvrir.

Après un dernier coup d'œil de pure forme à ma toile, Eleanor me lança un *hasta la vista* négligent et partit en direction de la maison. Bien qu'il fût plus de midi, le soleil me parut soudain moins brillant et l'air un peu plus frais. Je fis quelques pas, remuant mes doigts pour les dégourdir. Puis, assise sur un mur d'adobe, je mangeai mon sandwich. Rentrer à la maison m'aurait distraite de mon travail plus encore que l'interruption d'Eleanor et, dès que j'eus achevé mon déjeuner, je me replongeai dans ma tâche.

Je ne refis surface qu'une seule fois, reprise brusquement par mes pensées. En dépit de mon

232

travail et de la salutaire distraction qu'il m'offrait, je n'arrivais pas à oublier la promesse que j'avais faite à mon grand-père. Ma mission ne me plaisait pas et je regrettais de m'être une fois de plus laissé influencer. Une fois rentrée à la maison, j'irais simplement lui dire que j'avais changé d'avis. Je ne me sentais plus en sécurité derrière ces murs d'adobe, et la commission dont il m'avait chargée ne faisait qu'ajouter à mes craintes.

Ma décision me soulagea et, à la fin de l'après-midi, j'avais presque achevé ce que j'avais commencé. Il me fallait parfois plusieurs jours pour terminer une toile, mais aujourd'hui j'avais travaillé longtemps sans me laisser distraire et mon tableau était bien avancé.

Je grattai ma palette, trempai mes pinceaux dans la térébenthine et les essuyai, ainsi que mes mains, à l'aide de serviettes en papier que j'avais apportées, faute de chiffon.

Ma boîte à dessin ne risquait pas d'abîmer ma toile encore fraîche et, après avoir remballé mon attirail, je rentrai à la maison. Je trouvai Clarita dans la pièce de séjour, tout agitée.

– Père descend dîner ce soir, Amanda. Et nous avons du monde : Sylvia et Paul. Sylvia était ici il y a un moment et mon père les a invités. Mettez donc une jolie robe et soyez à l'heure.

Elle paraissait considérer ce dîner comme une épreuve dont elle se serait volontiers passée. Que signifiaient ces soudaines mondanités? Il n'était guère dans les habitudes de Juan Cordova de descendre à la salle à manger. Mais Clarita se précipitait déjà à la cuisine pour surveiller les préparatifs et je n'eus pas le loisir de l'interroger.

Une fois dans ma chambre, je sortis ma toile et la déposai dans l'embrasure de la fenêtre pour la faire sécher. J'aimais ma route sinueuse bordée de ses murs d'adobe quoique la scène n'eût rien de bucolique. Le soleil et la terre desséchée lui conféraient au contraire une certaine dureté. Ce n'était pas vraiment une vue de Santa Fe mais plutôt un coin d'oasis en plein été dans un village du désert, un paysage hors du temps. On s'attendait à tout moment à voir arriver sur cette route un moine de brun vêtu, venu de Séville sur son âne. Peut-être même l'ajouterais-je au tableau. Je me sentais satisfaite et récompensée. Cette toile était la première de mes scènes mexicaines et d'autres suivraient, j'en étais certaine. Cette terre me touchait et cette émotion était sensible dans ma peinture.

Mon travail m'avait fatiguée et je décidai de m'étendre un moment avant le dîner. Ma chambre était fraîche et sombre en cette fin d'après-midi. Je me dirigeai vers mon lit et j'allais retirer la courtepointe quand je m'arrêtai, interdite. Quelque chose était dissimulé sous les couvertures – quelque chose qui avait vaguement forme humaine.

Un pressentiment m'envahit, la certitude déjà éprouvée, en pénétrant pour la première fois dans cette maison, qu'elle cachait une menace. Je la ressentais au plus profond de mon être sans pourtant que mon esprit y prît part.

Je me forçai à rejeter les couvertures et contemplai la chose répugnante qui me souriait, adossée à l'oreiller. Je me retrouvai brutalement plongée dans l'horreur de la nuit précédente, quand les lanières du fouet s'étaient abattues sur mes épaules. Doña Sebastiana me fixait de ses yeux vides, ses dents de squelette ouvertes sur un sourire horrible, son arc armé d'une flèche pointée en plein sur moi.

Je courus à la porte et appelai Clarita d'une voix aiguë. Elle m'entendit et monta en hâte les escaliers, s'arrêta à côté de moi, les yeux fixés sur le squelette.

– *La Muerte*, dit-elle doucement. Le chariot s'est mis en marche. Les pas approchent. La mort est en marche.

Si je l'écoutais, je risquais de devenir folle moi aussi. Je la saisis par le bras et la secouai brutalement.

– Taisez-vous! Je ne me laisserai pas effrayer par ces mauvaises plaisanteries. C'est encore un tour d'Eleanor, n'est-ce pas? Comme le fétiche?

– Et selon vous, c'était Eleanor qui vous a fouettée la nuit dernière? demanda Clarita d'une voix sifflante. Eleanor qui aurait attaqué son grand-père?

– Juan doit être mis au courant de ceci, dis-je en me dirigeant vers la porte.

Elle m'arrêta aussitôt.

– Non. Il en a assez supporté.

Je l'écartai d'une poussée et me précipitai dans l'escalier. Juan n'était plus dans la grande pièce et, en arrivant sur la loggia, je m'aperçus que son bureau était vide. Je m'approchai de l'une des fenêtres et regardai dans le patio. Il était étendu sur une chaise longue, un coussin sous la tête, se chauffant aux derniers rayons du soleil. Au même moment, j'aperçus Clarita qui sortait et se penchait sur lui d'un air inquiet. Elle était arrivée avant moi et j'ignorais ce qu'elle allait lui raconter. De toute façon, il fallait m'en assurer.

Elle était encore là quand j'arrivai dans le patio. Elle me fit face, les yeux étincelants de fureur. Mais Juan m'avait vue. Je me laissai tomber à genoux près de sa chaise longue. Clarita ne pouvait pas m'empêcher de lui raconter ce que j'avais trouvé dans mon lit. Assailli par mon flot de paroles, il ferma les yeux mais m'entendit jusqu'au bout. Puis, relevant lentement les paupières, il regarda Clarita.

– Laisse-nous, s'il te plaît.

Elle hésita, et je crus un instant qu'elle allait se décider à lui désobéir. Mais l'habitude fait loi. Elle inclina la tête et ses boucles d'oreilles turquoise dansèrent près de ses joues.

Quand elle eut disparu à l'intérieur de la maison, Juan parla.

– Tu dois partir, Amanda, dit-il faiblement. Demain, nous nous arrangerons pour te trouver un avion qui te ramènera à New York. Le risque est trop grand. Je n'aurais jamais dû te faire venir mais j'ai cru par ce moyen dissuader Paul de t'utiliser pour son livre. Ici, nous pouvions te protéger contre lui. Ou plutôt je le pensais.

Il était temps de lui dire. Ce n'était plus un secret d'ailleurs, puisque j'en avais parlé à Eleanor.

– Il y avait trois personnes sur la colline le jour de la mort de ma mère. J'ignore qui était la troisième mais elles étaient trois à se battre.

Sa lassitude parut s'évanouir d'un seul coup et, se redressant sur sa chaise longue, il me saisit le poignet de ses doigts maigres et vigoureux.

– C'est ce que Katy a essayé de me dire au moment de mourir. C'est ce que je me refusais à croire.

– Avez-vous une idée sur l'identité de cette troisième personne?

Il me fixa sans répondre, ses doigts serrant douloureusement mon poignet.

– Il est trop tard pour faire quoi que ce soit, maintenant, dit-il enfin. Je ne veux pas ressusciter cette tragédie. Ce qui est fait est fait.

– Vous protégez les vivants?

Il me repoussa brutalement, comme si mon contact lui était soudain désagréable

– Je te protège, toi, la fille de Doro. Tu dois partir sur-le-champ.

– Non. Pas maintenant, alors que je suis si près de la vérité. Ne voulez-vous pas savoir, *vous aussi*, grand-père?

De nouveau, sa voix était lasse.

– Je suis vieux. Je ne peux en supporter davantage. Ce soir, je donne une petite fête pour ton départ. Après le dîner, tu sortiras sans être vue et tu feras ce que je t'ai demandé. Je suis en danger, moi aussi, Amanda, et tu es la seule à pouvoir m'aider. Ensuite, nous nous occuperons de ton départ.

Je me levai sans répondre. Ses yeux durs et sombres scrutaient mon visage et il dut sentir mon refus, mon scepticisme quant au prétendu danger qui le menaçait.

– J'ai ordonné à Clarita d'ôter cet objet de ton lit et de le donner à Paul quand il viendra ce soir. Il doit reprendre sa place au magasin. Nous nous reverrons à l'heure du dîner, Amanda.

Je regagnai lentement ma chambre. J'ignorais encore si je partirais ou non mais je savais qu'il me fallait lui obéir, accomplir cette mission qu'il avait préparée pour moi la nuit dernière. C'était sans doute la dernière chose que je ferais pour lui.

Doña Sebastiana avait disparu, mais je trouvai Rosa dans ma chambre, occupée à changer les draps et la taie d'oreiller. Je remerciai intérieurement Clarita car j'aurais éprouvé une certaine répugnance à toucher les draps qui avaient servi de couche au squelette. Rosa me considéra avec de grands yeux un peu craintifs et je me dis qu'elle avait dû voir la chose cachée dans le lit. Elle n'essaya pas de me parler. Après avoir expédié son travail, elle partit aussitôt comme si on m'avait jeté un mauvais sort et qu'elle ne tenait pas à demeurer trop longtemps en ma présence. Je m'allongeai sur la couverture et tentai de me reposer un peu. J'en avais assez de ce climat de terreur et de menaces.

Peut-être ferais-je mieux d'obéir à Juan et de m'en aller. Mais je savais que ma vie ne pourrait plus jamais être la même. Les questions restées sans réponse, les souvenirs de Santa Fe et cette vieille maison ne cesseraient plus de me hanter. Sans oublier Gavin, bien sûr, mais contre cela je ne pouvais rien. Je ne parvenais jamais complètement à le chasser de mes pensées. Où donc était la frontière entre la sincérité et l'amour ? Je pouvais vitupérer contre lui quand il me mettait en colère et, pourtant, une partie de mon être me poussait vers lui. Il devait exister une issue à ce tunnel.

L'heure avançait. Cette nuit risquait d'être la dernière que je passerais sous le toit des Cordova et je m'habillai avec soin. Peut-être se passerait-il un événement quelconque durant ce dîner qui m'aiderait à prendre une décision.

Je n'avais pris qu'une seule robe habillée. Elle était blanc cassé, avec des manches longues, découpées en pointe sur le poignet, une longue jupe étroite, fendue jusqu'au genou et un décolleté rond, à ras du cou. C'était une robe simple, extrêmement dépouillée. J'épinglai ma broche Zuni près de l'encolure et fixai à mes oreilles les boucles de ma mère. Peu importe à qui elles pourraient déplaire, j'avais envie de porter mes deux petits oiseaux ce soir.

Je choisis un rouge mandarine, assez vif, pour les lèvres et ne touchai pas à mes yeux. Les hommes n'aiment pas les yeux trop fardés – c'est un goût de femme – et, ce soir, je me maquillais pour Gavin. Qu'importe si j'étais folle. Je risquais très bientôt de ne plus le revoir.

Quand je descendis, avec un peu de retard, je les trouvai tous rassemblés dans la salle de séjour pour l'apéritif, excepté Gavin qui était absent. Eleanor était vêtue de noir, contrairement à moi. Elle portait une robe frangée en diagonale sur le devant comme un châle espagnol. Elle avait relevé ses cheveux en un haut chignon, surmonté d'une fleur et d'un peigne de mantille, et soigneusement aplati ses boucles en accroche-cœurs. Des perles ornaient son cou et ses oreilles. Elle était éblouissante. Apparemment remis de sa fatigue, Juan se tenait assis près du feu et fixait sur Eleanor un regard empli d'orgueil. Eleanor, me dis-je, n'avait pas besoin de s'inquiéter pour son héritage. Juan me jeta un regard approbateur quand j'entrai dans la pièce, mais c'était Eleanor qui tenait la plus grande place dans son cœur.

Clarita me surprit. Elle portait une robe longue en velours bordeaux, bordée d'une passementerie vieil or, et de grands anneaux d'or pendaient à ses oreilles. Pour la première fois, je m'aperçus qu'elle pouvait être remarquablement belle quand elle se décidait à quitter son rôle effacé. Sylvia Stewart, résolument moderne, portait un pantalon et une tunique bleu pâle, et Paul Stewart une confortable veste écossaise agrémentée d'une cravate souple, dans le style du Sud-Ouest. Je me demandai où pouvait bien être Gavin, mais personne ne fit allusion à lui.

Bien que Paul fût captivé par Eleanor, je le surpris une ou deux fois à me regarder et je compris qu'il devait être au courant de ma découverte. Il me prit à l'écart et tenta de m'interroger mais je n'avais pas grand-chose à lui révéler.

– J'ai toujours pensé qu'un des éléments manquait, me dit-il avec insistance. Et vous êtes celle qui le possédez, Amanda. Etes-vous sûre que vous n'avez pas trouvé la réponse ?

Ses yeux vert-jaune fixés sur les miens semblaient vouloir m'extirper la vérité. Je le trouvai plus déplaisant que jamais.

– Ce qui m'aiderait peut-être, c'est de savoir où vous vous trouviez exactement ce jour-là, répliquai-je pour l'appâter. Vous m'avez dit que Sylvia et vous étiez venus ensemble par le sentier du haut, mais Sylvia, elle, prétend qu'elle était seule.

Il me regarda fixement pendant un moment avant d'éclater de rire. Des têtes curieuses se tournèrent dans sa direction.

– Ainsi vous voudriez m'impliquer dans cette affaire? dit-il enfin. Croyez-vous vraiment que je voudrais écrire un livre sur un meurtre que j'aurais commis?

– Je l'ignore.

– Sylvia a dû se tromper, dit-il d'un ton négligent.

J'abandonnai le sujet.

– De toute façon, je ne suis sûre de rien, sauf qu'ils désirent tous me voir partir.

– Je devine pourquoi. Ils veulent que vous vous en alliez avant que vous bouleversiez complètement leur petite existence confortable. J'ai entendu parler du testament. Eleanor était folle de rage sur le moment, mais elle semble s'être calmée. C'est d'ailleurs ce que je lui ai conseillé.

– Cela n'a aucune importance, fis-je légèrement. Je serai sans doute partie demain.

– Ainsi on vous renvoie?

– Je n'ai rien décidé encore, dis-je, et je me dirigeai vers le divan de cuir, près du feu, où Juan Cordova était allongé.

Il me fit un signe de tête et je vis son regard s'arrêter une seconde sur mes boucles d'oreilles. Mais il ne me demanda pas de les ôter comme la première fois, pas plus qu'il n'essaya d'engager la conversation. Je devinai qu'il devait être plus fatigué qu'il ne voulait le montrer. Sans doute économisait-il ses forces pour la soirée qui se préparait.

Paul, fasciné, regardait de nouveau Eleanor qui, toute légère dans sa robe noire aux longues franges souples, se déplaçait avec la grâce d'une danseuse ou d'une actrice, dans une atmosphère chargée d'électricité. Juan Cordova et Paul n'étaient pas les seuls à l'observer, et je voyais les yeux sombres de Clarita briller d'un orgueil tout maternel. Pour Clarita, Eleanor resterait toujours son enfant. Je m'aperçus qu'elle regardait également Paul avec tendresse, et me demandai s'il n'était pas l'homme qu'elle avait jadis aimé.

Curieusement, Sylvia, toujours à l'aise partout, paraissait absente ce soir-là. Un peu à l'écart des autres, elle observait la scène en spectateur détaché. Dès que je pus, j'allai la rejoindre.

Elle sursauta légèrement en m'apercevant, et je me dis que je ne faisais pas partie des acteurs qu'elle observait.

– Pourquoi ce soir? fit-elle rêveusement. Pourquoi cette réunion ce soir?

– Sans doute parce que je suis censée partir demain. Mais vous les regardez tous d'un air si étrange! Que voyez-vous, dites-moi?

– Une catastrophe, fit-elle avec une grimace. Et qui s'appelle Eleanor. Elle ressemble à Doro à cet égard. Il faut absolument qu'elle mette le feu aux poudres.

– Est-ce que ma mère était réellement ainsi?

– Peut-être pas consciemment. Mais elle était imprudente.

– Est-ce la raison pour laquelle Gavin n'est pas ici ce soir? Parce qu'il craint les réactions d'Eleanor?

– Mais il est ici, dit-elle.

Je tournai la tête et l'aperçus sur le seuil. Un instant nos regards se croisèrent et je vis briller dans le sien une tendresse involontaire. J'ignore si le mien me trahit également. Il se détourna aussitôt, de nouveau sur ses gardes. Manifestement, notre réunion le prenait par surprise.

Clarita se dirigea aussitôt vers lui et lui fournit sans doute quelques explications. Je les soupçonnai de ne pas l'avoir averti à temps exprès pour lui faire manquer le dîner; un autre élément de discorde venait de s'introduire dans la pièce.

Ce fut Clarita qui, curieusement, prit la direction des opérations et, quand nous fûmes passés dans la salle à manger, nous indiqua nos places. Magnifique dans sa robe sombre, elle dominait véritablement la pièce de sa présence. Je m'aperçus qu'Eleanor la contemplait avec stupéfaction. Une vie nouvelle semblait l'animer et lui donner une énergie que je ne lui avais jamais connue auparavant. Par contraste, Juan paraissait s'être rétréci et son aura d'autorité avait disparu. Si une telle chose n'avait pas été impossible, j'aurais pu croire que mon arrogant aïeul craignait sa fille aînée.

Eleanor fut la première à jeter un caillou dans la mare.

– J'ai appris un détail intéressant aujourd'hui, annonça-t-elle à la ronde. L'un de vous se souvient-il que c'est l'anniversaire de Kirk Landers?

Sylvia laissa échapper une exclamation étouffée et Clarita lui jeta un coup d'œil.

– Non, dit-elle, ce n'est pas vrai.

Juan Cordova étendit la main avec effort et leva son verre, ignorant Clarita.

– Il y eut une époque où Kirk était aussi cher à notre cœur que tu l'es à présent, Sylvia. Pourquoi ne porterions-nous pas un toast en mémoire de ce fils disparu?

J'eus l'impression qu'il se plaisait à défier Clarita et peut-être à faire souffrir Sylvia.

Eleanor étendit aussitôt la main vers son verre.

– A vous de porter le toast, Sylvia.

242

Juan inclina doucement la tête en direction de sa fille adoptive. Il semblait être redevenu lui-même.

– Nous attendons, Sylvia, dit-il.

Celle-ci paraissait sur le point d'éclater en sanglots. Elle n'esquissa pas un geste et se contenta de secouer la tête d'un air malheureux.

– Je... je... c'est impossible. Eleanor est tellement cruelle!

– Alors, c'est moi qui le ferai à ta place, dit Paul.

Et il leva son verre, les yeux brillant de cet éclat que je connaissais bien.

– A celui que nous regrettons tous. A celui qui est mort trop jeune et trop tôt. A Kirk Landers!

Je me rappelai que les deux hommes s'étaient battus et compris que Paul se moquait.

Juan et Eleanor levèrent leur verre. Gavin, l'air mécontent, ne toucha pas au sien. Je l'imitai. Je n'avais pas connu Kirk Landers, sinon petite fille, et trop de questions me gênaient. Clarita fut la dernière à prendre son verre, comme à contrecœur, et celui-ci se renversa. Au milieu de l'agitation qui suivit, des exclamations de Rosa accourue pour éponger les dégâts, Sylvia se leva d'un bond et quitta la pièce en courant.

Juan et Eleanor trinquèrent gravement, échangeant un regard plein d'affection au-dessus de leur verre. Puis Juan s'adressa à Clarita.

– Tu ferais mieux d'aller réconforter Sylvia.

Clarita lui fit face à l'autre bout de la table.

– Non! Je n'ai de réconfort à offrir à personne. C'était un geste cruel. Vous vous êtes moqués d'elle et vous le savez très bien.

– J'y vais, dis-je et quittai rapidement la table.

Sylvia s'était réfugiée dans la grande pièce et allongée de tout son long sur le divan de cuir. L'odeur piquante du bois de pin imprégnait l'atmosphère. J'allai m'asseoir à côté d'elle et lui touchai doucement l'épaule.

– Ne vous tourmentez pas. Eleanor est inconsciente.

– Elle est méchante et cruelle.

Sylvia respira plusieurs fois à fond pour maîtriser son émotion et me regarda, les yeux pleins de larmes.

– Ce n'est pas l'anniversaire de Kirk, comme elle le sait fort bien, mais celui du jour où il est mort.

Je la fixai, désemparée. Je ne savais pas. Je n'avais jamais connu la date exacte. C'était donc également l'anniversaire de la mort de ma mère.

– Mais alors pourquoi Juan... (Je ne parvenais pas à trouver mes mots.) Pourquoi Juan nous a-t-il réunis un soir comme celui-ci ?

– Je l'ignore ! Je l'ignore ! s'écria Sylvia. Peut-être pour blesser quelqu'un. Peut-être en souvenir. Ou peut-être tout simplement parce qu'il vous renvoie demain.

– Alors, retournons à la salle à manger. Je veux voir ce qui va se passer.

– Non. Ne réveillez pas les ombres ! Ne rappelez pas les fantômes !

Je la dévisageai.

– Vous me surprendrez toujours, Sylvia. J'ai su dès le premier instant où je vous ai vue que quelque chose vous tourmentait, mais je pensais que vous étiez quelqu'un de calme et d'équilibré. Le genre de femme qui sait garder son sang-froid.

Elle se redressa et me regarda, soudain belliqueuse.

– Vous ne vous êtes pas trompée. C'est bien ainsi qu'il faut que je sois. Je m'y suis exercée assez longtemps !

Je butai sur le mot.

– Exercée ? Que voulez-vous dire ?

244

– Rien. Rien du tout. Laissez-moi, Amanda. Si vous voulez m'attendre un instant, je vais me passer un peu d'eau sur la figure et je vous rejoins.

– Très bien.

Elle se leva, butant dans sa hâte contre la petite table, près du divan. L'horrible tarentule tomba sur mes genoux et je la remis en place avec répugnance. Je me rappelai l'avoir comparée à Juan et me dis que sa conduite de ce soir avec Eleanor me donnait raison. A en croire Sylvia, il voulait tourmenter quelqu'un et avait soigneusement choisi sa victime. Mais s'il connaissait la vérité, qui protégeait-il? Clarita? Peut-être. Sylvia? C'était possible. Paul? Sûrement pas.

J'entendis des pas dans la pièce et me retournai. C'était Gavin. Il s'avança et me considéra d'un air grave.

– Comment va Sylvia?

– Mieux. Elle me rejoint ici dans un instant.

– Juan dit que vous partez demain.

– Juan n'en sait rien. Je n'ai rien décidé encore.

– Il vaudrait mieux que vous partiez, croyez-moi. L'agression de la nuit dernière vous était destinée, quoi qu'en pense Juan.

– Oui. C'est également mon avis.

– Et elle risque de se reproduire... en pire.

– Savez-vous qui c'était?

Il ne dit rien. Je connaissais la réponse. Gavin pensait que sa femme était à l'origine de cette attaque mais refusait de l'avouer.

– Je vous prie de me croire, dis-je. Je ne veux aucune part dans le testament de Juan. Il n'y a pas encore touché d'ailleurs, et je ne pense pas qu'il le fera. Eleanor est sa préférée.

– Eleanor est la fille de Rafaël... un fils qu'il détestait. Alors que vous êtes la fille de Doro.

– Ce n'est pas moi qu'il aime. Je l'ai observé

pendant qu'il couvait Eleanor des yeux. Elle n'a pas à s'inquiéter pour son héritage. Il n'y touchera pas. Mais je dois rester. Gavin, je suis sur le point de découvrir ce qui s'est réellement passé. Il y a des failles et elles sont en train de s'élargir.

Sylvia qui revenait entendit mes derniers mots :

– Il ne faut pas rester ici, Amanda. Dès le début, je vous ai poussée à partir, et aujourd'hui la situation est bien pire. A quoi vous servira de découvrir une vérité prétendument cachée? Elle ne ressuscitera pas votre mère et ne pourra que nuire aux vivants.

– Cela, je l'ignore encore, mais ce que je sais, c'est que je dois rester.

Elle me jeta un regard suppliant et se dirigea vers la salle à manger. Gavin m'attendait, aussi nerveux que Sylvia, et je le suivis.

On avait répandu du sel sur la tache de vin et placé un linge sous la nappe. Clarita, tendue et nerveuse, détonnait à présent dans sa robe somptueuse. Juan, au contraire, était redevenu lui-même. On aurait même cru que l'incident lui avait rendu des forces et il bavardait avec animation avec Eleanor. Celle-ci leva les yeux comme nous reprenions nos places. Promenant son regard autour de la table, elle lança d'un ton faussement contrit :

– Je suis navrée. Grand-père me dit que j'ai confondu les dates. Je vous prie de m'excuser. A propos, grand-père se sent nettement mieux ces jours-ci et je lui ai fait promettre qu'il accepterait une petite excursion avec nous. Dites-leur, grand-père.

Tandis que Clarita nous servait avec des mains qui tremblaient un peu, Juan nous annonça d'une voix gaie :

– Il y a trop longtemps que je n'ai pas rendu visite au *rancho*. Nous irons donc tous là-bas un jour prochain. Nous nous mettrons en route le matin, nous y déjeunerons et nous rentrerons tard dans l'après-midi.

– Je ne pense pas que..., commença Sylvia, mais il secoua gentiment la tête.

– Tu es invitée, bien sûr, Sylvia. Et Paul aussi. Nous serons tous réunis, comme au bon vieux temps, excepté Amanda, bien sûr, qui malheureusement sera partie.

Je posai une main légère sur son bras :

– Mais pas du tout, grand-père. J'irai avec vous. Je ne suis pas encore partie.

Toutes les têtes se tournèrent vers moi et j'eus l'impression que, parmi les invités, quelqu'un était furieux et peut-être dangereusement effrayé. Mais je n'avais d'yeux que pour Gavin. Son visage était fermé, son expression hostile.

Eleanor se mit à rire doucement.

– Eh bien! Nous irons tous ensemble! Comme nous allons nous amuser, Amanda! Quel dommage que Kirk, Doro et grand-mère Katy ne soient pas là! La famille aurait été au complet.

Une fois de plus, elle s'engageait sur un terrain mouvant mais personne ne dit rien, nul ne lui reprocha sa frivolité. Le repas se déroula sans autre incident, bien qu'une certaine tension régnât parmi les convives.

J'avais le loisir de songer à la mission dont Juan m'avait chargée. Et de m'en inquiéter. Cette expédition dans les sombres recoins du magasin ne me plaisait décidément pas. A présent encore moins que jamais.

14

Bien que ce fût un samedi, la place était déserte à 9 heures du soir et on ne voyait guère de promeneurs. La plupart était d'ailleurs des *turistas*.

J'abandonnai mon taxi près de la place. Dès ma mission terminée, il me serait facile d'aller jusqu'à la Fonda del Sol et d'en demander un par téléphone. Des bruits me parvenaient de l'hôtel de la Fonda mais personne n'était en vue quand je descendis la petite ruelle qui aboutissait derrière le magasin.

La clé donnée par Juan tourna aisément dans la serrure mais j'hésitai un instant avant d'entrer. S'il n'avait tenu qu'à moi, j'aurais rebroussé chemin et serais rentrée aussitôt à la maison, mais l'idée de la contrariété qu'en éprouverait Juan me décida. Je poussai la porte. Il m'avait dit que certaines lampes restaient allumées toute la nuit et je constatai avec plaisir qu'il ne s'était pas trompé. J'entrai et refermai doucement la porte derrière moi.

Aussitôt, je plongeai dans un monde inconnu d'obscurité et de silence. L'agitation de la journée s'était éteinte avec le flot des clients et le calme était tel que j'eus l'impression que le magasin, tel un animal géant, retenait son souffle, attendant mon premier geste. La nuit, l'endroit possédait une existence et une personnalité bien à lui – cette entité qu'était CORDOVA semblait vivante.

Immobile et debout au milieu d'une allée, près de la porte, je prêtai l'oreille. Un silence pesant semblait étouffer jusqu'au moindre bruit. Des parfums de cuir et d'herbes rares parvenaient jusqu'à mes narines, mêlés à d'autres senteurs exotiques. Je ne devais pas m'attarder ici, me dis-je, attendant malgré moi un murmure quelconque, un bruit de pas imaginaire. L'agression de la nuit dernière avait entamé mon courage et je savais fort bien que, si on m'avait rapidement secourue la veille, dans le patio, mes cris ici ne seraient jamais entendus. Je resterais seule en face du danger.

Mais une telle idée était absurde. Qui, à part Juan, était au courant de ma présence ici ? Je n'allais pas me laisser effrayer, comme une enfant, par l'obscurité. Plus tôt j'en aurais fini, mieux ce serait.

Je suivis l'allée la plus proche qui conduisait à l'entrée du magasin, marchant d'un pas léger pour ne pas troubler le silence qui m'entourait. Je m'arrêtai un instant à côté d'une vitrine éclairée pour regarder la rue. Rien ne bougeait.

Je me dirigeai vers le grand escalier qui menait au premier étage. Des articles somptueux étaient empilés sur les comptoirs, telle une offrande sur l'autel d'un temple. Et les dieux, tapis dans l'ombre, attendaient leurs sacrifices.

Je me secouai avec impatience et montai l'escalier. Si j'avais quelque chose à craindre, c'était des vivants, non des dieux imaginaires. De plus, le magasin était certainement vide. Juan avait tenu à garder ma mission secrète et il n'y avait guère de risque pour que quelqu'un m'attendît là-haut, prêt à me sauter dessus.

Le silence enveloppait l'immense caverne du premier étage, brisé seulement par le craquement des marches de bois. En haut de l'escalier, la danseuse de flamenco m'accueillit, faiblement éclairée derrière sa vitrine. Elle semblait sur le point de bouger, de s'élancer au son d'une musique sauvage et je pensai à Eleanor, telle que je l'avais vue ce soir, avec son grand peigne et sa robe frangée.

Je fis quelques pas avec l'impression de m'engager dans un labyrinthe. Une main glacée effleura soudain la mienne et j'étouffai un cri avant de m'apercevoir qu'il s'agissait seulement du gantelet d'une armure espagnole aussi haute que moi. Je songeai soudain que c'était la première fois que je voyais cette armure. Ce n'était pas le chemin que Gavin m'avait fait prendre lors de ma première visite, quand j'avais aperçu la vitrine des armes de Tolède. J'étais perdue, sans point de repère pour m'orienter.

Je parcourus en hésitant plusieurs allées encore plus mal éclairées que celles du rez-de-chaussée. Un instant, les franges soyeuses d'un châle espagnol caressèrent mon bras et j'essayai de me rappeler où je les avais vues la dernière fois.

Inutile de m'entêter. Je m'arrêtai, essayant de me repérer, épiant malgré moi le profond silence qui m'environnait. Mais était-ce bien le silence ? Il me sembla entendre grincer une porte, puis un murmure de voix. Des pas firent craquer l'escalier. Cette fois, ce n'était plus mon imagination.

Un rire qui ressemblait à celui d'Eleanor me parvint soudain, amplifié par le haut plafond. Mes genoux se mirent à trembler et je m'agrippai à un comptoir proche, essayant de lutter contre la terreur qui me submergeait. A présent, j'entendais quelqu'un monter en courant l'escalier, d'autres pas suivirent, une voix résonna, qui n'était pas celle d'Eleanor.

La voix de Paul Stewart !

— La collection n'est pas ici. Avez-vous apporté le fouet ?

— Bien sûr, répondit la voix d'Eleanor. Vous avez la Dame, n'est-ce pas ? Remettons tout en place. Ensuite, nous explorerons tout le magasin. Je me demande si tous ces objets ont une vie à eux quand personne ne les regarde. Je ne suis jamais venue ici la nuit.

– Moi non plus, répondit la voix de Paul, beaucoup moins enthousiaste.

Tout allait bien, me dis-je. Ils ignoraient ma présence. Pour une raison bizarre – sans doute un caprice d'Eleanor – ils avaient décidé de rapporter ce soir-là les objets de la collection. Je n'avais plus qu'à attendre tranquillement qu'ils aient fini et ils repartiraient sans avoir soupçonné que j'étais là.

J'entendis s'ouvrir une vitrine : Doña Sebastiana réintégrait son chariot. En fait, ils faisaient suffisamment de bruit pour que je puisse circuler sans m'inquiéter. J'arrivai au carrefour de deux allées et regardai autour de moi.

A présent, je voyais la vitrine en question. Elle était plus haute que les autres. Je me dirigeai vers elle en étouffant le plus possible le bruit de mes pas. Je venais d'introduire ma seconde clé dans la serrure quand la voix d'Elcanor m'arrêta.

– Que dites-vous de mon idée d'excursion au *rancho*?

Le rire de Paul l'approuvait.

– Parfaite, dit-il. Le vieil homme est tombé en plein dans le piège.

– J'en étais sûre. Savez-vous ce qu'il m'a dit ce soir, avant le dîner? Qu'en faisant allusion à cet anniversaire, nous ennuierions quelqu'un. Mais la scule à être bouleversée a été Sylvia. Je me demande pourquoi. Pensez-vous que c'est parce qu'elle s'inquiétait à votre sujet?

– A mon sujet? dit la voix indifférente.

De nouveau, le petit rire provocant.

– Et pourquoi pas? Vous et Kirk vous haïssiez, n'est-ce pas? Il n'est pas impossible que...

Quelque chose dans l'expression de Paul dut l'avertir car elle se tut. A présent, elle faisait marche arrière.

– Oh! ne croyez pas que je m'interroge sur ce qui

s'est passé entre vous ce jour-là. C'est le présent qui m'intéresse. Amanda tourne autour de Juan et je n'aime pas cela. Mais une fois qu'ils seront tous partis au *rancho* – demain peut-être, si j'y arrive – j'aurai toute la journée devant moi. Alors Juan pourra faire ce qu'il veut avec son testament. D'ailleurs, je n'aime pas cette idée de pension mensuelle. Je veux pouvoir disposer de mon argent pour me libérer d'eux tous.

– Venez ici, dit la voix de Paul.

Je perçus de légers bruits qui n'étaient pas ceux d'une lutte. Il devait l'attirer contre lui, l'embrasser. Pour la faire taire? Pauvre Sylvia! Paul me parut plus haïssable que jamais. Je n'avais plus envie d'attendre leur départ. Tout ce que je voulais, c'était prendre la boîte et quitter le magasin avant qu'ils ne s'aperçoivent de ma présence.

Je tournai la clé. La porte de verre s'ouvrit avec un léger grincement.

– Qu'est-ce que c'est? demanda Eleanor.

Ils se turent tous les deux. Ils devaient écouter et je ne fis pas un mouvement. Après quelques instants, ils reprirent leurs occupations et j'enfonçai vivement la main au fond de la vitrine à la recherche du coffret. Mes doigts effleurèrent la surface sculptée et je sortis la boîte. Quand je refermai la porte, celle-ci craqua à nouveau, trahissant ma présence.

– Je suis certaine d'avoir entendu quelque chose, dit Eleanor. Allons voir.

Ils venaient dans ma direction. Je m'accroupis derrière le comptoir le plus proche et essayai d'atteindre l'escalier. Comme ils ne faisaient aucun effort pour étouffer leurs pas, il m'était relativement facile de les éviter.

J'aperçus enfin la danseuse de flamenco et les

escaliers. Les marches anciennes gémirent sous mon poids et j'entendis la voix d'Eleanor :

– Je vous dit qu'il y a quelqu'un! J'ai entendu un craquement dans l'escalier!

Sans plus essayer de dissimuler ma présence, je descendis l'escalier à toute vitesse et m'élançai vers la porte du fond. Eleanor et Paul l'avaient laissée ouverte mais la rue était éclairée et je compris qu'ils ne pourraient manquer de me reconnaître si je franchissais le seuil. Les grandes portes sculptées de Santa Fe m'offraient une cachette idéale et je me glissai derrière la pile, tenant contre moi le coffret de Juan.

J'entendis des pas précipités dans l'escalier.

– Qui que ce soit, il doit être en bas. Chut! Paul, ne faites pas de bruit.

Le silence retomba. Aucun moyen de les repérer maintenant. Ils pouvaient à tout instant surgir près de moi. Je frissonnai à cette idée. Eleanor, pas plus que Paul, n'accepterait de voir ses secrets découverts. J'en avais trop entendu. Peut-être valait-il mieux, après tout, tenter d'atteindre la porte et me perdre dans les petites ruelles. Ils auraient moins de chances de me rattraper. Je rampai donc vers la porte en faisant le moins de bruit possible. L'air était déjà moins lourd et une brise agréable me caressa le visage : l'issue était proche.

L'espace d'une seconde, je sentis la chose arriver; une prescience instinctive du danger me fit détourner la tête juste au moment où le coup m'atteignait, de sorte que j'évitai l'impact mortel. Un éclair de souffrance me transperça et je perdis connaissance.

Je restai un long moment étendue sans rien voir, consciente seulement de la douleur qui vrillait mon crâne. Des voix lointaines me parvenaient. Quelqu'un m'appelait par mon nom, tentait de me ramener à une conscience douloureuse à laquelle je voulais échapper : « Amanda, Amanda, Amanda », insistait la voix.

Lentement, le brouillard qui enveloppait mon cerveau commença à se dissiper et j'eus l'impression de flotter dans une sorte de vide obscur, reliée seulement à la réalité par l'écho de mon nom, répété sans cesse. J'ouvris les yeux et distinguai vaguement un visage penché sur moi.

– Voilà qui est mieux, dit une voix. Vous reprenez connaissance.

Graduellement, le décor qui m'entourait se précisa et j'aperçus Paul Stewart agenouillé près de moi, Eleanor debout derrière lui, le visage à demi dans l'ombre.

– Pouvez-vous vous asseoir ? demanda Paul. Nous voudrions vous ramener à la maison, Amanda.

Tandis qu'il m'aidait à me redresser, les souvenirs commencèrent à me revenir. Je me rappelai ma présence dans le magasin, l'exposition des Pénitents, Paul et Eleanor, et la mission dont Juan m'avait chargée. Je me concentrai vaguement sur ce dernier détail. Mes mains tâtonnèrent faiblement à la recherche du coffret sculpté. Je le découvris sous mes jambes. Paul et Eleanor m'observaient.

– Que faisiez-vous ici, Amanda ? demanda Eleanor. Qui vous a frappée ?

Ne le savez-vous pas ? eus-je envie de lui demander, mais la douleur m'empêcha de parler. Je réussis à me redresser sur les genoux et m'agrippai à Paul pour me relever.

– Quelqu'un a essayé de me tuer, dis-je. Vous n'avez pas vu qui m'a frappée ?

Eleanor secoua la tête. Toute son ironie avait disparu. Paul se pencha et ramassa quelque chose sur le plancher.

– Quetzalcoatl, dit-il, en me présentant l'objet de

cuivre qu'il tenait à la main. Le Serpent à plumes, l'un des dieux aztèques. On s'en est servi comme matraque.

Jouait-il la comédie? Je me le demandais. Eleanor se pencha et je vis une lueur d'excitation dans ses yeux.

– Mais qui donc se serait caché dans le magasin pour vous frapper? Nous vous avons entendue tomber, mais quand nous sommes arrivés près de vous, il n'y avait personne. Pourquoi êtes-vous venue ici, Amanda?

Mes jambes pouvaient me porter à présent et les brumes qui obscurcissaient mon cerveau se dissipaient. J'avais moins mal également. Je tâtai l'arrière de mon crâne avec précaution et y découvris une bosse naissante. Mais il n'y avait pas de sang. J'avais heureusement détourné la tête au bon moment. Maintenant je n'avais plus qu'une envie : échapper aux deux compères. Je n'avais aucune confiance en eux. L'un ou l'autre pouvait très bien m'avoir frappée. Mais mes bras étaient encore faibles et le coffret que je tenais glissa de mes mains et tomba sur le sol.

Eleanor se baissa aussitôt et le ramassa.

– Qu'est-ce que c'est? Qu'avez-vous pris dans le magasin?

J'essayai maladroitement de m'emparer du coffret mais elle s'écarta et le posa sur un comptoir. Elle appuya sur le fermoir et souleva le couvercle. L'intérieur était doublé de velours bleu nuit et contenait un objet enveloppé dans une peau de chamois qu'Eleanor déplia, révélant un mince poignard au manche sculpté.

– Que voulez-vous faire avec ça, Amanda? demanda Paul d'une voix rude.

Je songeai un instant à lui répondre qu'il était destiné à me protéger contre la personne qui venait de me frapper avec le Quetzalcoatl, mais cela ne servirait à rien. Dissimuler plus longtemps était impossible.

– Juan Cordova m'a demandé de lui apporter ce coffret. J'ignorais ce qu'il contenait.

Eleanor émit un léger sifflement et regarda Paul. Elle replaça l'arme dans son enveloppe et me rendit la boîte.

– Dans ce cas, il faut que vous le lui remettiez, dit-elle. Mais je n'aime pas beaucoup cette histoire.

Paul me soutint par le bras et m'aida à franchir le seuil tandis qu'Eleanor allait devant pour ouvrir sa voiture. On m'installa sur la banquette arrière et je m'affaissai contre la portière. Notre retour s'effectua sans incidents et personne ne me posa de questions. L'air de la nuit me faisait du bien et calmait un peu mon mal de tête. Je me forçais à ne plus penser à rien.

Une fois devant la maison, Paul et Eleanor se consultèrent rapidement à voix basse. Paul m'aida à sortir et s'assura que je pouvais marcher. Puis, après nous avoir lancé un bref bonsoir, il traversa le patio en direction de sa maison. Eleanor prit mon bras et m'aida à marcher jusqu'à la pièce de séjour.

– Voulez-vous que je vous aide à monter dans votre chambre ?

Je secouai la tête.

– Non. Je vais d'abord voir Juan. Il me l'a demandé.

Eleanor parut sur le point de dire quelque chose – de m'interroger peut-être sur ce que j'avais surpris de sa conversation avec Paul ou de me demander de ne pas en parler – mais elle dut comprendre que c'était inutile car elle haussa les épaules avec une grimace.

– Je vais chercher Clarita. Elle examinera votre bosse.

Avant que j'aie pu l'en empêcher, elle avait disparu. Je me dirigeai à contrecœur vers le bureau de mon grand-père. Je ne me sentais pas d'humeur à entrer dans des explications détaillées. Je n'avais qu'un désir : me retrouver seule dans ma chambre et me reposer. Mais je n'avais pas le choix. Il me fallait affronter Juan.

Il m'attendait, allongé sur le divan.

– Voici le coffret, dis-je en le lui remettant.

Il se redressa et le prit, caressant des doigts le couvercle sculpté.

– Je sais ce qu'il contient, ajoutai-je. Pourquoi vouliez-vous ce poignard ?

Il poussa un grognement irrité et ouvrit le coffret. Avec précaution, il déplia l'enveloppe et prit le poignard par le manche, perdu dans la contemplation de la lame, étincelante à la lumière.

– Il n'y a pas de meilleur acier que celui de Tolède, murmura-t-il enfin. Regarde comme le manche est finement ciselé. Je l'ai acheté moi-même là-bas il y a très longtemps.

– Pourquoi teniez-vous à ce que je vous l'apporte ? insistai-je.

D'un mouvement rapide qui m'étonna, il glissa le poignard sous son oreiller.

– Je n'ai pas l'intention de rester allongé ainsi sans défense. Mais je t'avais recommandé de ne pas ouvrir la boîte, Amanda.

– Je ne l'ai pas fait. C'est Eleanor, dis-je.

Je lui parlai de sa présence avec Paul au magasin, de ma tentative de fuite et de l'agression qui avait suivi.

Il resta un long moment silencieux, le regard fixé sur le mur, au-dessus de ma tête. Quand il parla enfin, on lisait le désespoir sur ses traits affaissés.

– Que vais-je faire? En qui puis-je avoir confiance? Lequel d'entre eux t'a frappée, Amanda?

– Je ne suis pas sûre qu'il s'agisse de Paul ou d'Eleanor.

– Mais qui d'autre aurait eu accès au magasin? Amanda, tu n'as plus le choix à présent. Tu n'es plus en sécurité ici.

– Parce que la personne qui a tué ma mère a peur de moi?

Un son étranglé sortit de sa gorge.

– Personne n'a tué Doro. Elle s'est suicidée. C'est Kirk qu'on a abattu.

– Vous croyez ce qui vous arrange! Vous vous obstinez à refuser la vérité!

Il me fixa d'un air désolé mais, comme j'allais en dire plus, Clarita se précipita dans la pièce. Elle avait remis sa robe noire, gardant seulement les anneaux d'or qu'elle portait pendant le dîner.

– Que se passe-t-il, Amanda? Mon père m'a parlé de cette idée stupide de vous envoyer au magasin en pleine nuit. Et vous êtes blessée à présent! Je suppose que vous êtes venue pleurer dans son gilet!

– C'est assez! dit sèchement Juan. Je veux savoir ce qui se passe ici. Je n'admets pas qu'on me cache quoi que ce soit.

– Ne pensez-vous pas qu'il serait temps d'appeler la police?

Juan et Clarita s'exclamèrent bruyamment.

– Je ne veux pas qu'on parle de nos affaires dans les journaux. Je te l'ai déjà dit.

Clarita inclina la tête pour marquer son approbation.

– Venez avec moi, Amanda. Je vais examiner votre blessure. Il faudra peut-être la désinfecter et vous faire un pansement.

– Va avec elle, dit Juan. Nous aurons une conversation demain, avant que tu ne regagnes tes foyers.

– Pour l'instant mon foyer est ici, aussi inhospitalier soit-il, fis-je, et je suivis Clarita.

Elle me conduisit dans l'une des salles de bains. Sa rage était telle qu'elle poussait de petits cris étranglés tout en ouvrant une armoire à médicaments dont elle sortit ce qu'il lui fallait. Puis elle examina ma blessure.

– Pourquoi faut-il toujours que vous soyez là où il ne faut pas? Vous cherchez les ennuis. Vous vous ferez tuer si vous continuez. Vous devez cesser de tourmenter mon père et quitter Santa Fe dès demain.

– Qui veut donc me tuer, tante Clarita? demandai-je d'une voix douce.

Elle tamponna rudement ma bosse avec un coton imbibé de désinfectant. La peau devait être arrachée car je ressentis une vive brûlure.

– Cessez de poser des questions. Fermez les yeux et bouchez-vous les oreilles.

– Qu'avez-vous fait des pages du journal, tante Clarita?

– J'ignore de quoi vous parlez. Ne bougez pas. Je vais vous mettre un pansement.

Je m'écartai. Je ne voulais pas d'un sparadrap qui me collerait les cheveux.

– C'est inutile.

Mon refus ne fit que l'irriter davantage mais elle n'en continua pas moins à me questionner.

– Il m'a dit qu'il vous avait envoyée au magasin. Que voulait-il?

– Il faudra le lui demander vous-même. Ou demandez plutôt à Eleanor. Elle le sait.

Clarita signifia d'un mouvement des doigts que la conversation était terminée.

– Eleanor...

– Allez vous coucher à présent. Tenez, voici quelque chose qui vous aidera à dormir.

– Peut-être vaut-il mieux que je reste éveillée, dis-je en prenant quand même les comprimés qu'elle me tendait.

– Comme vous voudrez.

Je me dirigeai vers la porte, la laissant ranger ses fioles et ses pansements. Comme j'allais franchir le seuil, je me retournai :

– Où avez-vous perdu votre boucle d'oreille, tante Clarita ?

Elle porta vivement la main à ses oreilles et je compris qu'elle ne s'était pas aperçue que l'un de ses anneaux manquait.

– J'avais commencé à me déshabiller, dit-elle. Je n'ai pas quitté la maison. Elle doit certainement se trouver sur ma coiffeuse.

– Certainement, fis-je, et je la laissai en train de me regarder avec une expression que je n'aimais pas.

J'emportai les comprimés dans ma chambre mais je me gardai de les avaler et décidai de ne pas me coucher tout de suite. Mon instinct m'avertissait que je devais conserver toute ma lucidité au cas où une autre agression se produirait. Mais je doutais que quelqu'un osât venir m'attaquer dans ma propre chambre.

J'allais ôter le couvre-lit quand je m'arrêtai net : le fétiche Zuni se trouvait sur l'oreiller. C'était le même que la dernière fois, celui qu'Eleanor avait pris pour le remettre dans la collection. Je reconnaissais la pierre grossièrement sculptée, les taches de sang, la tête de flèche et les turquoises. A présent, je savais que je ne pourrais pas dormir.

C'en était trop, cette fois. C'était la dernière goutte qui faisait déborder le vase, aussi effrayante que le fouet et l'agression dans le magasin. Elle signifiait que mon ennemi, quel qu'il soit, ne me laisserait plus un instant de répit. Le chasseur était à mes trousses, il voulait me terroriser.

J'arpentai ma chambre, tenant l'affreux fétiche dans ma main. Le plus grand désordre régnait dans mes pensées et je me demandai désespérément quelle décision prendre. Cette fois, la terreur m'habitait.

Un coup frappé à ma porte me fit trembler des pieds à la tête. Ma chambre était isolée et n'avait d'autre issue que l'étroit escalier où mon visiteur devait attendre. On frappa de nouveau et j'entendis une voix. Celle de Gavin.

– Amanda, êtes-vous ici?

Une vague de soulagement m'envahit et je me précipitai pour ouvrir la porte. Peu m'importaient son irritation et sa méfiance à mon égard. Je me jetai contre lui, tremblante et claquant des dents.

Son étreinte était calme et impersonnelle mais il me suffisait de sentir ses bras autour de moi et de savoir que je l'aimais, même si cet amour était sans espoir. Lui du moins ne me ferait pas de mal. Il était étranger à ce complot dirigé contre moi.

Son contact et sa chaleur me calmèrent peu à peu. Je cessai de trembler. Je m'aperçus alors que ses bras ne faisaient que me soutenir et que c'était moi qui l'étreignais avec force. Je m'écartai, encore brisée par l'émotion mais ayant recouvré mon sang-froid.

– Je... je... excusez-moi, bégayai-je. J'ai... j'ai eu un instant d'affolement.

– Je sais, dit-il gentiment. Clarita m'a raconté ce qui vous est arrivé au magasin. Je suis venu voir si tout allait bien.

– Elle... elle m'a donné des somnifères, mais je ne veux pas les prendre! J'ai peur de m'endormir. Regardez!

Je lui tendis le fétiche et ses yeux s'assombrirent.

– Il était là, sur mon lit. Là où se trouvait le squelette la dernière fois.

Il me prit le fétiche des mains.

– Eleanor... Elle aime ce genre de plaisanterie. Je crains qu'il n'y ait une certaine cruauté chez elle... comme chez Juan. Mais je doute qu'elle soit capable de quelque chose de sérieux.

Je n'en étais pas aussi sûre que lui. J'allai à l'une des fenêtres et regardai dans le patio. La lune l'éclairait et il était désert. Une lampe unique brillait chez les Stewart.

– Je ne sais pas quoi faire, dis-je.

Il évita de me répondre.

– Il n'est pas très tard. Enfilez un manteau et venez avec moi. Un tour en voiture vous fera dormir sans pilule.

Je me détournai de la fenêtre, envahie soudain par un sentiment de joie irraisonnée. Toutes mes émotions, cette nuit, étaient exagérées, hors de proportions. Qu'il m'emmène, me dis-je, je le suivrai partout!

Tandis que je nouais un foulard autour de mon cou et décrochais mon manteau, Gavin s'approcha de l'embrasure de la fenêtre où j'avais posé ma toile pour la faire sécher.

– Puis-je jeter un coup d'œil? demanda-t-il.

Ma main se figea sur le cintre. L'émotion, une fois de plus, me paralysait. Je ne pourrais supporter un jugement défavorable.

Tenant la toile à bout de bras, il étudia mon paysage coloré.

– C'est bon, dit-il et je respirai. C'est très bon. Vous avez réussi à faire passer vos impressions dans la couleur. C'est le but d'un vrai peintre. Il faut la montrer à Juan.

Il la reposa et vint m'aider à passer mon manteau. Je m'empêtrai dans les manches, heureuse de me concentrer sur un acte aussi futile. Gavin aimait ce que j'avais fait! Je me sentais brusquement gaie et insouciante et dus faire un effort pour ne pas me laisser aller à un babillage stupide. L'instant seul existait : je ne voulais pas réfléchir, songer à l'avenir. Ni au passé d'ailleurs. Il me suffisait d'être avec lui. Je ne demandais rien de plus.

Personne ne nous vit descendre l'escalier ni pénétrer dans le garage. Je pris place sur le siège avant, à côté de Gavin et il lança la voiture sur la petite route où j'étais venue peindre le matin même – des siècles auparavant!

– Il fait pleine lune ce soir. Je sais où je vais vous emmener.

Après avoir suivi quelque temps les rues tranquilles de Santa Fe, nous prîmes une route secondaire en direction des montagnes. Elle commença à grimper raide et les tournants se succédèrent : nous entrions dans les Sangre de Cristo. Nos phares trouaient l'obscurité. La lune éclairait des forêts de pins et des rangées de trembles dressés au-dessus de nous.

Gavin connaissait bien la route et conduisait d'une main sûre. Je me sentais détendue auprès de lui, respirant à pleins poumons le parfum nocturne des pins encore chauds du soleil de la journée. Le monde me paraissait d'autant plus beau que j'éprouvais un extraordinaire sentiment de bonheur. Si seulement notre promenade pouvait ne jamais finir!

Une ou deux fois, Gavin se tourna vers moi, comme étonné, se demandant sans doute ce qu'il était advenu de mes terreurs. Il faisait plus frais maintenant, mais l'air était vif, revigorant. Arrivés à un belvédère, Gavin se rangea au bord de la route pour me laisser admirer les lumières de Santa Fe qui brillaient à nos pieds, et celles, plus lointaines, de Los Alamos. Je me perdis dans la beauté du paysage. J'aurais aimé peindre une scène nocturne semblable à celle-ci. Je ne m'y étais encore jamais essayée. Le regard de Gavin était fixé sur moi plus que sur le panorama qu'il connaissait trop bien.

Mais il ne prononça pas un seul mot et, quelques minutes plus tard, nous reprenions notre ascension. A présent, on voyait des taches de neige dans les crevasses – une neige blanche, étincelante, ombrée de bleu. Nous montions à petite vitesse et, soudain, les grands arbres cédèrent la place à une végétation rare et rabougrie : nous nous trouvions sur un plateau, au pied des pics couverts de neige. Santa Fe avait disparu derrière nous. Une construction sombre s'élevait à notre droite. Plus haut, on distinguait les contours des remonte-pentes qui s'enfonçaient dans l'obscurité. Rien ne bougeait. Un profond silence enveloppait les sommets. Gavin arrêta la voiture et nous sortîmes dans le froid sec. De la buée sortait de nos lèvres et je nouai un foulard autour de ma tête pour me protéger les oreilles.

Gavin me tendit la main. Je la pris et nous fîmes quelques pas sur le grand espace découvert qui servait de parking aux voitures pendant la saison de ski. Ma main était glacée et il s'arrêta un instant pour la réchauffer dans la sienne. L'éclat froid de la lune baignait un monde où les menaces, la violence, le meurtre n'avaient pas leur place. Le mal n'habitait pas un air aussi pur. Le bonheur était ce sommet de montagne, la nuit, et la compagnie de Gavin Brand.

Nous nous mîmes à courir pour revenir à la voiture, nos mains toujours enlacées. Gavin n'ouvrit pas la porte tout de suite et resta un long moment à me regarder. Puis il m'attira contre lui avec une violence désespérée.

– J'ai su dès la première minute que vous veniez semer le trouble, dit-il avec rage. Je voulais que vous me détestiez, que vous vous méfiiez de moi.

– Vous n'avez pas réussi, dis-je, ma joue contre le tissu rêche de sa veste.

Il tourna mon visage vers lui et m'embrassa avec une tendresse que je n'avais jamais connue auparavant.

– Que vais-je faire de vous? demanda Gavin.

Voilà. Je venais de connaître le coup de foudre – exactement comme mon père et Doroteo l'avaient connu avant moi – et je n'avais aucune envie de lutter contre ce sentiment nouveau. Telle une force de la nature, il irait son chemin et rien ne pourrait l'arrêter. Je me sentais pleine d'une joie tranquille.

– Ne rentrons pas, dis-je, la joue toujours appuyée contre sa poitrine. Partons tous les deux très loin et commençons une vie nouvelle.

Ses bras resserrèrent leur étreinte mais il ne me répondit pas. A Santa Fe, les Cordova nous attendaient et rien, là-bas, n'était changé.

– C'est vous qui allez partir, dit-il enfin. C'est votre sécurité qui est en jeu à présent. Juan et Eleanor seront furieux.

Mais rien d'autre ne m'importait que mon amour tout neuf.

– Vous n'obéissez pas à Juan, de toute façon. Ne pouvons-nous rester ensemble?

Il me lâcha et ouvrit la porte. Il attendit que je fusse assise et fit le tour de la voiture. Une fois derrière le volant, il tourna la clé de contact, brancha le chauffage et nous restâmes ainsi un long moment silencieux, sans nous toucher. Je savais que ce n'était plus à moi de parler, de faire un geste. Je m'étais dévoilée sans réserve. A présent, c'était à Gavin de décider.

– Je ne sais si j'arriverai à vous faire comprendre, dit-il enfin. Je n'ai pas menti en disant à Juan que je voulais sortir de ce mariage, et Eleanor est bien de mon avis. Mais les choses ne sont pas aussi simples. On ne peut aussi facilement tourner le dos au passé.

– Vous l'aimez encore?

Il glissa un bras derrière moi, sur le dossier.

– C'est vous que j'aime. Bien que j'eusse préféré qu'il en fût autrement. Mais je l'ai beaucoup aimée autrefois et je ne peux m'empêcher de me sentir responsable d'elle. Elle est imprudente. Juan le sait. Il n'ignore pas que, si elle a gardé une certaine stabilité jusqu'ici, c'est un peu grâce à moi.

– Si vous la quittez maintenant, va-t-il vous renvoyer du magasin?

– C'est probable. Mais ce n'est pas le plus important. Je ne veux pas la voir se détruire.

– Avec Paul Stewart?

– Paul ne quittera jamais Sylvia. Il connaît bien la vie. Eleanor est trop sûre d'elle, trop persuadée d'être le centre du monde. C'est son caractère, elle n'y peut rien. C'est ce que Juan lui a appris. Mais elle risque d'aller au-devant d'une grosse déception avec Paul. Il y a certaines affaires que je dois régler avant de me libérer. Vous êtes arrivée en pleine crise. Acceptez-vous de partir et de m'attendre?

– J'attendrai aussi longtemps que vous voudrez. Mais je ne peux pas partir maintenant. C'est impossible.

Il démarra, fit demi-tour et reprit la route par laquelle nous étions venus. Nous descendîmes à petite vitesse sans nous arrêter cette fois pour admirer le paysage. A un moment, Gavin essaya de dire quelque chose mais n'y parvint pas. Ce ne fut qu'une fois arrivés dans le garage qu'il m'enlaça. Je m'accrochai désespérément à lui et il embrassa mes lèvres et mes paupières humides. Mais nous n'échangeâmes pas un mot. Malgré tous nos efforts un mur nous séparait, et avant qu'il fût abattu, Gavin ne pourrait véritablement me rejoindre. Il ne me restait plus qu'à patienter. Il résoudrait ses problèmes, j'en étais sûre. C'était mon dernier espoir.

La maison Cordova dormait quand nous entrâmes. Gavin ne me toucha plus et son regard était froid quand je lui dis bonsoir. Je montai dans ma chambre et avalai les comprimés de Clarita. Ma joie s'était évanouie et je n'aspirai plus qu'au sommeil et à l'oubli.

15

Le lendemain était un dimanche et, quand je descendis pour le petit déjeuner, je trouvai toute la famille réunie autour de la table, à l'exception de Juan. Clarita, levée depuis longtemps, revenait de la messe. Elle m'adressa un « bonjour » plein de défiance et s'enquit de ma tête. Ma bosse avait encore grossi depuis la veille, mais, ce détail mis à part, elle n'était pas trop douloureuse. Je m'aperçus que je parlais d'une voix basse et étouffée comme si une lourde contrainte pesait sur mes épaules.

Eleanor et Clarita eurent quelques paroles polies quand je déclarai que je me sentais mieux. Seul Gavin ne dit rien et, après m'avoir jeté un regard scrutateur, ne se tourna plus une fois vers moi. Je devinai que la nuit n'avait pas contribué à alléger son fardeau. Il avait l'air visiblement déprimé ce matin. Cela augurait mal pour notre bonheur.

Nul ne fit allusion aux événements de la nuit précédente. C'étaient des sables où personne ne désirait s'aventurer. J'avais apporté le fétiche Zuni et le poussai en direction d'Eleanor.

– Je crois que vous avez laissé cet objet dans ma chambre. J'ai pensé que je ferais mieux de vous le rapporter.

Gavin leva la tête et la regarda, mais Eleanor se contenta d'éclater de rire.

– Puisqu'il s'obstine à me revenir, je vais le garder comme porte-bonheur, dit-elle sans se compromettre en le plaçant à côté de son assiette.

– Juan a téléphoné pour vous réserver une place dans l'avion de New York, me dit Clarita. Sylvia vous conduira à Albuquerque ce matin. Il y a bien un avion jusque-là mais nos lignes locales ne sont guère confortables. Vous avez tout le temps d'y aller en voiture, mais il faut faire vos valises tout de suite.

Tous les yeux étaient fixés sur moi, ceux de Gavin y compris. Je redressai résolument le menton.

– Je n'ai pas envie de partir, annonçai-je.

Clarita commençait à s'indigner quand Eleanor l'interrompit.

– En ce cas, Amanda, vous pourrez nous accompagner au *rancho*. Juan se sent très bien ce matin et a décidé de participer à l'excursion. Tu viendras aussi, n'est-ce pas, Gavin? C'est dimanche aujourd'hui.

Son ravissant visage levé vers lui, elle le regardait avec une expression suppliante et il accepta sans grand enthousiasme. Sans doute se demandait-il, comme moi, ce que tramait Eleanor.

– Nous emmènerons également Sylvia et Paul,

poursuivit-elle gaiement. Ce sera la fête au *rancho*, comme au bon vieux temps!

Son excitation ne semblait pas feinte mais elle avait certainement un motif. Quelle pouvait être la raison de cet exode général, me demandai-je, tout en beurrant un toast croustillant. La nuit dernière, au magasin, elle en avait parlé à Paul mais sans fournir d'indice dont j'aurais pu faire part à Gavin ou à Juan.

Seule, Clarita semblait hostile au projet.

— Je n'ai pas envie de vous accompagner, dit-elle d'un air sombre.

Eleanor se tourna aussitôt vers elle.

— Mais pourquoi, tante Clarita?

— Je n'aime pas cet endroit.

— Mais pourquoi? Y avez-vous trop de souvenirs? insista Eleanor.

— Je crois qu'il vaut mieux que je reste à la maison aujourd'hui.

— Non! Il n'en est pas question. Vous ne sortez jamais, tante Clarita. Cela vous fera du bien de vous distraire. Venez avec nous, je vous en prie!

Elle quitta sa place et se précipita aux côtés de Clarita qu'elle embrassa et cajola jusqu'à ce que celle-ci finisse par céder en soupirant.

— Très bien, *querida*. Mais cette excursion ne me dit rien qui vaille. Il faut laisser les fantômes dormir en paix.

Eleanor me jeta un regard perçant.

— Ce n'est pas l'avis d'Amanda — n'est-ce pas Amanda?

— Peut-être que les fantômes ne dorment pas, fis-je. En tout cas, si vous les réveillez, j'aimerais être là pour les rencontrer.

Les yeux d'Eleanor brillèrent de malice.

— Alors c'est entendu! Nous partons dans un instant.

On s'activa à divers préparatifs. Clarita annula à contrecœur ma réservation. On appela Sylvia qui accepta de changer ses plans et de nous accompagner. Quant à Paul, décidé à travailler à son livre, il fut rebelle à toute pression. Son refus m'alerta sans me donner le moindre indice sur les intentions d'Eleanor. Je devrais me contenter d'attendre et de me tenir sur mes gardes. J'avais l'impression de compter les minutes avant que n'éclate une bombe invisible qui risquait de nous faire tous sauter. Y compris Eleanor qui tenait le détonateur.

J'étais loin de me sentir aussi sûre de moi que la nuit précédente. Ce qui s'était passé dans la montagne me semblait soudain lointain et irréel, et l'attitude de Gavin, son refus de me parler ne faisaient qu'augmenter cette impression. J'avais vécu un rêve enivrant et la chute était d'autant plus dure. Au cours de l'année qui s'était écoulée, j'avais réussi à me ménager une vie calme, sans joies ni tristesses excessives. Je sauvegardais ainsi ma tranquillité mais, depuis les événements de la veille, j'avais tendance à me laisser submerger par mes émotions, passant du bonheur le plus complet au noir le plus absolu. A présent, j'étais en proie à de sombres pressentiments et une barrière se dressait entre Gavin et moi.

De retour dans ma chambre, j'enfilai, pour me remonter le moral, mon pantalon beige préféré, assorti d'une blouse jaune bouton d'or. Mais l'image reflétée dans la glace ne parvint pas à me dérider. En outre, une mauvaise surprise m'attendait : l'excursion au *rancho* m'avait rappelé le masque bleu et, ouvrant l'un des tiroirs de ma commode, je fouillai sous les vêtements où je l'avais caché. Il avait disparu.

Je cherchai ailleurs, pensant que ma mémoire me jouait des tours. En vain. Le masque ne se trouvait plus dans ma chambre. Je finis par abandonner et descendis mais cette disparition m'inquiétait. Ce masque était important pour moi et, manifestement, cela gênait quelqu'un.

Nous étions six et il fut décidé que nous irions à deux voitures. Eleanor conduirait l'une, avec Juan et Clarita, Gavin prendrait la sienne et nous l'accompagnerions avec Sylvia. Nous nous rassemblâmes tous devant le garage Cordova, à l'exception de Paul, pendant qu'on sortait les voitures. Juan était descendu le dernier, s'appuyant légèrement sur Clarita qui l'aida à s'installer à l'arrière. Une force nouvelle semblait l'habiter ce matin, qui se manifestait dans tous ses mouvements.

Je restai au fond du garage, peu désireuse de manifester ma présence. Mais il se contenta de me jeter un regard ennuyé et détourna aussitôt les yeux. Il était mécontent de ma désobéissance et je n'y pouvais rien.

Un objet sur le sol attira mon regard et je me penchai pour l'examiner avant de le ramasser : c'était l'anneau d'or de Clarita. Comment se trouvait-il dans le garage alors qu'elle m'avait affirmé ne pas avoir quitté la maison ?

Je me dirigeai vers elle comme elle s'apprêtait à grimper sur le siège arrière, avec Juan.

– Votre boucle d'oreille, dis-je. Je viens de la trouver dans le garage.

Sans même me remercier, elle me l'arracha d'un geste impatient et la mit dans son sac. Toute son attention était tournée vers Juan et elle n'avait ni le temps ni l'envie de s'intéresser à moi. Ou peut-être n'avait-elle tout simplement rien à me dire et ne voulait-elle pas me fournir d'explication.

Dans la voiture de Gavin, je m'arrangeai pour m'asseoir près de la fenêtre, laissant Sylvia au milieu. Le rêve de la nuit dernière était loin et il paraissait si méfiant ce matin que je ne pouvais supporter l'idée d'être assise à ses côtés.

Sylvia avait entendu un bref récit de Paul sur ce qui m'était arrivé au magasin et elle débordait de questions que j'éludai le plus possible. Curieusement, elle ne m'interrogea pas sur l'identité de mon agresseur. Le fait qu'Eleanor ait réussi à entraîner Paul au magasin à cette heure de la nuit paraissait la préoccuper bien davantage. Elle devait s'inquiéter au sujet de son mari.

Eleanor était partie en avant et nous perdîmes aussitôt sa trace, chose normale vu la vitesse à laquelle elle conduisait. Gavin se montrait plus prudent, mais restait à la limite autorisée, comme poussé par une sorte d'impatience nerveuse.

Au fond, j'étais contente d'accompagner toute la famille au *rancho*. J'aurais l'occasion d'observer les Cordova dans un cadre familier et cela pouvait réveiller mes souvenirs. Je n'avais alors aucune idée de ce que projetait Eleanor.

Quand nous arrivâmes à l'*hacienda*, nous trouvâmes Juan et Clarita dans la grande *sala*. Juan était assis près d'un confortable feu de bois de pin et Clarita s'affairait autour de lui. L'autorité qu'elle arborait la veille au soir au cours du dîner s'était évanouie. Elle était redevenue la fidèle servante de Juan. Simplement, elle eut l'air mécontente de me voir – peut-être parce que j'avais trouvé sa boucle d'oreille dans un endroit où elle aurait préféré ne pas la laisser.

Eleanor avait disparu et nul ne savait où.

– Elle est chez elle au *rancho*, répondit Juan à Sylvia qui s'inquiétait. Elle en connaît tous les recoins.

– Mais moi aussi, fit Sylvia. Venez, Amanda, je vais vous faire visiter.

Gavin voulait discuter affaires avec Juan et

n'avait pas une minute à m'accorder. Je suivis donc Sylvia qui m'entraîna au fin fond de la maison où d'étroits corridors blanchis à la chaux conduisaient aux chambres. La maison était construite sur un seul niveau, divisé en une succession de petites pièces assez sombres, aux meubles anciens, la plupart en piteux état. Je connaissais déjà les deux chambres que m'avait montrées Gavin.

– Il fallait voir le *rancho* à l'époque où on recevait! me dit Sylvia. Juan et Katy adoraient réunir leurs amis et toutes les chambres étaient pleines. A cette époque, il y avait un cheval pour chaque invité. Kirk montait mieux que tout le monde. Juan disait souvent que c'était Kirk qu'il aurait dû avoir pour fils au lieu de Rafaël qui ne lui apportait que des déceptions. Kirk avait adopté les manières espagnoles et elles lui allaient à ravir. Il possédait ce côté fantasque que Juan admire tant. Le jour où lui et Doro sont morts, Juan a perdu un fils autant qu'une fille.

Je n'avais guère entendu parler de Kirk auparavant et j'écoutais avec la plus vive attention.

Sylvia avait ouvert une porte conduisant à une pièce exiguë, un peu semblable à une cellule et presque pas meublée. A une exception près, les murs étaient nus ainsi que le plancher, l'étroit lit de bois dont on voyait le sommier, le bureau et la petite table près de la fenêtre. L'exception consistait en un *Ojo de Dios* accroché à la tête du lit, réplique agrandie de celui que je transportais dans mon sac.

– C'est moi qui le lui avais donné, dit Sylvia, les yeux fixés sur les fils de laine multicolores. Il ne lui a guère porté bonheur!

Elle alla distraitement vers une large commode et ouvrit l'un des tiroirs. Si c'était, comme je le présumais, la chambre de Kirk, elle pouvait m'apprendre quelque chose et je m'approchai. Le tiroir était vide. Elle le referma d'une poussée et en ouvrit un autre. Cette fois, un vieux journal s'y trouvait. Intriguée, Sylvia s'en empara et alla le feuilleter sur la petite table.

– Il date de cette année-là, dit-elle, dans un murmure.

Je savais ce qu'elle voulait dire. C'était l'année de la tragédie. Sylvia tourna la page et sa main se figea. Je vis soudain pourquoi. Au centre de la page s'étalait la photo d'un souriant jeune homme vêtu avec recherche : des pantalons étroits, une chemise blanche, un court gilet brodé et un large sombrero retenu sous le menton par une lanière de cuir.

– Juan avait spécialement commandé ce costume de *charro* à Mexico, pour Kirk. Et Kirk le portait en vrai seigneur, né dans le cuir, l'argent et les dentelles. Il était aussi bon cavalier que Juan et, quand il y avait une *fiesta*, il montait son propre *palomino*.

Elle parlait d'une voix basse, dénuée d'émotion, comme si elle pensait tout haut, indifférente à ma présence.

La photo le montrait en pied, souriant avec insolence à l'objectif, et ce visage étroit, aux lèvres pleines, était le plus beau que j'eusse jamais contemplé. Et cependant il avait quelque chose... quelque chose que je n'arrivais pas à bien définir.

– Vous comprenez pourquoi toutes les femmes étaient folles de lui, poursuivit Sylvia de la même voix atone. Doro et Clarita n'étaient que deux parmi cent autres. Quoiqu'il les aimât toutes deux énormément. J'ai toujours pensé que Juan aurait aimé le voir marié à Doro. Il aurait été ainsi doublement son fils.

– Mais je croyais qu'il l'avait éloigné justement pour cette raison ?

– C'est surtout Katy qui l'a voulu. Elle a réussi à

convaincre Juan que Doro était trop jeune. Katy aimait beaucoup Kirk mais elle ne voulait pas qu'il épouse Doro. En principe, il devait rester éloigné quelques années. Juan lui avait trouvé un travail en Amérique du Sud, en Ecuador, pensant qu'il parlait bien espagnol et qu'il se sentirait chez lui là-bas. Plus tard, il reviendrait à Santa Fe et épouserait Doro si tous deux le désiraient encore. Mais à son retour, Doro avait épousé votre père, ce qui rendit Kirk furieux. Evidemment, Doro était plus belle et plus attirante que jamais et Kirk en est tout de suite retombé amoureux. Il était persuadé que Doro accepterait de fuir avec lui. A mon avis, il n'a jamais cru qu'elle pourrait en aimer un autre. De toute façon, la famille l'avait sur les bras et comme il connaissait parfaitement les chevaux, Juan l'a chargé de s'occuper du *rancho*. C'est ce qu'il a fait jusqu'au jour de sa mort.

Je scrutai le visage juvénile qui me souriait avec insolence. Il reflétait une extraordinaire assurance, comme s'il savait parfaitement que les femmes, comme les chevaux, étaient nées pour lui obéir. Il n'y avait pas la moindre trace de mélancolie amoureuse dans ces yeux, seulement une froide détermination.

Qu'y avait-il donc dans ce visage qui m'intriguait tellement? J'avais l'impression de l'avoir déjà vu, de connaître parfaitement Kirk Landers.

– Il ne vous ressemble pas.

– Bien sûr que non. Nous n'étions pas alliés par le sang. Il était mon demi-frère. Je suis heureuse de ne pas lui ressembler.

Sa voix s'était durcie sur ces derniers mots et je lui jetai un rapide coup d'œil. Jusque-là, j'avais toujours pensé qu'elle était très attachée à son demi-frère mais le ton de sa voix prouvait le contraire.

– Que pensiez-vous de lui, demandai-je, en tant que sœur?

– Je le détestais. Il était cruel, insouciant et égoïste. Il a blessé Doro à plusieurs reprises et il jouait avec Clarita parce qu'il savait qu'elle l'aimait. Comme je voulais Paul, il s'est mis contre lui et il a failli le tuer au cours de cette bagarre. S'il avait vécu, il aurait tout fait pour me séparer de lui.

Elle replia brutalement le journal, les mains tremblantes, et sortit précipitamment. Je m'attardai encore un moment, examinant la pièce, essayant de me faire une idée de l'homme que ma mère avait aimé dans sa jeunesse, avant qu'elle n'épouse mon père. Mais si son fantôme hantait encore la chambre, il ne m'apprit rien.

A part toutefois un détail. J'avais cru reconnaître le *charro* que Kirk portait sur la photo. C'était le même que celui que j'avais découvert dans le carton, avec le masque et le journal, et que Gavin m'avait retiré des mains sans explication. Son geste m'avait intriguée alors, comme il m'intriguait en y repensant.

Sylvia ayant abandonné son rôle de guide, je revins à la *sala* et la trouvai agenouillée devant la cheminée d'adobe, les mains tendues vers les flammes comme si elle avait froid. Clarita était assise un peu à l'écart, le visage dans l'ombre, présence muette et attentive.

Gavin se leva à mon entrée pour me faire une place entre lui et Juan et ce dernier m'adressa un sourire contraint. Il ne m'avait pas encore pardonné mon obstination.

Comme je m'asseyais, il indiqua du doigt l'un des côtés de la cheminée.

– C'était la place du masque turquoise, Amanda. Nous allons le rapporter au *rancho* et nous le rependrons ici.

– Il a disparu de ma chambre. Je l'avais mis dans un tiroir, mais quelqu'un l'a pris.

Gavin me jeta un regard pénétrant.

– Encore une mauvaise plaisanterie?

– Je l'ignore. Au fond, je suis contente qu'il ait disparu. Il me hantait.

Maria entra alors pour nous annoncer que le déjeuner était servi dans la salle à manger.

Juan s'enquit d'Eleanor et Maria lui répondit qu'elle était en train de fouiller dans de vieux cartons dans l'ancienne chambre de la señora Cordova. Elle allait la chercher.

La salle à manger était longue et étroite, comme la table en bois sombre avec ses carrés de paille tressée. De hautes chaises aux sièges de cuir craquelé nous attendaient. Des toiles sombres, représentant des paysages espagnols, ornaient les murs. Des fenêtres en arceaux, encastrées dans de profondes embrasures, ouvraient sur la cour en terre battue.

– Je détestais cette pièce quand j'étais petite, dit Sylvia. Elle me coupait l'appétit. Je m'attendais toujours à ce que l'un de ces personnages de l'Inquisition descende de sa toile, enveloppé dans sa cagoule, et vienne m'emporter.

– Quelle idée ridicule! dit Juan. Cette salle à manger était toujours très gaie. On y riait beaucoup et on y buvait de bons vins. Notre *hacienda* est tout à fait dans la tradition espagnole.

Maria alluma des bougies d'un blanc laiteux dans des chandeliers d'étain et l'atmosphère se réchauffa un peu. Sans attendre Eleanor, nous attaquâmes les *tacos* fourrées à la viande, délicieuses quoique un peu épicées pour mon goût. Il y avait également du riz espagnol et des *sopapillos*: petits pains ronds et légers que j'appréciais particulièrement.

Nous en étions à la moitié du repas lorsque

Clarita, assise à l'extrémité de la table, face à la porte, poussa un cri et porta sa serviette à ses lèvres. Sylvia se retourna alors et devint si blanche que je crus qu'elle allait s'évanouir. La chaise de Juan me bouchait la vue mais j'aperçus le visage contracté de Gavin qui se levait brusquement, repoussant sa chaise.

Juan, se doutant de quelque chose, se retourna à son tour et fixa la porte. Une silhouette élancée se tenait sur le seuil. Je reconnus les étroits pantalons de daim avec leurs boutons d'argent ternis sur les côtés, le gilet court, brodé d'une tresse blanche, le grand sombrero blanc et surtout, à la place du visage, le masque bleu incrusté d'argent et de turquoises.

Clarita prononça un seul mot : « Kirk ! » et enfouit son visage dans ses mains. Sylvia la reprit durement.

– Ne soyez pas stupide. C'est Eleanor.

La silhouette en costume de *charro* s'avança d'un pas dégagé et, s'étant découverte d'un geste large, commença à danser autour de la table.

J'entendis alors un cri terrible et me bouchai les oreilles. Ce ne fut que lorsque Gavin me secoua doucement l'épaule que je m'aperçus que c'était moi qui l'avais poussé.

– Taisez-vous, Amanda, taisez-vous. Allons, c'est fini.

Juan ouvrit alors la bouche pour la première fois.

– Ote ce masque, Eleanor ! Amanda est toute bouleversée. Qu'est-ce que c'est que cette mauvaise plaisanterie ?

Eleanor se débarrassa du sombrero et, détachant son masque, le posa sur la table. Son visage, lui aussi, était un masque : on y lisait une extraordinaire excitation mêlée à une curiosité méchante.

– Vous vous êtes souvenue de quelque chose, Amanda? Dites-moi, qu'avez-vous vu?

Avant que Gavin ait pu l'en empêcher, elle fit le tour de la table et vint s'agenouiller à côté de moi, dans son costume défraîchi.

– Regardez, Amanda, regardez! murmura-t-elle en me désignant son gilet.

On voyait des taches sombres à l'emplacement du cœur qui viraient au brun au contact de la tresse blanche, et le tissu était troué comme par une balle.

Je ne criais plus mais je tremblais des pieds à la tête. J'enfouis mon visage dans la poitrine de Gavin. Celui-ci me caressa doucement pour me calmer. Un silence absolu régnait dans la pièce. Clarita fut la première à le rompre.

– Oh! méchante! que tu es méchante! s'écria-t-elle à l'adresse d'Eleanor. Aussi méchante que lui parfois!

Et je compris qu'elle parlait de Kirk. C'était la première fois que je voyais Clarita en colère contre Eleanor.

Sylvia repoussa sa chaise et quitta la pièce sans un regard pour personne. Seuls Juan et Eleanor continuaient à me regarder tandis que Gavin me caressait doucement les cheveux, en me murmurant des paroles apaisantes. Je pleurai, serrée contre lui, sans m'inquiéter de ceux qui m'observaient.

– Tu t'es surpassée aujourd'hui, dit enfin Juan à Eleanor. Va te rhabiller à présent. Ensuite, tu demanderas à Maria de faire un paquet de ce costume et de me l'apporter. Il faut le jeter. J'ignorais qu'il se trouvait encore ici.

– C'est ma mère qui l'a conservé! s'écria Clarita d'une voix étranglée.

Elle m'observait du même œil sombre que Juan, se demandant ce que je faisais dans les bras de

Gavin. Eleanor ne prêta aucune attention à Juan. Elle poursuivait son jeu cruel.

– Je me souviens, Amanda, contrairement à vous, même si je n'étais pas là au moment de l'accident. Kirk avait mis ce costume de *charro* pour son rendez-vous avec Doro, sur la colline. Il le portait souvent pour les *fiestas* et il le portait aussi ce jour-là, quand on l'a ramassé. J'ai vu le sang couler, moi aussi Amanda. Mais je ne suis pas une femme-lette comme vous.

Les yeux étincelants, elle défiait son grand-père, Gavin, nous tous. Elle s'empara du sombrero et le remit sur sa tête, provocante. Je fermai les yeux devant ce spectacle, revoyant sous mes paupières closes la haute silhouette couronnée d'un sombrero, le visage dissimulé par le masque turquoise. Mais c'était Kirk que je voyais, non Eleanor. Kirk arrachant le masque et celui-ci tombant sur le sol, près de moi. Je l'entendais parler à ma mère, la menacer. Oui, je me souvenais de sa voix... dure, menaçante. Et je revoyais le visage effrayé de ma mère. Elle luttait contre un mystérieux adversaire en criant : « Non, non ! » Une rafale avait éclaté alors, j'avais vu le sang couler, entendu le bruit qu'elle faisait en tombant. Une chute sans fin. Ensuite, tout s'était brouillé et je me revoyais, assise sur un banc, tenant le masque bleu dans mes mains et fixant ce fameux arbre à coton qui, pour mes yeux d'enfant, devait représenter l'incarnation du mal.

Gavin portait un verre d'eau à mes lèvres. Je bus malgré ma faiblesse et la vision s'évanouit. Sylvia rentrait dans la salle à manger. Ses mains me détachèrent de Gavin et je l'entendis murmurer :

– Laissez tout cela, Amanda. N'essayez pas de vous souvenir.

Je n'avais qu'une envie : me retrouver dans les bras de Gavin, mais il s'était éloigné, me laissant aux soins de Sylvia. Je portai une main à mon visage et m'aperçus qu'il était mouillé de larmes. Je me sentais épuisée.

Eleanor n'était pas partie. Ses yeux m'épiaient toujours, impatients, curieux.

– Vous vous êtes souvenue de quelque chose, n'est-ce pas, Amanda? Dites-nous ce que vous avez vu.

Je secouai faiblement la tête.

– Non. J'ai deviné quelque chose mais ma vision n'était pas claire. Je me souviens de Kirk. Je me souviens de la frayeur de ma mère. Mais c'est tout... c'est tout.

J'entendis quelqu'un pousser un profond soupir et, ouvrant les yeux, je m'aperçus que c'était Sylvia. Mais à présent, c'est Eleanor qui m'intéressait. Je comprenais enfin pourquoi la photo de Kirk me semblait familière. C'était le vivant portrait d'Eleanor.

Les forces commençaient à me revenir. Je repoussai Sylvia. Eleanor... Kirk. Pourquoi? Je regardai Juan et Clarita. Certes, Eleanor leur ressemblait un peu. Mais Kirk n'avait aucun lien de parenté avec les Cordova. C'était du moins ce que m'avait affirmé Sylvia. Alors, pourquoi cette ressemblance?

Juan qui n'avait pas quitté sa chaise se tourna vers moi :

– Essaie de manger, Amanda. Tu te sentiras mieux.

Je regardai mon assiette avec répugnance et Clarita se leva.

– Je vais lui chercher un peu de potage à la cuisine.

Elle parlait sans me regarder, d'une voix dénuée de toute sympathie.

Sans s'occuper de son grand-père, Eleanor vint reprendre sa place et se mit à manger avec appétit.

Mais Juan avait retrouvé son autorité et s'adressa à elle d'une voix vibrante de colère :

– Tu ne mangeras pas avant d'avoir ôté ce costume, lui dit-il.

Cette fois, Eleanor n'osa pas lui désobéir. Toute sa superbe l'abandonna et, telle une enfant punie, elle se leva aussitôt et sortit de la salle à manger.

Clarita revint avec une tasse de bouillon fumant que je bus avec le plus grand plaisir. Eleanor réapparut comme je finissais, vêtue de sa blouse et de son pantalon gris.

– Je vais vous ramener à la maison, Amanda. Vous en avez assez supporté aujourd'hui, me dit Gavin.

– Dans ce cas, je vous accompagne! s'écria Eleanor.

– Il n'en est pas question.

Le ton de Gavin était sans réplique.

Juan jeta un coup d'œil à Sylvia et celle-ci s'adressa à Gavin :

– Je rentrerai avec vous, si cela ne vous ennuie pas, Gavin.

Il acquiesça d'un bref signe de tête et nous partîmes chercher la voiture. Immobiles à la table, Juan, Clarita et Eleanor nous regardèrent sortir.

Cette fois, Gavin me fit asseoir à côté de lui et Sylvia prit place près de la fenêtre.

– Juan est furieux, dit nerveusement Sylvia. Il veut que tu restes avec Eleanor, Gavin. Il n'acceptera pas... ce qui se passe entre Amanda et toi. Je dois dire que vous nous avez bien eus.

Je compris que j'avais ouvertement montré mes sentiments. J'en imputai la faute à ma faiblesse mais, curieusement, cela m'était égal.

– Je ne vois pas très bien ce qu'il peut faire, dit Gavin, le visage fermé.

– Il peut te renvoyer.

– C'est possible. Mais il a besoin de moi.

Je savais que j'aurais dû fournir de vagues excuses quant à ma conduite, mais je n'en éprouvais pas la moindre envie. Je posai ma tête sur le bras de Gavin et il me caressa la joue. Je compris qu'il ne m'en voulait pas. Je l'aimais tellement que je n'aurais pu le supporter. Après quelques kilomètres que nous parcourûmes en silence, je me résignai à poser mes questions.

Je comprends à présent pourquoi cette photo de Kirk me paraissait familière. C'est le sosie d'Eleanor.

– Kirk? fit Gavin surpris. Je n'y avais jamais pensé. Mais je me souviens si peu de lui...

– C'est de la pure imagination, fit Sylvia, avec une légèreté qui ne me trompa pas.

Quelle que fût la vérité, Sylvia la connaissait.

– Est ce que Juan est le père de Kirk? demandai-je carrément.

Gavin poussa une exclamation et Sylvia parut s'étrangler.

– Oh! Non! Bien sûr que non, voyons!

– Dans ce cas, pourquoi Kirk ressemble-t-il tant aux Cordova?

– Mais pas du tout! répéta Sylvia avec véhémence. Vous vous trompez, Amanda.

J'ignorai ses dénégations véhémentes.

– Si Juan était le père de Kirk, celui-ci serait donc le demi-frère de ma mère.

Sylvia secouait la tête.

– Vous faites fausse route, Amanda. Kirk était mon demi-frère.

– Alors, dites-moi la vérité.

Elle se contenta de faire non de la tête, refusant en bloc toutes mes hypothèses.

Je continuai pourtant, comme pour moi-même.

– Si Doroteo avait voulu épouser Kirk et que

celui-ci fût son frère, Juan ne pouvait évidemment consentir à une telle alliance, n'est-ce pas? Et si c'était Juan qui était venu au rendez-vous? Juan qui avait tué Kirk?

– Et poussé sa fille préférée dans le ravin? dit Sylvia avec une ironie glacée.

– Et si Clarita mentait en racontant ce qu'elle a vu de la fenêtre? Si elle avait protégé son père pendant toutes ces années?

– Non! s'écria Sylvia. Vous vous trompez, Amanda. Juan était malade ce jour-là. Katy l'avait mis au lit. Mais si vous tenez absolument à savoir la vérité, Clarita ne s'est jamais trouvée près de cette fameuse fenêtre. Tout ce qu'elle a déclaré à la police était faux.

Je tournai la tête pour la regarder et Gavin en fit autant. Sylvia avait les yeux fixés sur la route qui s'étendait devant nous, avec les toits de Santa Fe dans le lointain, devant le contrefort des montagnes.

– Vous venez d'inventer cela?

Son visage était devenu aussi pâle que lorsque Eleanor était apparue dans la salle à manger, vêtue du costume de Kirk.

– Je n'invente rien. Paul l'a aperçue ce jour-là. Il l'a vue devant la maison, là où elle ne pouvait rien voir de ce qui se passait sur la colline. Elle a toujours menti.

Je me souvins que Sylvia m'avait dit un jour qu'elle et Paul n'étaient pas allés au pique-nique ensemble.

Gavin posa la question suivante :

– Dans ce cas, pourquoi Paul n'est-il pas allé dire ce qu'il savait à la police?

– Il n'a pas voulu. Clarita lui faisait pitié. Elle avait oublié sa passion pour Kirk, à l'époque, exactement comme Doro. C'était de Paul qu'elle était

284

amoureuse et elle commençait à voir Kirk à travers les yeux de Paul, à comprendre qu'il était profondément mauvais.

Je laissai aller ma tête contre le siège et fermai les yeux. Il me semblait me trouver devant un tableau contemplé depuis longtemps et qui, brusquement, prenait forme : chaque touche prenait soudain une signification nouvelle, différente.

Je décidai de ne plus penser à rien. Au loin les crêtes enneigées étincelaient sous le soleil. Je me souvins de ces instants passés là-bas, seule avec Gavin. Comme la neige était propre et pure sous la lune! Comme l'amour, alors, m'avait paru simple et clair! Il n'en allait plus de même à présent. Cependant une page avait été tournée quand Eleanor s'était aliéné la sympathie de Gavin. Je me demandai ce qu'elle allait faire. Elle jouerait peut-être quelque temps avec Paul, ou bien demanderait le divorce. Je soupçonnai qu'elle n'abandonnerait pas facilement à une rivale l'homme qu'elle avait jadis possédé. Si Gavin m'aimait, elle me détesterait pour cet amour.

Je ne pouvais plus en supporter davantage. Je me laissai aller sur le siège et tentai de faire le vide dans mon esprit. Personne ne parlait dans la voiture. De temps à autre, Gavin tournait la tête et me jetait un regard inquiet. Mon aspect ne devait guère le rassurer. La mauvaise farce d'Eleanor m'avait vidée de toute émotion et je me sentais incapable d'aligner deux idées cohérentes.

Arrivé devant la maison, Gavin me tint un instant serrée contre lui, geste que j'aurais trouvé réconfortant si j'avais pu éprouver un sentiment quelconque. Puis il m'abandonna aux soins de Sylvia. Celle-ci m'accompagna dans ma chambre et me proposa de rester un moment avec moi.

– Je vais bien, la rassurai-je. J'ai simplement besoin d'un peu de calme.

Sylvia, d'une certaine façon, paraissait encore plus troublée que moi. Elle s'agitait nerveusement dans ma chambre et j'eus l'impression qu'elle n'avait pas envie de retrouver Paul tout de suite. C'est ce qu'elle m'avoua enfin après avoir tourné trois ou quatre fois dans la pièce.

– Paul voudra savoir ce qui s'est passé et je n'ai pas envie d'en parler. Ce qu'a fait Eleanor est abominable. Elle pensait vous éloigner tout en aidant Paul, au cas où vous vous souviendriez de quelque chose. Mais à mon avis, mieux vaut ne pas remuer le passé. Oubliez cette journée, Amanda. Oubliez tout cela.

C'était le refrain favori de Sylvia mais, cette fois, son inquiétude m'intrigua.

– Je n'ai pas le choix, dis-je. Je sens que j'approche de la vérité. Je ne peux rien décider avant que tout soit éclairci.

Elle cessa sa promenade et s'arrêta près de mon lit.

– Et alors, dit-elle, que ferez-vous?

– Je l'ignore. Comment le saurais-je? Si je découvre que ma mère est innocente, je suppose que j'irai trouver Juan.

– Je dirai à Paul que vous ne vous souvenez de rien. Je lui dirai de ne plus s'occuper d'Eleanor.

Je fermai les yeux. J'avais envie d'être seule et, après quelques instants, Sylvia s'en alla. J'entendis le bruit de ses pas décroître dans l'escalier et restai allongée sur le lit, épiant le silence. Un moment plus tard, les autres arrivèrent. J'entendis Clarita qui aidait Juan à regagner sa chambre et, quand je m'approchai de la fenêtre, j'aperçus Eleanor qui traversait le patio en courant en direction de la maison des Stewart. Elle devait être impatiente de tout raconter à Paul.

Je regagnai mon lit et réussis à m'assoupir. Rosa me réveilla. Elle m'apportait un plateau que Clarita avait préparé à mon intention. Il y avait un potage, un peu de fromage et un fruit. J'avalai le tout beaucoup plus facilement que je ne l'aurais fait d'un dîner copieux. Quand Rosa revint et emporta le plateau, je me recouchai l'esprit plus clair mais toujours indécise quant à la marche à suivre.

Il faisait sombre à présent. Le lampadaire du patio s'alluma, projetant une faible lueur sur l'une des fenêtres. Allongée dans l'obscurité, je songeai à Gavin, à un avenir libre de tous problèmes où nous serions réunis pour de bon. En serait-il jamais ainsi? Je fus brutalement rappelée à la réalité par la voix de Juan qui m'appelait.

J'allai ouvrir la porte et l'aperçus au pied des escaliers. Il tournait le dos à la pièce éclairée, de sorte que je ne pouvais distinguer son visage.

– Descends, Amanda, dit-il doucement.

Je respirai profondément pour rassembler mon courage et descendis. Mais le sermon que j'attendais ne vint pas.

– J'ai un service à te demander, dit-il, en me tendant un trousseau de deux clés.

Je les pris en le regardant d'un air interrogateur.

– Tu es la seule qui puisse faire cela pour moi. Je suis trop fatigué pour marcher et, d'ailleurs, ma vue est mauvaise. Je voudrais que tu jettes un coup d'œil à la collection.

– A la collection? répétai-je sans comprendre.

– Oui. J'ai été absent une grande partie de la journée. Généralement, je vais toujours y faire un tour. Ce soir, j'aimerais que tu me remplaces. Je veux être sûr que tout est en ordre.

– Mais comment le saurai-je? Il me semble que Gavin...

Il me jeta un regard noir.

– Non. Pas Gavin. Tu n'auras pas besoin de tout vérifier. Le Vélasquez seulement. Je veux être sûr qu'il est toujours à sa place. Je me suis inquiété toute la journée.

– Mais le signal d'alarme fonctionne. On vous aurait prévenu.

– Pas forcément. Ne discute pas, Amanda. Fais ce que je te dis. Ensuite, tu viendras me trouver dans mon bureau.

Je regardai les clés dans ma main.

– Très bien, fis-je à contrecœur. J'y vais.

D'une certaine façon, je me sentais soulagée d'avoir échappé à une réprimande.

– Tu te souviens ? La première clé pour débrancher le signal d'alarme. Ensuite, l'autre. Et quand tu reviendras dans mon bureau, emprunte le passage secret. Je ne tiens pas à ce qu'on te voie. La porte sera ouverte.

J'acquiesçai de la tête. Il reprit le chemin de la chambre, s'appuyant lourdement sur sa canne comme si notre excursion de la journée avait épuisé ses dernières forces.

Je sortis dans le patio par la porte de la salle de séjour. Personne n'était en vue. Je descendis en hâte l'allée pavée menant à la petite construction au toit rouge. Je me servis de mes deux clés et poussai la porte.

Les rideaux étaient tirés, comme toujours, et il faisait très sombre à l'intérieur. Je tournai le commutateur, à droite de la porte, et branchai l'éclairage indirect. Les tableaux de la galerie s'illuminèrent. Sans leur prêter attention, je marchai rapidement vers l'alcôve, au fond de la salle, et appuyai sur un autre bouton éclairant le portrait de Doña Inès par Vélasquez.

Un simple coup d'œil m'assura qu'il était bien en place. Je contemplai un instant l'étrange visage aplati de la naine avec son chien à ses pieds. Puis, éteignant la lumière, je regagnai la pièce principale. Autant que je pouvais en juger, tout était en ordre. Rien ne manquait sur les murs ni sur les étagères.

Cette fois encore, le portrait d'Emanuella retint mon attention. Je le contemplai, essayant de retrouver l'image de ma mère dans le visage rieur à la moue enfantine. Si seulement elle vivait encore! Pas Emanuella, bien sûr, mais Doroteo. Elle m'avait aimée comme Katy avait aimé ses filles. Comme mon père m'avait aimée. Que m'importaient les Cordova! C'était illusion que d'attendre d'eux la moindre affection.

Mais il y avait Gavin. Cette pensée me réconforta et j'essayai de dire à cette image de Doroteo que, moi aussi, j'avais enfin trouvé l'homme de ma vie. Un homme qui m'aimait. Mais elle se contentait de me sourire d'un air provocant et je compris que Doroteo ne ressemblait pas à la jeune fille du portrait.

Encore plongée dans mes rêves, j'éteignis les lumières et sortis. Paul Stewart m'attendait dans le patio. Dans mon état d'esprit actuel, c'était la dernière personne que je souhaitais voir, mais je ne voyais pas comment l'éviter.

— J'ai vu de la lumière quand vous êtes entrée. Je me demandais qui ça pouvait bien être.

Je verrouillai la porte et rebranchai le signal d'alarme.

— Juan m'a donné les clés. Il était inquiet pour son Vélasquez.

— Je suis certain que personne n'y a touché. Je

n'ai guère quitté ma machine à écrire aujourd'hui. Si quelqu'un était entré, je l'aurais entendu.

– C'est ce que j'ai dit à Juan.

– Eleanor m'a raconté ce qui est arrivé au *rancho*.

Ses yeux vert pâle avaient cette lueur que je n'aimais pas et je devinai qu'il avait dû féliciter Eleanor de son mauvais tour.

– Elle a échoué, fis-je d'un ton froid. Je ne me suis souvenue de rien. Mais elle a réussi à bouleverser tout le monde. C'était un geste cruel et inutile.

Paul ne se souciait guère de mon opinion.

– Promettez-moi quelque chose. Si vos souvenirs vous reviennent, voulez-vous m'en parler le premier ?

– Certainement pas. Pourquoi le ferais-je ?

– Parce que cela vaudrait mieux pour tout le monde, répliqua-t-il tranquillement.

Sur ce, il tourna les talons et disparut derrière la grille.

Je le suivis des yeux avant de me diriger lentement vers l'entrée du corridor conduisant à la chambre de Juan.

La porte était ouverte ainsi qu'il me l'avait promis. L'ampoule placée à l'extrémité du passage éclairait le chemin sur quelques mètres mais celui-ci s'assombrissait au fur et à mesure qu'on approchait des escaliers et j'hésitai avant de m'y engager. Trop d'accidents m'étaient arrivés dernièrement. Mais j'entendis s'ouvrir la porte de la chambre et mon grand-père qui m'appelait.

– C'est toi, Amanda ?

Je lui répondis et m'engageai dans le passage. Je trouvai la chambre vide. Elle était éclairée et je détournai rapidement les yeux du grand tableau où le pauvre supplicié agonisait sur son bûcher.

Juan m'attendait dans son bureau. Il portait une

longue robe de chambre marron avec une capuche de moine dans le dos. Je m'arrêtai un instant, décontenancée : il était la réplique vivante des sombres silhouettes du tableau.

Je m'avançai enfin jusqu'à son bureau et déposai les clés qu'il rangea dans un tiroir.

— Je ne pense pas qu'on ait touché à quoi que ce soit.

Il parut aussitôt soulagé et ses mains croisées sur le bureau se détendirent. Il était obsédé par son Vélasquez et je me demandai si cela ne nuisait pas à son équilibre.

— Pourquoi ne le renvoyez-vous pas en Espagne?

— Jamais de la vie!

— Mais vous dites que vous n'y voyez plus très bien...

— Je vois avec mon esprit et avec mon cœur. Et je peux le toucher avec mes doigts. C'est mon plus grand plaisir.

— Ce n'était sans doute pas le cas de Katy. Katy, je pense, croyait en ce qui était humain.

— Si Katy était encore de ce monde, ma vie serait fort différente. A présent mes tableaux sont tout ce qui me reste.

— Ce n'est même pas un beau tableau, fis-je. J'admets qu'il est superbe d'un point de vue artistique mais il dégage une sorte d'épouvante. Je préfère celui d'Emanuella.

— Dans ce cas, il est à toi. Je te le donne. Laisse-moi le garder ici jusqu'à ma mort. Ensuite, il te reviendra. Je m'y engagerai par écrit.

Aussitôt, je fus sur mes gardes. Juan Cordova n'était pas un sentimental, ni un homme généreux. C'était une tentative pour me séduire.

— Merci, dis-je tranquillement et je me dirigeai vers la porte.

Il m'arrêta aussitôt.

– Attends. Assieds-toi un instant, Amanda.

A présent, me dis-je, il allait me faire la morale. A cause de Gavin. Mais sa question me surprit.

– Que s'est-il passé aujourd'hui? Tu t'es souvenue de quelque chose?

– Non. Simplement de Kirk dans son costume de *charro* avec le masque. Pourquoi le portait-il, à votre avis?

– Selon Katy, c'était parce que Doroteo l'adorait jadis, vêtu ainsi. Le masque leur servait de prétexte pour flirter. Il voulait lui rappeler cette époque, je pense. Il lui avait demandé de s'enfuir avec lui mais elle n'aurait jamais fait une chose pareille.

– Et quelqu'un l'a tué. Mais ce n'est pas ma mère. C'est tout ce que j'ai pu me rappeler. Ce n'était pas Doroteo.

J'entendis un son étranglé derrière moi et me retournai. Clarita se tenait sur le seuil, les yeux étincelants.

– Bien sûr que c'était Doro! Je l'ai vue de mes propres yeux.

Je me redressai et lui fis face.

– Non. Vous n'avez rien vu du tout, tante Clarita. C'est ce que j'ai appris aujourd'hui, sur le chemin du retour. Paul vous a vue devant la maison. Vous ne pouviez pas être devant la fenêtre quand la chose s'est produite.

Juan me saisit la main par-dessus le bureau.

– Qu'est-ce que cela? Que veux-tu dire?

Clarita poussa un cri étranglé, enfouit son visage dans ses mains et quitta la pièce en courant. La pression de Juan sur ma main me força à m'asseoir.

– Tu vas t'expliquer immédiatement.

Je lui répétai ce que Sylvia m'avait dit dans la

voiture et il m'écouta, une expression hagarde sur le visage.

– Je l'ai crue pendant toutes ces années, dit-il enfin. Elle mentait, mais pourquoi? Pourquoi?

– Pour protéger quelqu'un, je suppose.

Il libéra ma main et se leva péniblement.

– Va la chercher. Amène-la-moi, Amanda. Ensuite, tu nous laisseras seuls.

Il avait complètement oublié Gavin et je lui obéis avec soulagement. La salle de séjour était vide et je me dirigeai vers les chambres. Je frappai à celle de Clarita et, n'obtenant pas de réponse, j'ouvris la porte et entrai. Elle était allongée sur le lit et, un instant, je crus qu'elle pleurait. Mais quand je prononçai son nom, elle se redressa et me fixa avec des yeux secs et ravagés.

– Que voulez-vous? N'en avez-vous pas assez fait pour aujourd'hui?

– Votre père vous demande. Il m'a dit de vous conduire à lui immédiatement.

Elle me congédia d'un geste.

– Je vais y aller. Je n'ai pas besoin de vous.

Mais je savais fort bien que Juan, lorsqu'il donnait un ordre, entendait être obéi à la lettre et j'attendis. Après quelques instants, elle se leva et s'approcha de moi.

– Pourquoi avez-vous menti? demandai-je doucement. Qui donc se trouvait sur la colline ce jour-là?

Une seconde, je crus qu'elle allait me frapper. Elle leva sa main maigre ornée de bagues, mais je ne bougeai pas et elle la laissa retomber.

– Vous êtes comme votre mère, murmura-t-elle. Vous voulez vous faire tuer.

Elle m'écarta d'une poussée et quitta la chambre. Je la suivis jusqu'au pied de l'escalier et attendis qu'elle eût pénétré dans le bureau de son père.

Quand la porte se referma, je montai en courant jusqu'à ma chambre et me préparai pour la nuit.

J'avais peur. L'étau se resserrait autour de moi et, bientôt, je serais acculée. Je me déshabillai machinalement et me glissai sous les couvertures. Gavin me semblait très loin.

16

Cette nuit-là, un rêve me réveilla. Ce n'était pas celui de l'arbre mais il était si précis, si effrayant, que je me redressai en sursaut et allumai la lampe de chevet. Mon petit réveil de voyage marquait 3 heures et demie. J'essayai de revivre mon rêve dans ses détails mais il s'effaçait déjà. Je me souvenais d'un chien. D'un détail horrible concernant un chien. Mais il n'y avait pas de chien à la maison et je n'avais jamais possédé de chien moi-même, excepté lorsque j'étais enfant, dans la maison de ma tante du New Hampshire.

Je me glissai hors de mon lit et allai à la fenêtre qui donnait sur le patio. Le lampadaire était allumé comme de coutume, éclairant vaguement la petite construction au toit rouge. Mais rien ne bougeait là-bas.

Soudain, je me souvins.

Bien sûr. Elle aussi faisait partie de mon cauchemar. C'était le portrait de Doña Inès avec son chien qui m'avait troublée et que j'avais revu en rêve. Mais un détail me préoccupait au sujet du chien. Un détail mystérieux, monstrueux, mais lequel?

J'allai à l'autre fenêtre et laissai la brise fraîche me caresser le visage. La lune éclairait les pics couverts de neige. Les heures de la nuit étaient les pires. Elles signifiaient toujours la solitude – l'instant où le courage vous abandonne, où la vie vous apparaît sans espoir. Il me semblait qu'une ombre menaçante planait sur moi et l'écho des paroles de Clarita me revenait : « Vous voulez vous faire tuer. »

Mais c'était faux. Je voulais vivre – comme ma mère voulait vivre. Parce que maintenant j'avais Gavin. Pourtant, je ne pouvais pas rebrousser chemin. J'étais allée trop loin. Elcanor était allée trop loin. Je n'étais plus en sécurité mais je devais vivre jusqu'à ce que l'énigme soit éclaircie.

Des questions assaillaient mon esprit. Où se trouvait Paul au moment de la mort de Kirk ? Où se trouvait Clarita ? Et Sylvia, où se trouvait-elle au moment de la bagarre entre Paul et son demi-frère ?

Je réussis quand même à m'endormir, sans faire de rêves cette fois. Je me réveillai de bonne heure et, quand je descendis, je trouvai Clarita toute seule à la table du petit déjeuner. Ses cheveux n'étaient pas aussi lisses qu'à l'ordinaire et, pour une fois, elle ne portait pas ses boucles d'oreilles. On aurait dit que son armure, si rigide, commençait à céder. Je me demandai ce qui s'était passé entre elle et Juan, mais je ne pus le savoir car elle m'adressa à peine la parole. En fait, elle semblait à peine me voir.

Eleanor resta invisible, mais Gavin vint se joindre à nous et Clarita ne lui parla pas non plus. Une lourde contrainte pesait sur nous. Gavin m'adressait de temps en temps un coup d'œil inquiet mais ne faisait aucun effort pour engager la conversation.

J'allais quitter la table quand il se décida enfin à m'adresser la parole :

– Amanda, voulez-vous m'accompagner au magasin ce matin ? J'ai déjà téléphoné à Paul et il nous rejoindra là-bas. Nous ne pouvons pas laisser passer cette agression sans faire une petite enquête. Nous allons reconstituer ce qui s'est passé et peut-être trouverons-nous une réponse. J'ai également demandé aux vendeuses de vérifier si rien ne manquait dans les stocks.

– Et si c'était Paul qui m'avait frappée? Ou même Eleanor?

Gavin poussa un soupir.

– Tout est possible. C'est pour cette raison qu'il faut faire cette enquête. Nous examinerons tous les indices possibles.

Clarita se leva dignement et quitta la salle à manger. Je me rappelai la boucle d'oreille que j'avais trouvée dans le garage.

– Nous devrions peut-être emmener Clarita?

Gavin écarta ma suggestion d'un geste. Il me regardait. J'avais envie d'être dans ses bras et je savais qu'il le désirait aussi, mais nous nous retenions tous les deux. Les étreintes furtives ne nous tentaient ni l'un ni l'autre. Nous avions devant nous de hautes montagnes à franchir. Plus hautes que les Sangre de Cristo.

Paul nous retrouva au magasin comme prévu et nous jouâmes à reconstituer tous nos gestes de cette nuit-là. Cela n'aboutit à rien. Paul ne semblait que trop désireux d'apporter son concours mais je ne me fiais pas à lui et je sentais l'ironie cachée derrière tous ses gestes et ses paroles. Gavin et lui se montraient extrêmement polis l'un vis-à-vis de l'autre sans réussir à cacher l'hostilité qui les séparait. Si Paul Stewart était venu au magasin dans le dessein de cacher quelque chose, il avait parfaitement réussi.

Un seul événement important se produisit pendant l'heure que nous passâmes à errer dans les allées de CORDOVA – et ce fut dans ma tête. Mon rêve de la nuit était revenu me tourmenter. Quel était donc ce détail qui m'intriguait au sujet de Doña Inès et de son chien? En apprendrais-je davantage en revoyant le portrait? J'eus soudain envie de rentrer à la maison. J'irais jeter un coup d'œil à la collection.

La chance était de mon côté. Quand Gavin me déposa à la maison avant de regagner le magasin, Rosa m'accueillit à la porte d'entrée et me dit que Clarita avait emmené mon grand-père faire un tour en voiture. Cela me laissait le champ libre. Dès que Rosa eut disparu au fond de la maison pour faire son ménage, j'escaladai en courant l'escalier de la loggia et pénétrai dans le bureau de Juan. Le tiroir qui contenait les clés était fermé, comme je m'y attendais. J'étais en train de réfléchir au moyen de l'ouvrir quand j'entendis un bruit qui me glaça. Il provenait de la chambre de Juan.

J'aurais pu m'enfuir. Quitter son bureau et gagner une autre partie de la maison sans être vue. Mais je devais savoir qui déambulait dans cette pièce vide pendant l'absence de Juan. Une seconde me suffit pour m'accroupir derrière le grand divan. Une fois là, j'attendis.

Le bruit qui me parvenait de la chambre m'était familier : celui d'une porte qu'on fermait. Quelqu'un avait emprunté le passage secret et pénétré dans la chambre de Juan. Un instant plus tard, j'entendis des pas dans le bureau et le bruit d'un tiroir qu'on déverrouillait. Je pointai la tête à l'extrémité du sofa et aperçus Eleanor. Sa clé était dans la serrure du tiroir que j'avais voulu ouvrir, mais, au lieu de prendre le trousseau du pavillon, elle le remettait en place.

Rosa l'appela de la salle de séjour et Eleanor, après avoir vivement poussé le tiroir, sortit sur la loggia pour lui répondre. Je ne perdis pas de temps.

En une seconde, j'avais ouvert le tiroir et pris les clés de la collection. Quand Eleanor revint, tout était en ordre et j'avais réintégré mon poste derrière le divan.

Sans s'attarder, elle ressortit par la loggia et je la suivis. Arrivée au couloir qui conduisait aux chambres, j'eus le temps de la voir entrer dans la sienne, à l'extrémité du corridor. J'allai frapper à sa porte et, après quelques instants, elle me cria d'entrer.

La chambre dans laquelle je pénétrai était à l'image de sa propriétaire et je sus aussitôt qu'elle n'y vivait pas avec Gavin. Les rideaux, le couvre-lit, les tapis étaient de couleurs pastel, en harmonie avec son teint de blonde. Mais je ne perdis pas de temps à examiner la pièce. C'était Eleanor qui m'intéressait.

Elle se tenait debout, sur un petit tapis bleu pâle occupant le centre de la chambre, et paraissait nerveuse. Ses doigts jouaient avec les médaillons d'argent de sa ceinture de *concho* et ses yeux m'observaient avec méfiance.

– Pourquoi avez-vous pris les clés de la collection?

Elle lissa de la main ses cheveux en désordre.

– Je ne sais pas de quoi vous parlez.

– Je viens de vous voir dans le bureau de Juan. Vous étiez en train de les remettre en place. Vous vouliez peut-être vous enquérir du Vélasquez? Ne vous inquiétez pas. Personne n'y a touché. Juan m'a demandé d'aller vérifier.

Elle se mit à rire et parut se détendre un peu.

– J'en suis ravie. Si vous voulez savoir, j'étais un peu inquiète moi aussi et je suis allée jeter un coup d'œil. Grand-père finira par tous nous contaminer avec sa passion pour ce fameux trésor.

– Est-ce que vous le conserveriez, comme lui, s'il vous appartenait?

– Certainement pas. Je le vendrais à un receleur quelconque et je serais riche pour le restant de ma vie.

– Mais il appartient à l'Espagne, objectai-je.

– Et vous l'enverriez là-bas si vous en héritiez?

– Juan ne fera jamais une chose pareille. Il ne vous dépossédera pas. Et je ne désire rien de lui, excepté la vérité au sujet de ma mère.

– Croyez-vous donc qu'il vous demandera votre avis?

Elle quitta le tapis et se laissa tomber sur un sofa, les mains enserrant ses genoux. Elle fronçait les sourcils, comme étonnée, et sa bouche esquissait une moue ironique.

– Etes-vous vraiment ainsi, Amanda? L'argent vous intéresse-t-il réellement si peu?

– Je pourrai toujours en gagner. Pas beaucoup, mais suffisamment pour mes besoins.

– Et vous comptez également sur Gavin, je suppose?

– Je ne compte sur aucun de ceux qui habitent à Santa Fe.

Elle laissa retomber sa tête sur ses mains un instant et, quand elle la releva, elle avait un sourire amical que je ne lui avais jamais vu.

– C'est sans importance, Amanda, je n'en veux pas, de toute façon. Il m'a aimée autrefois, mais c'est bien fini. Il en va de même pour moi, d'ailleurs. Mais ne parlons pas de Gavin...

Elle se leva et, traversant vivement la pièce, s'approcha de moi. Je me raidis aussitôt. Elle s'en aperçut et éclata d'un rire amer.

– Vous n'avez aucune confiance en moi, n'est-ce pas, Amanda? Je ne peux pas vous en vouloir. C'est affreux ce que j'ai fait hier. Je ne me suis pas rendu compte à quel point cela pouvait vous affecter. Juan m'a passé un sacré savon.

Son air contrit m'étonna mais je savais qu'elle ne pouvait comprendre le choc qu'elle m'avait causé. Eleanor ignorait le don de sympathie : elle ne saurait jamais se mettre à la place des gens. Si elle pensait effacer son geste par une excuse, elle se trompait. Je me dirigeai vers la porte. Je n'avais pas fait deux pas qu'elle m'arrêtait par le bras.

– Amanda, faisons la paix. Je vous avais promis de vous emmener à Madrid un jour pour que vous puissiez peindre. Allons-y tout de suite. De plus, il y a quelque chose que je veux vous montrer là-bas – quelque chose qu'il faut que vous voyiez.

– Quoi donc ? demandai-je carrément.

Je n'avais aucune envie de l'accompagner où que ce soit, encore moins dans une ville fantôme.

– Quelque chose qui concerne votre mère, Amanda. Je ne l'ai jamais montré à personne, mais cela répondra à beaucoup de vos questions.

– Vous voulez dire que vous connaissez les réponses ?

– J'en connais certaines.

– Alors, donnez-les-moi tout de suite, ici.

Elle leva les mains comme pour signifier son impuissance.

– Vous ne me croiriez pas. Il faut que vous jugiez de vos propres yeux.

J'hésitai encore un instant, songeant aux clés de la collection. Elles faisaient une bosse dans la poche de mon pantalon. Mais Juan était loin et peut-être n'irait-il pas regarder tout de suite dans son tiroir. De plus, je pouvais remettre mon projet à mon retour de Madrid. Inès et son chien attendraient.

Eleanor lut l'indécision dans mes yeux et elle me sourit avec ce charme que j'avais vu agir plus d'une fois.

– Prenez votre attirail, Amanda. Nous resterons là-bas autant que vous le voudrez.

– Mon bloc à dessin suffira, fis-je en me hâtant vers ma chambre.

– Je vous retrouve au garage, me cria Eleanor.

Je pris un chandail, mon sac et mon carnet, et descendis la rejoindre. Ma décision était prise et je ne m'attardai pas à peser le pour et le contre. De toute façon, il était peu probable qu'Eleanor tentât quoi que ce soit en plein jour et à visage découvert.

Je pris place à côté d'elle. Elle effectua une manœuvre rapide et s'élança vers la rue dans un crissement de pneus. J'avais l'impression qu'elle voulait s'éloigner le plus vite possible de la maison et ne tenait pas à être vue.

Juste au moment où nous prenions la route, Clarita apparut au volant de sa voiture, Juan à côté d'elle. Ils nous regardèrent avec étonnement et je me penchai à la fenêtre pour crier à Juan :

– Eleanor m'emmène à Madrid. Je vais faire quelques croquis.

Notre voiture passa si vite que je ne fus pas sûre qu'ils m'aient entendue. Eleanor semblait mécontente.

– Pourquoi avez-vous fait ça? Vous n'auriez pas dû leur dire que nous allions là-bas.

– Et pourquoi pas?

– Vous verrez, lança-t-elle.

L'étroitesse de Canyon Road et la circulation nous ralentirent mais, une fois sur l'autoroute, Eleanor lança la voiture à fond, bien au-dessus de la limite autorisée. Je me demandais combien de contraventions elle devait collectionner en une année et comment elle avait réussi à conserver son permis. Los Cerrillos, avec leurs collines bosselées, se rapprochaient à toute vitesse et j'apercevais, derrière, les monts Ortiz.

– Quelle évasion merveilleuse! s'écria Eleanor, sa

maussaderie envolée. N'avez-vous pas l'impression d'étouffer parfois dans la maison de grand-père?

– C'est vrai. Mais je suis surprise que vous éprouviez la même chose.

– Bien sûr que j'éprouve la même chose. Juan, Gavin, Clarita, tous veulent me diriger, me garder prisonnière. Mais je vais partir. Je leur montrerai à tous!

Son exaltation croissait au fur et à mesure que nous nous éloignions de Santa Fe et je me sentais de plus en plus mal à l'aise. J'imaginais mal Eleanor en train d'attendre tranquillement que j'aie fini de dessiner. Je me demandai une fois de plus quel était le but véritable de notre expédition. Une ou deux fois, je la priai de ralentir. Elle s'exécutait pendant quelques kilomètres puis son pied poussait de nouveau l'accélérateur à fond et nous repartions de plus belle. J'espérais que Madrid n'était pas trop loin.

A une trentaine de kilomètres de Santa Fe, nous abordâmes un cañon et j'aperçus des maisons éparpillées à flanc de colline. Eleanor ralentit.

– Nous sommes arrivées. Regardez bien, Amanda. Cet endroit fait également partie de notre histoire. Jadis, l'un de nos arrière-grands-oncles y possédait une mine de charbon. Il nous reste encore quelques pouces de terrain. Mais aujourd'hui c'est une ville morte. Aussi morte que les Cordova.

Les maisons grises que j'apercevais étaient en ruine. Il n'y avait pas d'adobe dans la région et les maisons étaient construites en bois gris. Nous traversions lentement une rue bordée de chaque côté de façades grises, non peintes, délabrées, aux fenêtres défoncées, aux portes béantes. Eleanor avait raison, c'était là un bon sujet pour un peintre.

– Des milliers de personnes vivaient ici, jadis, me dit Eleanor, en ralentissant encore. Les mines étaient florissantes en ce temps-là. Un seul filon, dans cette région, produisait un million de tonnes de charbon et les gens arrivaient en foule. Juan me racontait qu'à Noël, les buttes, les maisons, les bords du cañon, tout était illuminé. Quelle différence aujourd'hui! Une vraie ville fantôme! Notre famille est devenue une famille de fantômes, Amanda.

Elle rangea la voiture le long de la route, sortit rapidement et vint m'ouvrir la portière.

— Venez! Je voudrais vous montrer quelque chose avant que vous commenciez à dessiner.

J'hésitai à la suivre. Les maisons étagées sur la colline me paraissaient hostiles. Pourquoi troubler leur sommeil, les rappeler à une vie à laquelle elles n'appartenaient plus? Mais Eleanor avait déjà franchi le talus d'herbe sèche qui bordait la route et commençait à grimper le coteau.

— Il y a un panneau d'interdiction!

Elle se retourna et me fit signe de la rejoindre.

— Qui peut nous voir? D'ailleurs, nous sommes chez nous, ici. Ne sommes-nous pas des fantômes, nous aussi? Les fantômes de la noble famille Cordova.

Je sortis de la voiture et la suivis à contrecœur tandis qu'elle courait entre les maisons irrégulières, s'arrêtant de temps en temps pour s'assurer que je la rejoignais.

L'endroit dégageait une telle fascination que j'en oubliai presque ma cousine.

Escaladant quelques marches branlantes, je passai la tête par une porte qui ouvrait sur une pièce nue, au plancher défoncé. Un objet brun débould soudain pour disparaître dans un trou, près du mur, et je reculai aussitôt. Après cette expérience, je me contentai d'observer les intérieurs abandonnés par les trous des fenêtres. Seul le bruit de mes pas troublait le silence.

Eleanor attendait plus loin, ses longs cheveux soulevés par le vent du cañon. Je sentais moi aussi sur mon visage cette brise morne et glacée, étrangère, semblait-il, au ciel d'azur et à l'étincelant soleil du Nouveau-Mexique. C'était le vent de Madrid, la cité endormie.

– Voilà les maisons où vivaient les mineurs, me dit Eleanor. Celle des Cordova était beaucoup plus importante mais il y a longtemps qu'elle a disparu. Elle a brûlé une nuit et personne n'a jamais su pourquoi. Tout ce que nous touchons se transforme en cendre.

J'essayai de lui résister, de lutter contre cette atmosphère sinistre qui se dégageait de la ville.

– On ne peut guère comparer CORDOVA à un tas de cendre, fis-je. Il me semble que ses revenus vous permettront de vivre à l'aise jusqu'à la fin de vos jours.

– Chut! Ne vous moquez pas des fantômes, Amanda. Ils sont endormis pour l'instant. Ne les réveillez pas, cela vaudra mieux.

Ses divagations m'agaçaient. Si je revenais ici pour peindre, je me laisserais certainement prendre à la magie de l'endroit mais, pour l'instant, je n'avais qu'une envie : m'en aller le plus vite possible.

– Rentrons, criai-je à Eleanor qui avait repris son ascension. J'en ai assez vu. Je peux faire quelques croquis dans la voiture. Je reviendrai une autre fois pour peindre.

Eleanor émergea dans une flaque de soleil, les bras écartés.

– Vous vous imaginez cet endroit la nuit, Amanda ? Je me demande si les fantômes sortent de leurs tombeaux pour venir danser sous la lune.

J'aimerais bien les accompagner. Peut-être en suis-je un, d'ailleurs.

Je n'étais pas une enfant pour me laisser effrayer par les fantômes mais ses phantasmes me donnaient la chair de poule. J'en avais assez de Madrid. Je tournai les talons et commençai à descendre la colline, me frayant un chemin entre les maisons délabrées en évitant de regarder par les fenêtres et les portes aveugles. Aussitôt, Eleanor, oubliant ses propres recommandations, se mit à crier :

– Attendez! Ne rentrez pas tout de suite, Amanda! Nous sommes presque arrivées. Vous n'avez pas vu ce que j'ai à vous montrer. Vous voulez savoir la vérité sur Doro, n'est-ce pas?

Les murs gris et nus renvoyaient l'écho de ses paroles comme si eux aussi protestaient contre mon départ en agitant leur carcasse de squelettes. Je commençais à croire que ces fameuses révélations n'étaient qu'un prétexte pour m'entraîner dans un endroit désert où je serais à sa merci. Mais elle s'était effectivement arrêtée devant l'une des maisons. Les vitres étaient intactes, sans doute à cause des stores qui protégeaient encore les fenêtres, et l'escalier avait été refait.

– Venez, dit-elle en me faisant signe de la main.

Je cessai de résister et, gravissant la colline, m'arrêtai à côté d'elle.

– Entrez, ordonna-t-elle. J'ai déverrouillé la porte. Entrez donc.

Elle parlait avec une autorité qui me rappelait Juan Cordova et m'en imposait. Je montai les trois marches grises et posai la main sur un bouton de porte en porcelaine craquelée.

– Ouvrez, dit la voix d'Eleanor derrière moi.

Je tournai le bouton et pénétrai dans un univers étrange et inconnu. Elle me suivit aussitôt et referma la porte.

La pièce offrait un contraste saisissant avec le décor qui l'entourait. Les murs n'étaient pas blanchis à la chaux mais tapissés d'un joli papier à fleurs bleues, et les trois fenêtres étaient habillées de rideaux à rayures bleues et blanches. Il y avait également un grand lit de cuivre, une table de chevet à dessus de marbre, un rocking-chair et un confortable fauteuil de peluche rouge. Certes, le papier pendait en lambeaux dans un coin de la pièce, les rideaux étaient mous et grisâtres, le cuivre du lit terni, la peluche était luisante, éraillée sur le dossier, et les toiles d'araignée s'accrochaient un peu partout. Pourtant, la pièce conservait un air habité.

– Qu'est-ce que cela veut dire? demandai-je à Eleanor.

– C'est ainsi que Doro et Kirk avaient aménagé la pièce quand ils étaient jeunes, avant que Kirk ne s'en aille et que Doro n'ait connu votre père. Ils avaient apporté certains meubles de l'*hacienda* et acheté le reste, selon Clarita. C'est Doro qui avait fabriqué les rideaux. C'est pourquoi ils pendent de travers. C'était leur cachette. Quand Juan et Katy les croyaient au *rancho*, bien chaperonnés, ils se retrouvaient ici. Quelle belle histoire d'amour, n'est-ce pas?

– Mais comment se fait-il qu'on n'ait rien touché? Est-ce que Juan est au courant?

– Probablement. Il est au courant de tout. Mais il a dû rayer ce souvenir de son esprit. Il n'accepte que ce qui l'arrange et l'idée de ce nid d'amour ne doit pas lui plaire. Selon Clarita, Katy était au courant. Elle s'est contentée de verrouiller la maison après la mort de Doro et de Kirk. Clarita a découvert la clé, un jour, en fouillant dans les affaires de Katy et elle m'a conduite ici quand j'étais adolescente pour me raconter l'histoire de sa sœur cadette et du méchant jeune homme qu'elle aimait. Méchant aux yeux de Clarita, bien sûr.

Soulevant de la poussière à chaque pas, je me promenai dans la pièce, songeant avec tristesse à cette histoire d'amour si vite interrompue.

– Bien sûr, Doro n'est plus jamais revenue après le départ de Kirk. Et puis, elle a rencontré votre père. Clarita l'a emmené une fois ici, après la mort de votre mère. Pour qu'il comprenne quel genre de femme il avait épousé et qu'il emmène sa fille loin de CORDOVA.

Le marbre de la petite table était glacé sous ma main. Je me retournai avec colère.

– C'est Clarita qui était méchante! Quelle idée abominable elle a eue là!

– Elle voulait lui faire comprendre pourquoi Doro avait tué Kirk. Il refusait de croire à cette histoire d'amour avant qu'elle ne lui montre cette chambre.

– C'est de la méchanceté pure, je le répète!

Eleanor m'adressa un sourire énigmatique. Je n'aimais pas son regard, pas plus que le motif qui l'avait poussée à me conduire ici.

La maison se composait de deux pièces : il y avait une porte entrouverte dans le fond. Laissant Eleanor, je passai à côté. Un évier émaillé et de vieux tuyaux occupaient l'emplacement sous la fenêtre. L'ameublement se composait d'une simple table de bois et de deux chaises branlantes. Manifestement, on avait négligé d'installer la cuisine et, s'il y avait jamais eu un fourneau, il avait disparu.

Une petite malle cabossée se trouvait dans un coin. Je me penchai et soulevai le couvercle. Une odeur de naphtaline s'en échappa. Elle était vide à l'exception d'un petit objet que je ramassai avec surprise : c'était un minuscule bonnet en satin, aux dentelles jaunies, un bonnet de bébé. Les points irréguliers me dirent que Doro avait dû le faire pour moi. Mais alors, comment se trouvait-il dans cette maison où elle n'était jamais revenue?

Je refermai la malle et allai montrer ma découverte à ma cousine.

– Que dites-vous de ceci?

Les vêtements d'enfants n'intéressaient guère Eleanor. Elle se contenta de m'observer avec une intensité qui me mit mal à l'aise.

– Amanda, croyez-vous à cette vieille histoire de malédiction qui hante les Cordova depuis la mort de Doña Inès? Croyez-vous que nous soyons tous un peu fous?

Une lueur inquiétante brillait dans ses yeux et il n'y avait aucune amitié dans son sourire. Peut-être avait-elle raison et étions-nous tous un peu fous. Même moi, qui m'étais crue hors d'atteinte des Cordova.

Elle continua d'une voix douce tandis que je faisais une fois de plus le tour de la pièce en essayant d'échapper à cette fascination qu'elle exerçait sur moi.

– Qui était vraiment Inès, je me le demande? Qu'a-t-elle dû éprouver devant ce lit, au milieu de la nuit, tout éclaboussée du sang de sa victime? Est-ce qu'Emanuella a eu peur à ce moment-là?

Il y avait quelque chose d'insidieux dans ses paroles, dans le son même de sa voix. Je décidai de ne pas me laisser effrayer et je lui fis face.

– C'était vous derrière cette histoire de fétiches, n'est-ce pas? C'est vous qui avez mis Doña Sebastiana dans mon lit? C'est vous également qui m'avez attaquée avec le fouet dans le patio et...

– Et qui ai frappé mon grand-père? s'écria-t-elle, furieuse.

– Il n'a pas été blessé. N'est-ce pas vous qui vous

êtes servie de cette statuette en bronze de Quetzal-coatl, dans le magasin ?

Elle me regarda, le visage blême sous son casque de cheveux blonds.

– Je n'ai pas été jusque-là. Le fétiche, oui. Et aussi les disparitions dont on a accusé Gavin. Tante Clarita m'a aidée. Nous voulions le mettre mal avec Juan. Mais c'était des manœuvres idiotes. Elles n'ont pas réussi. Je n'ai jamais rien tenté d'autre et j'ai peut-être eu tort, Amanda.

Son regard était rivé au mien avec une intensité qui me paralysait. Je sentais qu'il fallait m'éloigner d'elle sans tarder. J'ignorais si elle était folle mais elle préparait quelque chose contre moi, j'en étais sûre. Je n'osais pas lui tourner le dos et commençai à reculer doucement en direction de la porte. Elle ne parut pas s'en apercevoir. Son regard était fixé sur une planche étroite, sans doute tombée du cadre de la fenêtre.

D'un seul mouvement, elle bondit et s'en empara. J'aperçus les clous rouillés plantés à l'une des extrémités tandis qu'elle me fixait à nouveau, les yeux brillants d'excitation.

– Ainsi, vous pensiez vous approprier mon héri-tage, Amanda? Et Gavin avec? Mais je ne vous laisserai pas faire, vous savez. Vous ne pouvez pas vous enfuir d'ici. Et ceci est bien autre chose que la *disciplina!* Si je le veux, vous ne quitterez plus jamais cette petite maison où venait votre mère. Il faudra des années avant qu'on vous découvre. Et à ce moment-là, vous ressemblerez à Doña Sebastiana dans sa charrette.

Je ne devais pas rester là, à attendre qu'elle me frappe. Il fallait me montrer plus rapide qu'elle, lui échapper à tout prix. Je me jetai en direction de la porte, l'ouvris et dévalai en trombe les escaliers... pour me retrouver dans les bras de Gavin Brand.

17

Gavin me serra contre lui et je demeurai un moment ainsi, tremblante et soulagée. Derrière moi, la pièce était silencieuse et quand j'eus retrouvé le contrôle de mes jambes, je me retournai et aperçus Eleanor.

Elle riait, tenant toujours le morceau de bois à la main :

– Oh! Amanda! Je vous ai vraiment fait peur, dites-moi? Vous aviez l'air tellement désorientée que je n'ai pas pu résister. Gavin, d'où diable sors-tu?

Il lui répondit d'une voix froide.

– Juan vous a vues partir à toute vitesse dans la voiture. Il était inquiet. Quand Amanda lui a crié que vous alliez à Madrid, il a demandé à Clarita de me téléphoner pour venir vous chercher.

Eleanor lança le morceau de bois loin d'elle avec violence. Contrairement à ce qu'elle m'avait affirmé, je l'imaginais très bien se servant de la *disciplina*.

– S'il vous plaît... partons, dis-je à Gavin.

Il passa un bras autour de mes épaules et nous quittâmes la petite maison hantée, laissant Eleanor à ses fantômes. A présent, elle était plus que jamais mon ennemie et je n'y pouvais rien. Une fois assise dans la voiture, je me laissai aller sur le siège et fermai les yeux. Gavin avait les mains crispées sur le volant et je devinais qu'il était furieux contre Eleanor. Contre moi aussi.

– Pourquoi l'avez-vous accompagnée? Pourquoi lui avez-vous fait confiance?

– Elle m'avait promis de me montrer quelque chose concernant ma mère. Et elle l'a fait. Connaissiez-vous l'existence de cette chambre? Est-ce que vous saviez que ma mère y venait avec Kirk?

– Non. C'est Clarita qui m'a indiqué le chemin. Mais êtes-vous plus avancée à présent?

Je lui montrai le petit bonnet orné de dentelles que j'avais gardé à la main.

– Je suis peut-être aussi folle que les Cordova mais j'ai l'intention de découvrir toute la vérité sur ma mère.

Je pliai le bonnet et le rangeai dans mon sac. Tout ce que j'apprenais ne faisait qu'ajouter aux questions que je me posais déjà. Je ne saurais jamais si Eleanor voulait réellement me faire du mal ou me témoigner son mépris en me terrorisant.

– Je crois qu'il n'y a pas d'issue, fis-je d'un air malheureux.

Gavin ne répondit pas et je sentis que le mur qui nous séparait déjà grandissait. Comme mon grand-père, il ne serait content que lorsque je partirais.

Nous approchions de Santa Fe et je me rappelai les clés qui se trouvaient dans ma poche. Je devais aller voir la collection avant que Juan ou Clarita soient au courant de mon retour et, pour cela, il fallait que Gavin m'accompagne.

Le silence durait depuis un bon moment quand nous arrivâmes en ville. Nous étions à présent dans Canyon Road. Je confiai alors à Gavin mes inquiétudes au sujet du tableau et lui demandai de venir vérifier la collection avec moi. Il rangea la voiture et nous pénétrâmes dans le patio par le garage. Si quelqu'un nous vit, je ne le remarquai pas.

Nous arrivâmes devant le pavillon et je donnai les clés à Gavin qui ouvrit la porte. L'obscurité régnait à l'intérieur et nous restâmes un moment à prêter l'oreille. Tout était silencieux, dehors comme dedans. Je suivis Gavin jusqu'à la petite alcôve et il tourna le commutateur qui éclairait le tableau. Celui-ci jaillit aussitôt dans la lumière.

Doña Inès nous contemplait de son regard fixe de folle qui me rappela un peu celui d'Eleanor, telle que je l'avais vue dans la ville fantôme.

Toutefois, ce n'était pas la naine qui m'intéressait mais son chien. L'animal au poil gris fer était couché à ses pieds, les pattes de devant écartées, ses oreilles pointues dressées.

– Regardez le chien! m'écriai-je. Vélasquez n'aurait jamais peint un chien de façon aussi gauche.

A présent que j'étudiais la toile d'un œil plus critique, d'autres détails me frappaient. La main minuscule de la naine, appuyée contre sa poitrine, le visage lui-même, tout évoquait une subtile contrefaçon. La palette même du maître – cette palette incomparable – était absente.

– Cette toile n'a jamais été peinte par Vélasquez, acquiesça Gavin.

– Il faut le dire à Juan!

J'éteignis la lumière et, après avoir verrouillé la porte, nous nous dirigeâmes en hâte vers la maison.

Mon grand-père se trouvait dans son bureau et, en m'apercevant, me dévisagea d'un œil froid.

– Est-ce toi qui as pris mes clés, Amanda?

Je les déposai sur le bureau devant lui et devançai Gavin qui allait parler.

– Avez-vous jadis exécuté certaines copies de toiles de maître? demandai-je à Juan.

– Oui, bien sûr. J'ai visité les musées de divers pays et j'ai exécuté de nombreuses copies. C'est un excellent moyen pour apprendre. Quand je suis entré en possession du Vélasquez, j'en ai fait une copie également. Elle doit d'ailleurs traîner encore quelque part, si tu désires la voir. Mais le chien

312

n'est pas très bien réussi, les animaux n'ont jamais été mon fort.

J'échangeai un regard avec Gavin. Clarita, qui nous avait entendus, entra dans le bureau.

– Le Vélasquez a disparu, dit Gavin. La toile accrochée à sa place doit être celle que vous avez peinte autrefois.

Le vieil homme n'esquissa pas un geste, ne prononça pas une parole. Il resta assis, figé, derrière son bureau, les yeux fixés sur Gavin. Clarita émit un son étouffé qui ressemblait à un gémissement et s'effondra sur une chaise. Mais il me sembla qu'elle observait son père avec méfiance.

– Cette fois, il faut appeler la police, dis-je à Gavin.

Celui-ci secoua la tête.

– Cela ferait une publicité énorme et on risquerait de nous reprendre le tableau si on le retrouvait.

– Exactement, dit froidement Juan. Ce que je ne veux en aucun cas. Il restera avec moi tant que je vivrai. Ce qu'il deviendra après m'est indifférent.

– Alors comment faire pour le retrouver?

– Je le retrouverai, sois-en sûre. Où est Eleanor?

– Nous l'avons laissée à Madrid, répondit Gavin. Je suis arrivé là-bas à temps. Elle était en train de tourmenter Amanda.

Juan me regarda.

– C'est pour cette raison que j'ai envoyé Gavin te chercher. Je ne voulais pas qu'elle risque de se blesser en faisant une bêtise.

– C'est moi qu'elle aurait pu blesser, répondis-je sèchement.

– Dans ce cas, pourquoi l'as-tu accompagnée?

Clarita recommença à gémir comme si elle vou-

lait m'empêcher de parler mais je ne fis pas attention à elle.

– Eleanor avait quelque chose à me montrer.
Savez-vous que la maison où Kirk et ma mère
avaient l'habitude de se rencontrer existe encore?
La chambre est toujours meublée.

– De quelle maison veux-tu parler?

Le regard sombre et féroce de Juan me clouait
sur place, exigeait la vérité. Mais avant que j'aie eu
le temps de poursuivre, Clarita s'écria :

– Je vous en prie... je vous en prie... ce n'est rien.
Je peux tout vous expliquer.

Juan se détourna et regarda sa fille aînée.

– Tu as dû fournir pas mal d'explications
aujourd'hui. Te souviens-tu de ce que j'ai dit à
Katy? Sais-tu que j'avais ordonné qu'on détruise
cette maison avec tout ce qu'elle contenait?

Juste avant qu'elle n'inclinât la tête, je surpris le
regard chargé de méchanceté qu'elle lui adressa et
je compris que, si Juan avait un ennemi à craindre,
c'était Clarita. Mais elle répondit docilement.

– Oui, je m'en souviens. Mais maman n'a pas pu
se résigner à le faire. Tout ce qui avait appartenu à
Doro avait déjà été brûlé ou donné. Cette maison
était le dernier souvenir qui restait d'elle, quoiqu'elle n'y fût jamais retournée après le départ de
Kirk.

– Eh bien! fais-la abattre. Je ne veux pas conserver cette maison!

J'intervins alors :

– Mais, tante Clarita, elle a dû pourtant y retourner au moins une fois. Regardez ce que j'ai
trouvé.

J'ouvris mon sac et en sortis le bonnet de satin
que je déposai sur le bureau, devant Juan. Il le
regarda sans comprendre, et il se passa alors une
chose étrange : Clarita se leva et, du même coup,

314

sembla changer de peau et d'attitude. Stupéfaite et un peu effrayée, je retrouvais cette femme qui m'était brièvement apparue au cours du dîner – la femme vêtue de rouge – une vraie Cordova, arrogante et sûre d'elle. Elle me parut subitement grandie..., inquiétante.

– Non, dit-elle. Doro n'est jamais retournée à Madrid.

Elle passa devant moi et, prenant le bonnet, le contempla, comme fascinée. Puis elle le tendit à Juan.

– Vous souvenez-vous de ceci, père?

Il considéra le petit bout de tissu d'un air épouvanté mais ne lui répondit pas. Après un moment, elle sortit fièrement, emportant le bonnet.

Juan n'essaya pas de la retenir. Contrairement à elle, il semblait s'être ratatiné et les rides qui marquaient son visage s'étaient accusées. Sans nous prêter attention, il se leva et alla jusqu'au divan. Au lieu de se coucher, comme je m'y attendais, il plongea la main sous l'oreiller, tâta l'objet qui s'y trouvait et revint à son bureau. Je compris qu'il s'était assuré que le poignard était toujours là.

– Mes ennemis me traquent, dit-il d'une voix sombre. Laissez-moi à présent. Il faut que je réfléchisse. Quand Eleanor rentrera, envoyez-la-moi.

Nous obéîmes et descendîmes ensemble dans la salle de séjour.

– Que se passe-t-il donc? demandai-je à Gavin.

Celui-ci secoua la tête d'un air malheureux.

– Je l'ignore, Amanda. Excepté peut-être pour le tableau.

– Vous savez donc qui l'a pris? demandai-je, surprise.

– J'ai des soupçons. Mais je ne voudrais pas accuser à la légère. Attendons qu'Eleanor soit rentrée de Madrid.

Mais la journée s'écoula sans qu'elle reparût. Gavin partit pour le magasin et mon grand-père resta seul dans son bureau. Clarita ne quitta pas sa chambre et n'alla pas le voir.

L'après-midi, je décidai qu'il me fallait parler à quelqu'un et, en bonne logique, ce quelqu'un se trouva être, une fois de plus, Sylvia Stewart. Sans rien dire à personne, je traversai le patio en courant et entrai dans la cour voisine. La porte de la salle de séjour était ouverte. J'appelai Sylvia mais personne ne me répondit. Du bureau de Paul me parvenait le léger cliquetis de la machine à écrire.

Je poussai la porte et jetai un coup d'œil à l'intérieur. Paul n'était pas là mais Sylvia était assise à son bureau et le bruit que j'avais entendu était celui du stylo dont elle tapotait distraitement le bord du bureau. Elle était si absorbée dans la lecture des feuilles jaunes, devant elle, qu'elle ne s'aperçut même pas de ma présence. Sa tête brune était penchée sur le manuscrit. Les lèvres entrouvertes, elle lisait avec passion.

J'appelai doucement pour ne pas la surprendre :
— Sylvia ?

La réaction fut brutale. Elle laissa tomber son stylo et se retourna vivement, les joues en feu.

— Je suis désolée, dis-je. J'ai appelé en entrant mais vous ne m'avez pas entendue.

— J'ai cru que c'était Paul ! Il aurait été furieux s'il m'avait surprise en train de lire son manuscrit. On l'a appelé au téléphone il y a un moment et j'ai profité de l'occasion.

— C'est le livre sur les assassins du Sud-Ouest ?

— Oui. Je viens de lire le chapitre concernant les Cordova.

Elle paraissait extraordinairement soulagée.

— J'avais peur qu'il ne suive la réalité de trop près mais il l'a romancée comme d'habitude.

Elle se replongea dans sa lecture et je m'approchai pour lire par-dessus son épaule. Aussitôt, elle referma le manuscrit.

– Non, Amanda. Je ne peux pas vous laisser lire sans avoir la permission de Paul. J'ai peut-être le droit, moi, sa femme, de fouiller dans ses affaires, mais il en va autrement pour les étrangers.

Elle se leva et éteignit la lampe.

– Allons à côté. Nous y serons plus à l'aise. Que s'est-il passé? Vous paraissez tout agitée.

Je n'étais pas décidée à la laisser changer de sujet.

– Mais s'il romance, comme vous dites, ne risque-t-il pas des ennuis avec Juan?

– Je ne le pense pas. Il idéalise Doro et fait de Kirk le méchant de l'histoire. Je crois que Juan n'y verra aucune objection.

Je la suivis dans la pièce voisine. Elle m'indiqua un fauteuil et se laissa tomber sur un confortable divan agrémenté de coussins marron et jaune canari.

– Voulez-vous boire quelque chose, Amanda?

– Non, merci. Pourquoi ce soulagement au sujet du livre de Paul? Que pensiez-vous qu'il écrirait?

Elle mit un long moment avant de me répondre. Elle alla chercher un paquet de cigarettes, m'en offrit une – que je refusai – se servit elle-même, réfléchissant pendant ce temps à ce qu'elle allait dire.

– Au fond, nous nous trouvions un peu sur un lac gelé, fit-elle enfin. Un geste maladroit de Paul et nous plongions dans l'eau glacée.

– Que voulez-vous dire?

– Oh! pas grand-chose. Si vous voulez absolument savoir, il ne parle même pas de ce fameux numéro trois apparu sur la colline. Par contre, il

317

s'étend longuement sur la petite fille terrorisée et sur son amnésie.

– Cela ne me plaît pas, fis-je. On finira peut-être par savoir qui était cette troisième personne.

Avec un haussement d'épaules, Sylvia exhala la fumée.

– Je crains que Paul n'ait renoncé à vous questionner. Qu'est-ce qui ne va pas, Amanda? S'est-il passé quelque chose pour que vous veniez ici?

– Je voulais vous parler, simplement. Sylvia, saviez-vous que les Cordova possédaient une maison à Madrid?

Elle me regarda en écarquillant les yeux.

– Ne me dites pas que vous êtes allée là-bas!

– Eleanor m'y a emmenée aujourd'hui. Elle m'a dit que c'était là que ma mère et votre demi-frère se rencontraient autrefois.

– C'est parfaitement vrai. Arranger cette maison pour y donner des rendez-vous secrets était l'une des idées les plus folles de Doro. Et Kirk, qui lui ressemblait, l'a adoptée avec enthousiasme. Je l'avais mis en garde contre la fureur de Juan Cordova si jamais il apprenait la chose. Et j'avais raison, bien sûr! Doro était sa préférée et il aimait Kirk comme son fils. Mais ils étaient trop jeunes tous les deux et Juan a réagi en vrai père espagnol. Il a expédié Kirk en Amérique du Sud et a fait cloîtrer Doro. Mais Doro n'avait rien d'une nonne.

– Et il a ordonné d'abattre la maison?

– Oui, il voulait effacer toute trace de cette histoire.

Elle fumait cigarette sur cigarette, ce qui ajoutait à ma propre nervosité. J'aurais souhaité qu'elle s'arrêtât. Je savais, dès le premier instant où je l'avais vue, qu'une secrète inquiétude la rongeait et, plus que jamais, elle m'intriguait.

– Quelle est votre opinion, Sylvia? Pensez-vous

318

que Juan a pu aller sur cette colline, furieux parce que Kirk était revenu ennuyer Doro?

– Mais oui, c'est possible!

L'avidité avec laquelle elle s'empara de cette hypothèse me mit aussitôt en garde. Elle n'y croyait pas. Mais alors pourquoi me laissait-elle m'égarer, sinon parce qu'elle avait quelque chose à cacher?

– Vous n'y croyez pas, Sylvia. Juan n'aurait jamais refusé ce mariage si Doro n'avait pas été aussi jeune. Il aimait Kirk. Mais il voulait leur donner à tous deux le temps de réfléchir. Katy était d'accord. Et ils avaient raison. Parce que Doro l'a oublié et est tombée amoureuse de mon père. Mais ce n'est pas tout.

J'hésitai, me demandant si je devais lui raconter l'épisode avec Eleanor. Finalement, je décidai que non et poursuivis.

– En fouillant dans la maison, j'ai découvert un petit bonnet de bébé que ma mère avait dû sans doute confectionner pour moi. Mais quand je l'ai montré à Clarita, celle-ci a réagi de façon étrange. Elle m'a affirmé que Doro n'était jamais retournée à la maison après le départ de Kirk. Dans ce cas, comment le bonnet s'y trouvait-il?

Sylvia écrasa sa cigarette d'un geste nerveux.

– Clarita a menti. Doro y est retournée. Une seule fois. Et Clarita l'accompagnait. Mais n'essayez pas de m'interroger là-dessus, c'est inutile. Oubliez tout cela, Amanda.

Que de fois avais-je entendu cette recommandation! J'étais bien décidée à lui désobéir mais une autre question me préoccupait.

– Sylvia, qui donc a découvert les corps de ma mère et de Kirk? Personne ne me l'a jamais dit.

Elle me regarda sans répondre et je repris :

– C'est Paul, n'est-ce pas? Il ne vous accompagnait pas comme il me l'a laissé entendre. Après qu'il eut vu Clarita devant la maison, il a remonté le sentier tout seul, et il a découvert les corps. C'est lui qui a donné l'alarme, n'est-ce pas?

– Qu'est-ce qui vous fait penser cela?

– Parce que je m'en souviens.

Mes paroles résonnèrent dans le silence, comme répercutées par les murs blancs et je restai aussi étonnée que Sylvia.

– Vous... vous vous *souvenez?* répéta doucement Sylvia.

L'esprit encore confus, je tentai de cerner l'image qui venait de m'apparaître. Je voyais un homme en train de courir en tous sens, appelant les gens, essayant de se rendre utile. Cet homme était Paul, un Paul plus jeune.

– Je crois que je commence à me souvenir, en effet.

– Qui était la troisième personne?

Sa voix n'était plus qu'un murmure.

– Je ne sais pas.

Je n'aimais pas la façon dont elle me regardait – non plus amusée comme tout à l'heure mais hostile. Je me levai et me dirigeai vers la porte.

– Merci de m'avoir laissée bavarder, Sylvia. Je dois partir à présent.

Elle ne ressemblait pas à Eleanor. Quels que fussent ses sentiments à mon égard, elle ne ferait pas un geste pour me retenir. Ce fut moi qui m'arrêtai sur le seuil.

– Savez-vous, Sylvia, que le Vélasquez de Juan a été volé? Le portrait de Doña Inès a disparu. On l'a remplacé par une ancienne toile de Juan.

Sa brusque pâleur m'alarma. Je crus qu'elle allait s'évanouir et m'approchai d'elle.

– Vous vous sentez mal? Est-ce que vous voulez boire quelque chose?

Mais je ne m'étais pas trompée sur Sylvia. C'était

une femme énergique et qui savait se contrôler quand c'était nécessaire. Elle resta assise toute raide sur le divan et me regarda sans ciller.

– Vous vous trompez. Je vais parfaitement bien.

Je décidai de ne pas la tourmenter davantage et sortis. Une fois dans la cour, je me retournai. Elle était assise à la même place et me regardait. Je compris qu'elle ne bougerait pas tant que je n'aurais pas disparu.

Je poussai le portail et rentrai à la maison. Ma visite ne m'avait rien appris, excepté ce seul fait : c'était Paul Stewart qui avait découvert le corps de Kirk après la mort de celui-ci.

Eleanor n'était toujours pas rentrée. Elle n'apparut pas au dîner ni dans la soirée. Comme Paul avait disparu lui aussi, je me demandai s'ils n'étaient pas en train de comploter quelque part. Peut-être s'occupaient-ils déjà de vendre le Vélasquez à un receleur quelconque. Si Eleanor lui avait donné les clés, Paul pouvait fort bien avoir découpé la toile authentique pour la remplacer par l'autre, ce fameux jour où nous étions tous partis au *rancho*. Tout s'expliquait : le désir d'Eleanor de vider la maison pour laisser le champ libre à Paul. Mais comment le prouver ? Eleanor voulait son argent tout de suite. C'était un moyen de l'obtenir et l'audace de l'entreprise était bien faite pour la séduire. D'une certaine façon, elle ne faisait que prendre ce qui lui appartenait déjà, puisqu'il était entendu qu'elle hériterait du tableau. Mais c'était un coup terrible porté à Juan, peut-être parce que lui aussi soupçonnait ce qui s'était passé, comme Gavin d'ailleurs. Et Clarita ? De nous tous, c'est elle qui connaissait le mieux Eleanor, et je me rappelai la petite comédie de la surprise et des larmes qu'elle avait jouée devant son père sans cesser de le guetter entre ses cils.

D'ailleurs, depuis l'instant où elle s'était emparée

du bonnet, elle était redevenue la femme autoritaire que j'avais vue se dessiner le soir du dîner de Juan. Elle s'était enfin décidée à sortir de sa chambre et circulait dans la maison, la tête haute, en vrai chef de famille. Je l'entendis déclarer sèchement à Juan qu'il avait eu une journée fatigante et ferait mieux de se coucher tôt, attitude qu'elle n'aurait jamais osé adopter auparavant. Quand j'allai le voir pour lui souhaiter bonne nuit, j'eus l'impression de retrouver un homme las et vaincu. Pour la première fois, j'éprouvai de la compassion à son égard mais n'osai pas la lui montrer de peur de le blesser. Plus Clarita gagnait en autorité, plus la sienne diminuait.

Gavin resta invisible. Je n'avais pas la moindre idée de l'endroit où il pouvait se cacher, ni de ses sentiments exacts à mon égard. Un malaise pesait sur la maison et j'avais retrouvé mes anciennes terreurs. Je me déplaçais le plus vite possible en surveillant les coins d'ombre. Il fallait faire quelque chose mais quoi? Et que signifiait cette brusque réminiscence au sujet de Paul?

J'emportai quelques livres dans ma chambre et lus un moment avant de m'endormir, vers 11 heures environ. J'avais placé une chaise contre ma porte qui n'avait ni verrou, ni clé. Ainsi quiconque essaierait d'entrer ne pourrait manquer de réveiller toute la maison. Je m'endormis donc rassurée.

Il était une heure du matin quand un bruit me réveilla. Il venait du fond de la maison. Je quittai mon lit et courut ôter la chaise qui bloquait ma porte. S'agissait-il d'une nouvelle expédition de Juan? Ou bien... Quelqu'un traversait la grande pièce en courant.

J'enfilai une robe de chambre et des mules et descendis doucement l'escalier. Tout était calme et la chambre de Juan silencieuse. Peut-être m'étais-je trompée. Quoi qu'il en soit, je décidai de réveiller Clarita ou Gavin pour les avertir.

Soudain, un cri venant de la loggia brisa le silence. Je reconnus la voix d'Eleanor. « Non! Non! » hurlait-elle, hystérique.

Clarita et Gavin arrivèrent aussitôt mais je les précédai dans l'escalier. Le bureau de Juan était plongé dans l'ombre. Je trouvai le commutateur à tâtons et la pièce s'éclaira, révélant Eleanor, tout habillée, debout près du bureau de Juan. Celui-ci devait s'être couché sur le divan comme en témoignaient les draps chiffonnés. Il agrippait Eleanor d'une main, tenant de l'autre le poignard de Tolède.

– Il a essayé de me poignarder! gémit Eleanor. J'ai senti la lame m'effleurer!

Le vieil homme jeta le poignard sur le divan et attira Eleanor contre lui.

– Chut! *querida*. Chut! Crois-tu que j'aurais pu te faire du mal? J'ai entendu quelqu'un s'approcher du divan et j'ai saisi mon poignard. Je croyais qu'on cherchait à me tuer. J'ignorais que c'était toi.

Elle se laissa aller contre sa poitrine, encore sanglotante, et il lui caressa doucement les cheveux en lui murmurant des paroles apaisantes. Elle n'était plus la jeune femme que j'avais vue à Madrid. Toute son audace l'avait quittée.

Clarita se tenait un peu en retrait, la tête haute, semblant sous-entendre qu'elle pouvait, si elle voulait, mettre un terme à cette scène mais qu'elle en avait décidé autrement.

Gavin, sans laisser à Eleanor le temps de se remettre, attaqua aussitôt :

– Que faisais-tu ici, dans l'obscurité? Et à une heure pareille?

Elle enfouit son visage contre l'épaule du vieil homme et ne répondit pas. Ses doigts s'écartèrent

et j'entendis un cliquetis familier. Celui du trousseau de clés, encore chaud, que je ramassai sur le
tapis.

Gavin les prit délicatement :

– Que comptais-tu faire avec ces clés, Eleanor ?

De nouveau, aucune réponse. Juan nous regarda
par-dessus sa tête, recouvrant un peu de son autorité.

– Laisse-la tranquille. Je l'ai effrayée. J'avais
quitté mon lit pour dormir ici, pensant tromper
mon ennemi. Je ne savais pas que c'était Eleanor –
j'ai cru qu'on venait m'attaquer.

– C'est vous, Eleanor, qui étiez près du lit de
grand-père la dernière fois ?

Un peu remise, elle me répondit avec une pointe
de défi :

– Je suis venue une fois, c'est exact. Je ne pensais
pas qu'il s'en était aperçu.

Gavin tenta encore de la questionner.

– Où as-tu été ? Nous t'avons cherchée tout
l'après-midi.

Cette fois, elle daigna répondre.

– J'étais dans le bureau de Paul. Il m'a permis de
rester pendant qu'il travaillait. Personne n'était au
courant, même pas Sylvia. Je ne voulais pas vous
voir. Aucun de vous.

Elle mentait, je le savais. Paul ne se trouvait pas
dans son bureau cet après-midi, puisque Sylvia et
moi y étions. Pourquoi, d'ailleurs, cette visite nocturne dans le bureau de Juan ? Pourquoi avait-elle
lâché les clés ?

– Viens, Eleanor, dit Clarita avec décision. Tu
nous as suffisamment causé d'ennuis pour aujourd'hui.

– Accompagne-la, ordonna Juan à Clarita qui
s'approcha et passa un bras autour des épaules de
la jeune femme.

Ses yeux étaient brillants et fixes comme si elle avait pleuré.

Juan revint vers le divan et replaça le poignard sous l'oreiller.

— Personne ne me touchera, dit-il. Vous constatez que je suis capable de me défendre.

— Contre quoi? fit Gavin. Contre qui?

Le vieil homme ne répondit pas.

— Dites à Clarita de ne pas revenir, ordonna-t-il avant de se glisser sous les draps.

Gavin l'aida à remonter la couverture et, à sa demande, laissa la lumière allumée. Il posa son bras sur mon épaule et nous descendîmes ensemble dans la grande pièce.

— Vous allez bien, Amanda?

— Je ne sais pas trop. J'ai l'impression de marcher sur une corde raide au-dessus d'un abîme. Et les yeux bandés. Peut-être est-ce moi, cette fois, qui joue à colin-maillard derrière le masque bleu. Si j'arrivais à l'enlever, j'y verrais clair. Malheureusement, c'est impossible. Si je me regardais dans une glace, je suis certaine que je le verrais sur mon visage.

— Mais non, fit Gavin et, me prenant doucement par les épaules, il me tourna face à la cheminée.

Le masque y était accroché. Je détournai la tête en frissonnant.

Gavin me serra contre lui et ses lèvres se posèrent sur les miennes.

— Je voulais vous dire, Amanda: je quitte cette maison demain, dans la soirée. C'est moi qui fais le premier pas.

Ses paroles me firent l'effet d'une douche froide. Jusque-là sa présence m'avait rassurée. Quelque décision que je prenne, je savais qu'il serait là pour me protéger. Il avait raison de faire, comme il disait, le premier pas, mais il me laissait sans défense, livrée à celui ou celle qui déciderait de m'attaquer.

– Je veux que tu quittes cette maison, toi aussi, continua Gavin, me tutoyant pour la première fois. Et sans tarder. Mais tu es en sécurité pour l'instant. J'ai parlé à Clarita.

– A Clarita?

– Oui. Je lui ai tout dit. Elle n'approuve pas le divorce mais elle sait que ni Eleanor ni moi ne désirons rester ensemble. Juan n'est pas tout-puissant, et je crois qu'en un sens elle est heureuse de contester son autorité. Elle veillera sur toi désormais. Je doute que tu aies quoi que ce soit à craindre d'Eleanor. En fait, tu les as tous intimidés. Personne n'osera s'attaquer à toi, à mon avis.

Je n'en étais pas aussi sûre que lui. Il me souleva le menton et se remit à m'embrasser. Ses baisers n'étaient plus tendres cette fois, mais violents. J'aimais cette violence. Cet homme me respecterait à certains moments et, à d'autres, il me dominerait et je devrais lutter pour lui prouver que j'existais. Si je décidais de lutter. Ce qui n'était pas sûr car je savais qu'il ne profiterait jamais de ma faiblesse... et qu'il m'encouragerait toujours à peindre. Ce qui m'importait plus que tout au monde.

Il me prit par les épaules et me poussa en direction de ma chambre.

– Va au lit à présent. Tu as passé une rude journée.

Je lui obéis et montai l'escalier sans me retourner. Je replaçai la chaise contre la porte et, cette fois, je sombrai aussitôt dans un profond et délicieux sommeil.

Ce fut Clarita qui m'éveilla le matin. Elle frappa un coup sec à ma porte et me demanda de lui ouvrir tout de suite. Je sautai du lit et ôtai la chaise. Elle entra, majestueuse et toutes voiles dehors.

– Gavin a parlé à mon père avant de se rendre une dernière fois au magasin. Désormais et jusqu'à votre départ, vous n'irez nulle part sans moi. Gavin en a décidé ainsi.

Je me rappelai la boucle d'oreille trouvée dans le garage et me tus. Je ne fis aucune promesse. Gavin avait peut-être confiance en elle mais pas moi. J'avais vu Juan effrayé la veille au soir et je savais que c'était pour se défendre contre elle qu'il gardait son poignard.

– Avez-vous des projets aujourd'hui?

– Aucun. Je resterai un moment dans ma chambre pour peindre. J'ai une toile à terminer. Peut-être irai-je faire une visite à mon grand-père s'il désire me voir.

– Certainement pas. Il se sent mal aujourd'hui. Le Dr Morrisby est déjà venu et lui a recommandé le plus grand calme. Ces derniers jours l'ont épuisé.

– Je comprends, fis-je doucement.

– Le docteur a donné une autre consultation. Sylvia est malade elle aussi. Elle n'ira pas à la librairie. Je suis déjà passée la voir.

Je devinais la raison du soudain malaise de Sylvia. Ma révélation au sujet du tableau avait dû lui causer un choc. Elle se doutait certainement que son mari et Eleanor étaient impliqués dans cette affaire et ses nerfs avaient fini par craquer. Mais je ne dis rien à Clarita et me contentai de murmurer quelques vagues paroles de sympathie.

Celle-ci inclina la tête avec une majesté de reine et s'en alla. J'étais stupéfaite du changement qui s'était produit en elle. Auparavant, elle n'était qu'un jouet entre les mains de Juan, alors qu'à présent c'était lui qui semblait craindre sa fille aînée. Je me dis que le bonnet n'était pas étranger à cette métamorphose.

Je pris mon petit déjeuner seule, regagnai ma

chambre et installai le chevalet de Juan. Ma chambre, claire et haute de plafond, constituait un atelier parfait. Je posai ma toile sur le chevalet et disposai mes couleurs sur la palette. Je savais exactement comment terminer mon paysage. A l'extrémité de la petite route sinueuse, j'allais peindre un âne que monterait un franciscain en robe de bure, une cordelière blanche nouée à la taille. Il ajouterait la touche finale à ce paysage intemporel du Nouveau-Mexique.

Mais une fois au travail, cette magie rare et mystérieuse que connaissent parfois les peintres s'empara de mon pinceau. Elle était imprévisible mais, lorsqu'elle se produisait, l'œuvre échappait aux intentions de l'artiste et celui-ci se surpassait. Il lui arrivait même de peindre autre chose que ce qu'il avait prévu au départ. C'est ce qui m'arriva. Je compris brusquement que les couleurs étalées sur ma palette ne convenaient pas. Je les grattai entièrement et recommençai, car trop de couleurs superposées risquent de distraire l'œil de l'artiste ou de le décourager.

Le *burro* était devenu un *palomino*, et l'homme qui le montait n'était pas un franciscain mais un *charro* mexicain, vêtu d'un costume en daim bleu, orné de tresse blanche et de boutons d'argent, coiffé d'un large sombrero blanc. Il rejoignait fièrement le premier plan du tableau, sa main gauche tenant légèrement les rênes et son visage – bien que minuscule – avait les traits d'Eleanor.

J'y travaillai intensément pendant une heure ou même davantage. Le personnage était petit mais tranchait sur le paysage par la minutie du détail. Et pendant tout ce temps, quelque chose me hantait que mon esprit se refusait à formuler mais que je sentais confusément.

Mon paysage terminé, je pris la toile avec précaution et descendis. Il y avait trois personnes à qui je voulais la montrer : Sylvia, Clarita et Juan. Curieusement, je ne songeai pas à Eleanor. Cette même force intérieure qui m'avait poussée à peindre conduisait mes pas à présent. Je commencerais par Sylvia, qu'elle soit malade ou non.

Clarita n'était pas là, m'épargnant ainsi une confrontation.

Je trouvai Sylvia étendue sur une chaise longue, au soleil, une couverture indienne sur les genoux. Elle m'accueillit sans aucun plaisir. Je lui dis que j'étais désolée de la voir fatiguée et lui demandai où se trouvait Paul.

– J'aimerais vous montrer une toile que j'ai faite.

Elle inclina la tête d'un air languissant et regarda mon petit paysage sans grand intérêt. Je me rapprochai pour qu'elle puisse bien distinguer le cavalier. Aussitôt, elle ferma les yeux et détourna la tête.

– Vous avez exactement rendu son allure, murmura-t-elle avec tristesse. Comment saviez-vous ? Cet air conquérant de Kirk, l'expression de son visage...

– C'est Eleanor que j'ai peinte. Vous ne m'avez pas dit la vérité, là-bas, au *rancho*. Personne ne me l'a dite d'ailleurs. Juan était le père de Kirk, n'est-ce pas, et Kirk l'oncle d'Eleanor ? Ce sont bien tous des Cordova.

Sylvia ouvrit les yeux et me regarda.

– Vous ne savez rien, n'est-ce pas ? Vous ne savez vraiment rien ?

Je me souvins que Paul m'avait posé exactement la même question quand nous avions parlé de ma mère.

– Ne feriez-vous pas mieux de tout me dire ?

– Non. Jamais. Ce n'est pas à moi de le faire.

Je savais qu'il était inutile d'insister. Sylvia, quand elle avait pris une décision, demeurait inflexible.

– Il y a autre chose.

Je déposai avec précaution ma toile contre une table pour ne pas abîmer la peinture encore fraîche.

– C'est au sujet du Vélasquez.

Sylvia n'essaya pas d'éluder le sujet.

– Eh bien?

– Pensez-vous que Paul et Eleanor l'aient pris pour le vendre?

Elle respira profondément, se redressa et rejeta la couverture.

– Je ne le crois pas. Allons voir.

– Vous ont-ils parlé de leur projet? demandai-je en la suivant à l'intérieur.

– Non. Mais après votre visite j'ai eu des doutes et je suis allée vérifier. Ils ne s'étaient pas donné beaucoup de mal pour le cacher.

Elle traversa la pièce de séjour, ouvrit un placard et se mit à fouiller à l'intérieur. Comme elle ne trouvait pas ce qu'elle cherchait, elle s'agenouilla et tâta le sol et les coins du placard. Puis elle me regarda, inquiète.

– C'est là que Paul l'avait mis. Je l'ai vu hier.

Ni l'une ni l'autre ne nous étions aperçues que le cliquetis de la machine à écrire avait cessé dans la pièce voisine. Paul se tenait derrière nous, à côté du placard.

– Mis quoi? demanda-t-il.

Sylvia, toujours agenouillée, ne leva même pas les yeux.

– Le Vélasquez, dit-elle simplement.

Le visage de Paul se contracta et ses yeux verts eurent une lueur mauvaise. Il se pencha et, saisissant brutalement sa femme par le bras, la remit sur

330

ses pieds. Sylvia poussa une exclamation de douleur et se frictionna le bras.

– De quoi veux-tu parler?

Tout en continuant à se frotter le bras, elle lui répondit avec colère :

– Oh! Paul! Tu es beaucoup plus habile quand il s'agit d'écrire. Je suis sûre que tout le monde est déjà au courant de tes petits complots avec Eleanor. Vous ne risquiez pas grand-chose, je suppose, parce que Juan pardonne tout à Eleanor. Mais qu'as-tu fait de la toile? Tu n'as pas pu la vendre aussi rapidement?

Il nous écarta et se mit à son tour à fouiller dans le placard. Lorsqu'il eut bouleversé le contenu des étagères et mis tout sens dessus dessous, il se redressa, furieux :

– Qu'a-t-elle encore inventé? murmura-t-il entre ses dents. (Il alla jusqu'au téléphone et composa le numéro des Cordova.) Elle est sûrement à la maison, Clarita. Cherchez-la, je vous en prie.

Il reposa le récepteur sur la table et, pendant un moment, aucun de nous ne parla. Sylvia et moi attendions, assises sur le divan, sans nous regarder. Le visage de Paul était déformé par la rage. Je n'aurais pas aimé me trouver à la place d'Eleanor.

– Tout le monde est au courant, à présent, dit enfin Sylvia. Il ne te reste plus qu'à rendre le tableau. Quelle idée folle d'ailleurs! Qu'est-ce qui vous a pris?

Pour toute réponse, il lui jeta un regard furieux et elle n'insista pas. Puis il reprit le récepteur, Clarita parlait.

– Merci, dit-il enfin d'une voix morne, avant de raccrocher. La voiture d'Eleanor est bien au garage, mais elle a disparu. Et le Vélasquez avec, semble-t-il.

Si elle a pris un taxi, elle doit être en ce moment à mi-chemin d'Albuquerque.

– Alors, tu n'es plus dans le coup, dit Sylvia. Si Eleanor est partie avec le tableau, je ne vois pas ce que Juan peut faire. Tu as de la chance de t'en tirer aussi bien.

Il sortit de la pièce en courant et s'arrêta dans le patio, fouillant du regard les alentours de la maison comme si Eleanor pouvait s'y trouver. Heureusement, ses yeux s'arrêtèrent sur ma toile. Il la prit et, la tenant à bout de bras, scruta attentivement le petit village d'adobe, les arbres à coton et la route en lacets que gravissait le petit cavalier.

– Pourquoi Eleanor?

– Il s'agit de Kirk, dis-je.

Il continua à fixer la toile, comme hypnotisé, et reprit le fil de ses idées.

– Non, elle ne s'est pas enfuie avec la toile. Je crois savoir ce qu'elle a fait. Je l'ai vue un moment hier : elle était hésitante, incertaine – ce qui ne lui ressemble guère. Au cours de la conversation, elle a mentionné Bandelier, en disant qu'elle aimerait retourner là-bas pour faire le point. Cet endroit l'attire, j'ignore pourquoi. Cette fois, elle a dû prendre un taxi, en laissant la voiture au garage pour nous dérouter.

– Dans ce cas, j'espère que tu vas la laisser tranquille! dit Sylvia. Ce qu'elle veut, c'est qu'on coure la chercher et qu'on la supplie de rentrer à la maison.

– Je suis certain du contraire, dit Paul, le visage sombre. Et cette fois, c'est moi qui irai la chercher.

Aussitôt, Sylvia quitta le divan et se jeta contre Paul.

– Non, Paul! Non! N'y va pas maintenant. Tu es furieux. Attends un peu... attends!

Je la regardai avec surprise, mais Paul ne lui prêta aucune attention. Il se dirigeait déjà vers le garage. Je pris ma toile et partis sans même qu'ils s'en aperçoivent. Je n'y attachais d'ailleurs aucune importance. Les faits et gestes d'Eleanor ou ce qu'il adviendrait du Vélasquez ne m'intéressaient plus. Ma route était tracée. Je pouvais rayer Sylvia de ma liste. Restait Clarita.

Tout était tranquille dans le couloir qui menait aux chambres, et la première porte, celle de Clarita, était ouverte. Je m'avançai jusqu'au seuil et l'appelai sans obtenir de réponse. J'allais partir quand un détail m'arrêta : un ruban de satin jauni dépassait du couvercle d'un coffre en bois de camphrier.

En un éclair, je traversai la pièce et l'ouvris : le bonnet de bébé se trouvait bien là, au sommet d'une pile de vêtements ainsi qu'une liasse de feuillets déchirés dont je m'emparai avidement. Je reconnus l'écriture du journal. Ainsi c'était Clarita, l'autre jour, au *rancho*, qui avait fouillé la chambre de Katy et arraché les feuillets compromettants. A présent la réponse était là, sous ma main.

Je commençai à lire, debout, déchiffrant facilement l'écriture familière. Contrairement à ce que j'attendais, Katy ne décrivait pas la mort de Doro. Elle évoquait un souvenir :

« Il avait plu toute la journée. Quand j'y repense à présent, c'est toujours la pluie que j'entends ruisseler sur le toit de la petite maison de Madrid. Son temps était venu et il ne nous restait plus qu'à gravir la colline et la conduire au pavillon. Clarita m'avait accompagnée et aussi la vieille Consuelo qui savait comment s'y prendre. Nous avons fait bouillir de l'eau et l'avons écoutée gémir interminablement. Clarita ne cessait de maugréer à voix basse. J'essayai de la faire taire mais ce jour-là, il n'y avait que de la colère dans son cœur. J'ai fait de mon mieux. Ma fille chérie avait peur, elle avait besoin de mon soutien et cela je pouvais au moins le lui donner. C'était la plus jeune de mes enfants et il n'y avait en moi ni blâme ni colère. Mais nous savions que lorsque tout serait fini, il faudrait s'occuper de Juan. »

J'étais arrivée à la fin de la page et je la remis dans le coffre avant de passer à la suivante. Je comprenais à présent pourquoi j'avais trouvé le petit bonnet là-bas. Il ne m'était pas destiné. J'étais née cinq ans plus tard.

– Pourquoi fouillez-vous dans mes affaires ? demanda soudain la voix de Clarita.

Je me retournai. Ses lèvres étaient pâles et ses yeux étincelants mais je devais l'affronter sans mollir.

– Je commence à comprendre. Ma mère est revenue au pavillon pour avoir son enfant, n'est-ce pas ? Celui qui est né cinq ans avant moi.

Clarita m'arracha la feuille d'un geste sec et la lança dans le coffre qu'elle referma violemment, manquant de me coincer la main sous le couvercle. Elle aurait pu me briser les doigts facilement et je me sentis beaucoup plus effrayée que lorsqu'Eleanor m'avait menacée, à Madrid. Cette fois, Gavin ne viendrait pas à mon secours. Cette partie de la maison était déserte.

– Vous fouinez partout, dit-elle de sa voix basse, menaçante. Vous n'avez pas arrêté de fouiner depuis votre arrivée dans cette maison.

Je m'écartai du coffre et reculai avec précaution vers la porte. Je revivais les mêmes gestes que j'avais faits en un autre temps, un autre lieu, mais, cette fois, avec une adversaire beaucoup plus dangereuse. Et pourtant, je devais continuer à l'interroger, je devais savoir :

– C'était vous dans le patio avec le fouet, n'est-ce

pas? Vous avez même fouetté votre père que, d'ailleurs, vous détestez. C'était vous dans le magasin avec la statuette de Quetzalcoatl. Vous m'auriez volontiers tuée tellement vous me haïssez. Moi et ma mère. Pourquoi? Parce qu'elle a toujours été la préférée?

Ses yeux ne quittèrent pas les miens, son expression ne changea pas, mais elle resta parfaitement immobile comme si toute vie, tout espoir la quittaient brusquement. A présent, je commençais à comprendre bien des choses. Quand j'arrivai à la porte, elle n'avait toujours pas bougé, ni esquissé le moindre geste pour me retenir. J'étais libre. Mais je n'en avais pas encore terminé avec elle.

– Je comprends à présent votre attitude envers mon grand-père. Vous étiez obligée de lui obéir aveuglément parce que vous aimez Eleanor comme votre fille et que Juan peut fort bien la déshériter pour le simple plaisir de vous humilier. Mais quand elle a pris le Vélasquez, tout a changé : elle avait de l'argent pour le reste de sa vie et vous n'aviez plus besoin d'obéir à Juan. C'est le bonnet qui vous a décidée. En le revoyant, vous vous êtes souvenue de toutes les épreuves que vous aviez traversées et vous avez cessé d'avoir peur. Juan avait trop d'orgueil pour révéler ce qui s'était passé. Mais je sais à présent qui a gravi la colline, un fusil à la main. Vous détestiez Kirk à cette époque, n'est-ce pas? Non seulement parce qu'il vous avait dédaignée adolescente mais parce qu'il avait déshonoré votre sœur et, à travers elle, Juan et toute la famille.

Au prix d'un terrible effort, Clarita réussit à sortir de sa paralysie et fit un mouvement vers moi. Mais déjà je m'élançais dans le couloir. J'avais abandonné ma toile mais elle n'avait plus aucune importance désormais. J'avais enfin compris ce que mon inconscient se refusait à formuler et je n'avais pas besoin de montrer mon tableau à Juan. Les pages du journal de Katy avaient tout changé.

Je traversai la pièce de séjour en courant et montai l'escalier qui conduisait à la chambre de Juan Cordova : j'ignorais ce qu'il avait pu découvrir au fil des années, mais il fallait qu'il connaisse toute la vérité et sans tarder.

Il était assis, les mains à plat sur son bureau. Son teint était gris et de grands cernes lui creusaient les yeux. Il fixait d'un regard absent le petit poignard à manche damasquiné posé à côté de sa main. Je savais que Clarita n'allait pas tarder et je me lançai dans un discours incohérent.

— J'ai lu ce que Katy a écrit dans son journal ! Clarita avait caché les dernières pages dans sa chambre. Je sais que ma mère a accouché d'un enfant dans la maison de Madrid. Je sais tout !

Il ne fit pas un mouvement, ne leva même pas les yeux. C'était un très vieil homme qui approchait de la fin. Il n'en supporterait guère plus. Je regrettai soudain mon éclat mais je devais lui parler avant Clarita. Celle-ci arrivait déjà derrière moi. Elle s'arrêta sur le seuil sans prononcer un mot.

Juan dut sentir sa présence car il leva lentement les yeux. Quand il parla, sa voix était rauque, étouffée.

— Qu'as-tu fait, Clarita ?

Elle tendit les mains vers lui en un geste de désespoir.

— Je n'ai rien fait. C'est celle-là... cette vipère que vous avez introduite dans la maison !

— Où est Eleanor ? demanda Juan sans relever l'accusation.

Clarita ne répondit pas.

— Amène-la-moi. Je dois lui parler sur-le-champ. Je veux tout lui dire moi-même.

— Non... non !

Clarita fit un pas vers le bureau.

– Elle ne me le pardonnera jamais. Ni à vous. Elle ne nous pardonnera pas de lui avoir menti.

– Je lui parlerai, s'obstina Juan.

– Je crois que cela est impossible pour le moment, intervins-je. Paul Stewart pense qu'elle est retournée à Bandelier, et il est parti la chercher. A cause du Vélasquez. C'est eux qui ont combiné ce vol, vous savez.

Quand il le voulait, les yeux de Juan pouvaient rivaliser de fureur et de méchanceté avec ceux de Clarita. Je reculai d'un pas, effrayée. Mais ce n'était pas après moi qu'il en avait.

– Paul est allé à Bandelier... chercher Eleanor?

Il paraissait avoir retrouvé toute son énergie. Il se leva et alla vers sa fille.

– Tu vas me conduire là-bas. Il faut les rattraper. Je veux retrouver le Vélasquez et j'ai peur de laisser Eleanor seule avec Paul dans ce désert.

– Mais père..., commença Clarita.

Juan la fit brutalement taire.

– Tout de suite. Tu vas me conduire.

Il sortit de la pièce et Clarita courut derrière lui pour l'aider à descendre l'escalier. Manifestement, il avait retrouvé tout son ascendant et il n'était pas question que Clarita lui désobéît. Sans attendre, je décrochai le téléphone qui se trouvait sur le bureau et composai le numéro de CORDOVA.

Quand j'eus Gavin au bout du fil, je lui racontai l'essentiel. Sa réaction fut immédiate.

– Quelle folie d'avoir laissé partir Juan! J'y vais tout de suite.

Il raccrocha et je regagnai lentement ma chambre. Les dés étaient jetés, il ne me restait plus qu'à attendre. J'ignorais ce qu'il adviendrait de Clarita, dans quelle mesure ce meurtre commis il y a si longtemps affecterait notre vie dans le présent. Les heures à venir seraient pénibles mais du moins Gavin était là, sur les traces de Juan et des autres. Une fois de plus, grâce à Eleanor, tous les yeux étaient tournés vers Bandelier.

18

En traversant la maison silencieuse, je me rappelai que c'était le jour de congé de Rosa. Tout le monde était absent, à part Sylvia. Je songeai un instant à retourner dans la chambre de Clarita pour lire le reste des feuillets. Mais au fond, je ne le désirais pas. D'ailleurs, je me sentais lasse. Je connaîtrais bientôt toute l'histoire et, pour l'instant, il me suffisait de savoir que Doroteo n'avait jamais été coupable de meurtre. Pourquoi et comment elle était morte, je l'ignorais encore, mais j'espérais que, lorsque la vérité aurait enfin éclaté, son âme pourrait reposer en paix.

La chambre de Doro – ma chambre actuelle – m'offrait le havre que je cherchais. Je voulais réfléchir, comprendre non seulement ce qui s'était passé sur la colline mais tous les antécédents de cette naissance secrète dans la petite ville fantôme de Madrid.

Ma porte était ouverte, telle que je l'avais laissée, et je franchis le seuil d'un pas hésitant. Après toutes ces émotions, mes jambes étaient un peu faibles. Je décidai de m'étendre sur le lit et de me reposer un moment. Mais quelqu'un était déjà passé par là : une toile enroulée était posée sur le lit.

Je commençai à la dérouler par le bas, les mains tremblantes : les pieds minuscules de Doña Inès apparurent et, à côté, un morceau du petit chien. Je

338

déroulai complètement la toile. C'était bien le portrait de la naine... et le vrai Vélasquez. Mais comment avait-il échoué sur mon lit? Sans doute un nouveau tour d'Eleanor...

Je surpris un bruit derrière moi et, me retournant, je me retrouvai face à face avec ma cousine, ou plutôt ma sœur : Eleanor.

Vêtue de ses jeans et de sa ceinture de *concho*, elle se tenait devant la porte refermée, les mains sur les hanches, un pied négligemment croisé sur l'autre.

– Salut, Amanda! dit-elle, le menton dressé avec arrogance. J'ai décidé d'être honnête, voyez-vous. J'ai rendu la toile.

– Je pensais bien que c'était vous. Mais pourquoi... pourquoi?

– J'aurais préféré la remettre dans son cadre. Hier, je suis allée voir si je pouvais y arriver toute seule – quand vous m'avez surprise en train de remettre les clés dans le bureau. J'ai voulu les prendre cette nuit, mais grand-père m'a aperçue lui aussi. Et aujourd'hui il n'a pas quitté sa chambre. Aussi me suis-je dit qu'il ne me restait plus qu'à le laisser ici avant de m'en aller.

– Vous en aller, où?

– Je l'ignore. Mes valises sont prêtes. J'irai peut-être en Californie pour commencer. Gavin obtiendra ainsi le divorce. Si Juan veut bien de moi, peut-être retournerai-je habiter ici. Quand tout sera tassé et qu'il m'aura pardonné.

Je ne pouvais plus attendre. Il fallait qu'elle sache.

– Vous m'avez fait peur hier, à Madrid.

– Je sais. J'ai honte en y pensant. Je suis capable de pas mal de choses mais je ne pensais pas être aussi méchante. Je sais jusqu'où je peux aller maintenant. La fameuse tare des Cordova : Doña Inès...

– C'est ridicule. D'ailleurs, cet épisode est clos. Ce qui importe, c'est le bonnet que j'ai découvert là-bas. Ce n'était pas à moi qu'il était destiné, Eleanor, mais à vous.

Elle me regarda plus curieuse que choquée.

– Eh bien, allez-y. Dites-moi tout.

Je lui parlai alors de sa ressemblance avec Kirk, de mon tableau et du reste du journal découvert dans la chambre de Clarita.

Elle m'écouta, très calme, sans m'interrompre.

– Ainsi Doro et Kirk étaient mes vrais parents. Ce qui fait que nous sommes demi-sœurs, n'est-ce pas? Comme c'est étrange, Amanda. Vous ne sauriez vous imaginer à quel point, parfois, je me sentais loin de mes parents. Je n'avais pas du tout l'impression de leur ressembler et, même, je me suis sentie coupable à leur mort, parce que je n'avais pas assez de chagrin. Quand Juan a appris ma naissance – et je suis sûre que Katy n'a pas attendu pour le lui dire – il a dû trouver le moyen de persuader Rafaël et sa femme de me faire passer pour leur fille. Et puis, après leur mort, Katy et lui m'ont gardée et m'ont élevée sous le même toit que Doro. Je me suis toujours sentie proche d'elle et j'ai été très triste quand elle est morte. Pourtant, c'est curieux, je ne me souviens pas du tout de Kirk. Quand vous êtes arrivée ici, j'ai été jalouse de vous parce que vous étiez la fille de Doro. Vous vous souvenez de ce que j'ai dit en parlant du portrait d'Emanuella? Que je ne lui ressemblais pas du tout. Je mentais. J'avais très envie de lui ressembler, à elle et à Doro. Mais je dois tenir de Kirk également. Je n'ai pas hérité toutes les bizarreries des Cordova.

Je l'écoutai sans l'interrompre, un peu méfiante devant ce brusque changement d'humeur. Je n'arrivais pas à oublier tout le mal qu'elle m'avait fait.

Elle se mit à rire doucement :

340

– Attendez que Paul apprenne cette histoire! Quel merveilleux matériau pour son livre!

Je retrouvais bien là l'Eleanor que je connaissais.

– Ne lui dites rien! Pensez à Juan!

– Je vais tout lui raconter et Juan ne pourra pas m'en empêcher. J'y vais de ce pas.

– C'est inutile. Vous étiez ici, n'est-ce pas, quand Clarita vous cherchait? Elle a dit à Paul que vous aviez disparu, et celui-ci a pensé que vous étiez retournée à Bandelier. Autant que vous le sachiez : il est furieux contre vous et il a décidé d'aller là-bas. Il veut récupérer le Vélasquez.

Elle se mit à rire de plus belle.

– Oh! Merveilleux! Je cours le chercher. Ce que je vais lui apprendre l'intéressera sûrement.

Je soupirai.

– Clarita et Juan sont partis pour Bandelier aussi; Juan ne voulait pas vous laisser seule avec Paul. De mon côté, j'ai appelé Gavin qui les a suivis. Lui s'inquiétait pour Juan. Grand-père semblait au bout du rouleau ce matin.

Eleanor cessa soudain de rire.

– Je pars immédiatement. Je ne veux pas qu'ils continuent à me chercher.

Je me rappelai la fureur de Paul, et la pensée d'Eleanor se retrouvant face à face avec lui dans cet endroit désert me mit brusquement mal à l'aise.

– N'y allez pas, l'implorai-je. C'est inutile à présent.

– Ce n'est pas mon avis.

Elle avait l'air de s'amuser.

– Songez qu'ils sont en train de fouiller partout. Si c'est une chasse au trésor, je me dois d'être là.

Elle était déjà au sommet de l'escalier. Je la suivis, étonnée de cette tendresse et de cette brusque inquiétude que j'éprouvais pour elle.

– Je vous accompagne. Laissez-moi le temps de changer de chaussures.

Elle hésita un instant, puis se décida.

– Très bien. Je vous attends.

J'enfilai rapidement un pantalon et des chaussures de marche.

Une fois dans la voiture et en route pour Bandelier, je m'aperçus qu'un changement s'était produit chez Eleanor. La perspective de ridiculiser ses poursuivants ne semblait plus l'amuser. A présent, elle semblait dégrisée et inquiète.

Elle conduisait très vite comme d'habitude mais avec une détermination nouvelle, poussée non par un désir de fuite mais par une fatalité qui l'effrayait.

J'essayai une ou deux fois de l'interroger mais en vain. Peut-être n'avait-elle pas entendu ou ne daignait-elle pas me répondre.

Je me rappelai brusquement la réaction de Sylvia quand je l'avais interrogée sur le père d'Eleanor. Elle m'avait donné une réponse étrange qui ne concordait pas avec ce que je savais de Rafaël. Bien sûr! C'est de Kirk que Sylvia parlait. Ainsi, elle savait.

Arrivée sur le terre-plein, en face de l'entrée du parc, Eleanor s'assura que les autres voitures étaient là. Nous avions à peine fait quelques pas dans l'allée que nous nous heurtâmes à Gavin qui revenait en courant.

Il n'avait pas encore trouvé les autres et s'étonna de nous voir ensemble. Je lui expliquai aussitôt mon erreur, en regrettant de l'avoir dérangé inutilement. Mais il me coupa d'un geste :

– C'est au sujet de Juan que je suis inquiet. Il n'allait pas bien ce matin. Il n'aurait pas dû venir, même accompagné de Clarita.

Je me demandai dans quelle mesure Clarita pouvait être considérée comme une protection mais le moment était mal choisi pour des explications. Il valait mieux commencer tout de suite les recherches. Quant à Paul, je ne m'en souciais pas.

On décida que Gavin suivrait la piste du bas, qui longeait le lit du cañon et qu'Eleanor et moi emprunterions celle du haut qui passait par les grottes. Du moins, n'aurions-nous pas cette fois à les explorer une par une. Personne ne s'y cachait.

Eleanor ne tarda pas à me dépasser. Elle marchait à grands pas et j'avais du mal à la suivre. Je lui criai de m'attendre et elle se retourna brusquement. Stupéfaite, j'aperçus un visage angoissé et proche des larmes que je ne lui avais jamais vu.

– Vite! s'écria-t-elle. Il faut nous dépêcher. Ils n'auraient jamais dû venir ici, jamais. Que va-t-il arriver, je me le demande. Ah! si seulement nous pouvions trouver Paul!

Je ne me souciais aucunement de Paul mais après cet éclat, je n'essayai plus de retenir Eleanor. Nous nous engageâmes en courant sur le sentier qui bordait la falaise, trébuchant parfois sur de grosses pierres, courant quand le terrain le permettait, nous agrippant au rocher pour franchir les passages difficiles.

De l'autre côté du cañon, les sentiers étaient invisibles, perdus dans l'épaisseur des arbres qui dominaient la falaise. Mais il était peu probable que Juan, Clarita ou même Paul soient montés jusque-là. Ils devaient penser qu'Eleanor se cantonnerait à des zones plus accessibles.

A présent, la piste s'agrémentait de petites marches creusées dans le roc, et le sentier suivait étroitement la falaise. Eleanor s'élança. Les rues de New York ne m'avaient guère préparée à une ascension à cette altitude et je m'arrêtai un instant pour reprendre mon souffle et contempler sa silhouette élancée qui se découpait au sommet d'un petit escalier taillé dans la falaise. Son immobilité m'inquiéta et je me hâtai de grimper sur la plate-forme. Comme je lui effleurai le bras, elle pivota sur elle-même et redescendit l'escalier.

– Je ne pense pas qu'ils nous aient vues. Vite, Amanda! Ne restez pas ici. Nous allons grimper dans une de ces grottes.

Je protestai. Je ne craignais rien de Clarita en plein jour et à découvert, surtout accompagnée de Juan.

– Mais pourquoi? Pourquoi, Eleanor?

– Clarita est en bas avec Juan. Elle a dû vous voir.

Je jetai un coup d'œil sur la piste à mes pieds, et aperçus Clarita, les yeux levés vers moi.

– Elle repart à présent. Pourquoi n'allons-nous pas les rejoindre?

– Non! Non!

Elle me saisit par le bras et me traîna presque jusqu'à une échelle qui conduisait à l'entrée de l'une des grottes. Elle grimpa à ma suite tandis que j'émergeais dans une fraîche obscurité.

– Baissez la tête et restez à plat, m'ordonna-t-elle.

Son ton était impérieux et, remettant mes questions à plus tard, je lui obéis. Si je savais ce que Clarita avait fait, Eleanor, j'en étais sûre, l'ignorait.

Nous restâmes allongées côte à côte sur le sol de pierre, respirant la poussière de la roche. Eleanor écoutait, les sens en alerte, les muscles tendus.

– Qu'y a-t-il? chuchotai-je. Clarita ne peut rien contre nous ici. Nous pouvons l'affronter. Cette fois, elle n'est pas armée.

– Je sais, mais maintenant j'ai peur. J'ai terriblement peur, Amanda. Pendant que vous vous changiez, je suis allée dans la chambre de Clarita et j'ai lu les pages du journal. Je voulais savoir ce que Katy disait du bébé. Et puis j'ai continué. J'ai lu ce qu'elle écrivait sur la journée du pique-nique.

– Je ne suis pas allée jusque-là, admis-je. Mais je sais tout. J'ai confondu Clarita dans sa chambre. Elle est battue à présent. Elle ne peut rien contre nous. Sortons et...

Eleanor me retint brutalement.

– Attends, fit-elle en me tutoyant. Je vais jeter un coup d'œil. Ne bouge surtout pas.

Elle s'avança en rampant jusqu'à l'entrée de la grotte, se pencha puis revint vers moi.

– A présent, nous connaissons notre ennemi. Ce n'est pas moi qui suis en danger, Amanda. C'est toi. Toi seule. Tiens-toi tranquille et ne fais aucun bruit.

Pendant un moment, je lui obéis et restai allongée près d'elle sans bouger. Pourtant, j'avais du mal à la croire.

Je décidai de m'approcher de l'entrée de la grotte et de regarder moi-même. J'entendais des pas sur le sentier, accompagnés d'un murmure de voix. Les pas s'éloignèrent et je me rapprochai lentement de l'ouverture. Derrière moi, Eleanor me saisit le pied et essaya de me tirer vers elle. Mais j'étais près de l'échelle. Je luttai pour me dégager et, ce faisant, délogeai une parcelle de rocher qui rebondit contre la paroi et alla rouler sur le sentier.

Inquiète, je retins mon souffle. On n'entendait plus aucun bruit. Eleanor, sans doute effrayée elle aussi, ne bougeait pas et avait lâché mon pied. J'attendis un moment, puis repris ma progression et me penchai au-dessus de l'échelle. Ce que je vis alors me cloua sur place : c'était le sombrero blanc de Kirk. Avant que j'aie eu le temps de reculer, celui-ci bascula, révélant le visage qu'il cachait : le masque bleu aux fentes de turquoise.

Frissonnante de terreur, je tentai de reculer vers le fond de la grotte. Le masque bleu gravissait l'échelle, tourné vers moi, inquiétant sous le sombrero blanc.

Tout me revint en un éclair et je me mis à hurler. A présent, je connaissais la vérité. Je revoyais le visage aimé sur la colline, le fusil qui avait craché la mort, Kirk Landers qui tombait. Je revoyais Doroteo essayant de sauver Kirk, luttant avec son père puis perdant l'équilibre et dévalant le talus pour aller rouler dans l'*arroyo*.

Tout cela ne dura qu'une seconde.

Derrière moi, j'entendis Eleanor crier :

– Non, grand-père, non!

L'homme debout sur l'échelle arracha masque et sombrero et j'aperçus la féroce tête de faucon... le visage de la mort. Une main maigre me saisit le bras, me clouant sur place :

– Ainsi, tu as fini par te souvenir... et tu as détruit le seul être que j'aimais : ma petite-fille. A cause de toi, il faudra qu'elle sache ce qu'elle n'aurait jamais dû savoir. Tu vas mourir.

Je vis la lame du poignard étinceler dans sa main et essayai de m'écarter en roulant sur le côté. Mais la folie avait décuplé ses forces. Aucun moyen d'échapper à ce poignard dressé au-dessus de moi. Soudain, Eleanor fut sur moi et me poussa de côté au moment même où la lame retombait en un éclair. Le sang gicla et je vis la silhouette dressée de Juan Cordova qui nous contemplait d'un air terrible avant de vaciller et de s'écrouler plus bas, sur le rocher. Au même moment, j'aperçus Clarita qui arrivait en courant à l'extrémité du sentier tandis que Gavin accourait de l'autre.

Mais, pour l'instant, Eleanor seule m'importait.

Elle gémissait doucement, l'épaule rouge de sang. Eleanor, ma sœur, qui venait de me sauver la vie... Clarita enjamba le corps de Juan et, grimpant rapidement l'échelle, s'agenouilla à côté de nous. Elle déchira aussitôt le bas de la blouse d'Eleanor et s'en servit pour éponger le sang qui coulait en abondance. En bas, Gavin était penché sur Juan.

– Eleanor s'en sortira, lui dit Clarita. Vite, appelez une ambulance, Gavin.

Gavin se redressa.

– Juan est mort. Je vais tout de suite au Centre pour téléphoner.

Quand il eut disparu, je me retournai vers Clarita.

– Eleanor m'a sauvé la vie. Je me souviens de tout à présent. C'est Juan qui a tué Kirk. Mais j'ignore toujours pourquoi.

Clarita me répondit d'une voix calme, sans la moindre émotion.

– Il est temps que vous sachiez la vérité. Toute cette haine doit finir. Ce n'est pas votre faute, bien que, moi aussi, je vous aie haïe. Quand Kirk est rentré à Santa Fe et a appris que Doro lui avait donné un enfant, il a menacé de tout raconter à William Austin si elle refusait de s'enfuir avec lui. Elle lui avait donné rendez-vous ce jour-là sur la colline, pour lui dire qu'elle n'accepterait pas de le suivre, même si elle devait ruiner son ménage. Mais, auparavant, elle avait parlé à son père de la menace de Kirk. Juan était fou de rage. Il a pris un fusil dans la chambre de Mark Brand et les a rejoints sur la colline. Il voulait faire peur à Kirk. Mais quand celui-ci s'est moqué de lui, il a tiré et l'a abattu. Doro est tombée en essayant de détourner le canon du fusil.

– Je sais, dis-je d'une voix étranglée qui me parut

appartenir à quelqu'un d'autre. Avez-vous vraiment assisté à la scène de la fenêtre?

– Non. J'avais déjà quitté la maison quand Paul m'a aperçue. Mais plus tard, Juan m'a fait appeler dans sa chambre et m'a dit ce que je devais raconter. Il ne voulait même pas que Katy sache la vérité. Mais ma mère était beaucoup trop fine pour se laisser berner et elle m'a forcée à tout lui dire. Elle a dû accepter mon histoire pour sauver son mari et, jusqu'à sa mort, elle a réussi à lui cacher qu'elle savait. Mais elle avait tout consigné dans son journal. C'est pour cette raison que je suis allée au *rancho* et que j'ai arraché les dernières pages.

– Mais pourquoi ne pas les avoir détruites?

Elle me fixa de son œil froid.

– Parce qu'elles constituaient une menace pour mon père. Je lui obéissais parce que, sinon, il menaçait de déshériter Eleanor que j'aime comme ma propre fille.

– Et le fouet dans le patio? L'agression avec la statuette de bronze au magasin?

– Il voulait vous effrayer pour vous faire partir. Vous deveniez trop dangereuse et, pour lui, la fille de Doro, c'était Eleanor, pas vous. Il craignait qu'elle apprenne la vérité sur sa naissance et aussi qu'il était le responsable de la mort de ses parents. Eleanor était le seul être qu'il aimât. C'est lui qui vous a attirée cette nuit-là dans le patio. Il vous a frappée en prétendant ensuite que l'attaque lui était destinée. C'est moi qui l'ai conduit au magasin l'autre nuit. Il vous cherchait... et il vous a trouvée. Et c'est moi qui – parce qu'il me l'avait ordonné – lui ai apporté le fouet. Moi qui ai placé Doña Sebastiana dans votre lit. Je voulais que vous partiez. Cela aurait mieux valu autant pour vous que pour mon père. Mais vous n'avez rien à vous reprocher. La faute, si c'en est une, appartient au passé.

Je contemplai mon grand-père, étendu sur le sol, son visage impérieux tourné vers le ciel. Le sombrero et le masque étaient par terre, à côté de lui. Je descendis l'échelle et, prenant le chapeau à larges bords, le posai délicatement sur ce visage désormais sans défense.

– Pourquoi avait-il apporté le chapeau et le masque? Et la dague? Je ne comprends pas.

– Il voulait effrayer Paul pour l'empêcher de s'approcher d'Eleanor. Mon père a toujours eu du goût pour les effets spectaculaires. Il savait que ces objets rappelleraient à Paul ce jour lointain sur la colline. Il s'imaginait lui faire peur avec le poignard. Mais quand il vous a aperçue en même temps que moi en haut du sentier, il s'est dit qu'il pourrait tout aussi bien utiliser cette mascarade contre vous.

J'enfouis mon visage dans mes mains et me mis à pleurer doucement. Je pleurais sur nous tous et sur mon illusion qui m'avait fait croire que j'avais, malgré tout, trouvé une famille. Je fus surprise quand Clarita posa sa main sur mon épaule :

– *Pobrecita*. Ne pleurez pas. Tout cela est fini à présent.

J'écartai les mains de mon visage.

– Mais vous... vous paraissiez plus forte, de jour en jour. Même aujourd'hui.

– Juan s'affaiblissait et il commençait à me craindre. Quand vous lui avez montré ce bonnet, j'ai cru que j'avais enfin barre sur lui. J'ai pensé à tout ce que je pourrais révéler, si je voulais. Mais j'avais tort. Je suis en grande partie responsable de ce qui est arrivé parce que je n'ai rien fait pour l'arrêter.

Eleanor nous avait écoutées sans un mot. Elle prit la main de Clarita et murmura d'une voix faible :

– Doro et Kirk étaient peut-être mes parents, mais c'est toi qui es ma vraie mère.

Clarita se pencha et la caressa comme on berce un enfant. Ses yeux étaient pleins de larmes.

Des hommes arrivèrent avec deux brancards pour transporter Juan et Eleanor jusqu'au Centre, en attendant l'arrivée de l'ambulance. Gavin et moi attendîmes qu'ils eurent disparu, puis Gavin se pencha et ramassa le masque.

– Qu'allons-nous faire de cela?

Je le lui pris des mains et, m'avançant jusqu'au bord du cañon, le lançai dans le vide où il atterrit, tout en bas, sur un massif de cactus. Puis je mis mon bras sous le sien et, ensemble, nous revînmes jusqu'à l'entrée du parc.

Paul nous attendait, les yeux brillants d'excitation. Il tenait son récit à présent, un récit complet, plein de péripéties. C'est du moins ce qu'il croyait car, cette nuit-là, Sylvia mit fin à son rêve. Elle lui déclara d'un ton calme qu'elle le quitterait définitivement s'il faisait une seule allusion à l'histoire des Cordova dans son livre. Paul n'avait aucune envie de perdre Sylvia. Celle-ci savait que Doro avait eu un enfant, que cet enfant était Eleanor, mais elle avait toujours craint que Paul fût l'assassin de Kirk et qu'on l'apprît un jour. Elle se demandait si Paul jouait avec le feu en écrivant son livre ou s'il voulait, au contraire, écarter tout soupçon le concernant. Elle pensait que Clarita avait tout deviné mais qu'elle protégeait Paul qu'elle avait autrefois aimé.

L'ambulance arriva. Paul, Clarita et Eleanor partirent chacun de leur côté et nous suivîmes en voiture avec Gavin. Je laissai aller ma tête en arrière et fermai les yeux jusqu'à ce que la voiture s'arrêtât. Quand je les ouvris, je m'aperçus que nous nous trouvions juste en face de la falaise du cañon

...ont les stries se détachaient nettement sous l'ardent soleil du Nouveau-Mexique.

Nous ne parlions pas. Gavin avait passé un bras autour de moi et ma tête reposait contre son épaule. Le soleil avait éclairé une dernière fois mes cauchemars mais il me faudrait longtemps pour oublier cet instant où j'avais plongé dans les yeux du masque de turquoise.

Achevé d'imprimer sur les presses de l'imprimerie Brodard et Taupin
7, Bd Romain-Rolland, Montrouge. Usine de La Flèche,
le 10 octobre 1983
1195-5 Dépôt Légal octobre 1983. ISBN : 2 - 277 - 21541 - 4
Imprimé en France

Editions J'ai Lu
31, rue de Tournon, 75006 Paris
diffusion France et étranger : Flammarion